SLAPELOZE NACHTEN

Madeleine Wickham

Slapeloze nachten

the house of books

Eerste druk, oktober 2007
Negende druk, februari 2011

Oorspronkelijke titel
Sleeping Arrangements
Uitgave
Black Swan, published by Transworld Publishers, Londen

Vertaling
Annemarie Verbeek
Omslagontwerp
marliesvisser.nl
Omslagdia
Dennis Wilson/Corbis
Opmaak binnenwerk
ZetSpiegel, Best

ISBN 978 90 443 2411 2
D/2007/8899/131
NUR 302

Voor mijn ouders, met veel liefs

1

De zon was een oogverblindende, witte bal die genadeloos door het raam naar binnen scheen en van Chloe's kleine zitkamer een oven maakte. Toen Chloe zich naar Bethany Bridges toeboog, voelde ze onder haar katoenen jurk een zweetdruppel als een torretje langs haar ruggengraat naar beneden kruipen. Ze stak een speld in een plooi van zware witte zijde, trok de stof hard tegen Bethany's huid en voelde hoe het meisje in paniek naar adem hapte.

Het was veel te warm om te werken, dacht Chloe, die een stap achteruit deed en slierten blond haar van haar voorhoofd veegde. Zeker te warm om in dat benauwde kamertje te staan om een nerveus, dik meisje in een bruidsjurk te snoeren die zeker twee maten te klein voor haar was. Ze keek voor de zoveelste keer op haar horloge en voelde een trilling van opwinding. Het was bijna zover. Over slechts enkele minuten zou de taxi voorrijden en deze kwelling voorbij zijn, en dan zou de vakantie officieel beginnen. Ze voelde zich slap van verlangen en een wanhopige behoefte om te ontsnappen. Het was maar voor een week – maar een week zou genoeg zijn. Een week moest toch genoeg zijn?

Weg, dacht ze en deed haar ogen een ogenblik dicht. *Weg van alles.* Ze wilde het zo graag dat het bijna beangstigend was.

'Oké,' zei ze en knipperde met haar ogen. Een fractie van een seconde kon ze zich amper herinneren wat ze aan het doen was. Ze voelde slechts hitte en vermoeidheid. Ze was de avond tevoren tot twee uur op geweest om drie piepkleine bruidsmeisjesjurkjes te zomen – een haastklus die op het laatste moment was binnengekomen. De afschuwelijke roze zijde met een patroontje – uitgekozen door de bruid – leek nog voor haar ogen te dansen; haar vingers deden nog pijn van de onhandige speldenprikken.

'Oké,' zei ze opnieuw en deed haar best een professionele houding aan te nemen. Haar blik gleed naar Bethany's klamme vlees dat als te sterk gerezen beslag over de rand van de bruidsjurk bolde en ze trok inwendig een gezicht. Ze wendde zich tot Bethany's moeder die op de kleine bank zat en met opeengeklemde lippen toekeek. 'Ik kan hem niet verder uitleggen. Maar hij zit nog steeds erg strak... Hoe voel je je, Bethany?'

Beide vrouwen keken vorsend naar Bethany, wier gezicht paars begon aan te lopen.

'Ik krijg geen lucht,' zei ze naar adem snakkend. 'Mijn ribben...'

'Niets aan de hand,' zei mevrouw Bridges die haar ogen enigszins toekneep. 'Je moet gewoon op dieet, Bethany.'

'Ik ben misselijk,' fluisterde Bethany. 'Echt waar, ik krijg geen lucht.'

Ze keek met een blik vol stille wanhoop naar Chloe die diplomatiek naar mevrouw Bridges glimlachte.

'Ik weet dat deze japon voor u en uw familie heel bijzonder is. Maar als hij echt te klein is voor Bethany...'

'Hij is niet te klein!' snauwde mevrouw Bridges. 'Ze is te dik! Toen ik die japon droeg, was ik vijf jaar ouder dan zij nu is. En hij zwaaide om mijn heupen, dat kan ik je wel vertellen.'

Chloe voelde haar ogen onwillekeurig naar Bethany's heupen dwalen, die als een enorme berg reuzel ongemakkelijk tegen de naden van de japon drukten.

'Nou, om mijn heupen zwaait hij niet,' zei Bethany droog. 'Het ziet er niet uit, hè?'

'Jawel!' zei Chloe meteen. 'Natuurlijk wel. Het is een prachtige japon. Je ziet er alleen...' Ze schraapte haar keel. 'Je ziet er alleen een beetje ongemakkelijk uit rond de mouwen... en misschien rond de taille...'

Ze werd onderbroken door een geluid bij de deur.

'Mam!' Sams gezicht kwam tevoorschijn. 'Mam, de taxi is er. En ik heb het bloedheet.' Hij veegde omstandig met zijn T-shirt het zweet van zijn voorhoofd, zodat er een gebruind, mager middenrif zichtbaar werd.

'Nu al?' zei Chloe en keek op haar horloge. 'Nou, wil je het even tegen pap zeggen?'

'Oké,' zei Sam. Zijn blik dwaalde naar Bethany's ongelukkige, als een worst gestopte voorkomen – en er gleed een onheilspellend ondeugende uitdrukking over zijn zestienjarige gezicht.

'Ja, ga maar, Sam,' zei Chloe snel voor hij iets kon zeggen. 'Ga... ga pap maar vertellen dat de taxi er is, hè? En ga eens kijken wat Nat aan het doen is.'

De deur ging achter hem dicht en ze liet haar adem ontsnappen.

'Oké,' zei ze op luchtige toon. 'Nou, ik moet gaan – kunnen we het dus voor vandaag hierbij laten? Als u écht verder wilt met deze japon –'

'Ze komt er wel in,' viel mevrouw Bridges haar dreigend in de rede. 'Ze zal er gewoon haar best voor moeten doen. Je kunt niet alles hebben, weet je!' Ze richtte zich ineens tot Bethany. 'Je kunt niet iedere avond chocoladetaart eten én maat achtendertig hebben!'

'Sommige mensen wel,' zei Bethany sip. 'Kirsten Davis kan eten wat ze wil en ze heeft maat zesendertig.'

'Dan heeft ze geluk,' was het weerwoord van mevrouw Bridges. 'Dat hebben de meesten van ons niet. Wij moeten keuzes maken. Wij moeten ons ínhouden. Wij moeten ons ópofferingen getroosten in het leven. Nietwaar, Chloe?'

'Tja,' zei Chloe. 'Ik denk het wel. Maar eh, zoals ik eerder uitgelegd heb, ga ik vandaag op vakantie. En de taxi is net aangekomen om ons naar Gatwick te brengen. Dus als we misschien kunnen afspreken –'

'Je wilt er op je trouwdag toch niet uitzien als een dik, vet varken?' riep mevrouw Bridges uit. Tot Chloe's afschuw stond ze op en begon in het lillende vlees van haar dochter te knijpen. 'Moet je toch kijken! Waar komt dit allemaal vandaan?'

'Au!' riep Bethany uit. 'Mam!'

'Mevrouw Bridges...'

'Je wilt eruitzien als een prinses! Ieder meisje wil haar best doen om er zo mooi mogelijk uit te zien op de dag dat ze trouwt. Dat heb jij toch zeker ook gedaan?' De doordringende blik van mevrouw Bridges kwam op Chloe terecht. 'Jij hebt je toch zeker ook wel zo mooi mogelijk gemaakt voor je trouwdag?'

'Nou,' zei Chloe. 'Eerlijk gezegd –'

'Chloe?' Philips donkere krullenbol verscheen om de deur. 'Sorry dat ik stoor – maar we moeten echt gaan. De taxi is er...'

'Dat weet ik,' zei Chloe die haar best deed om niet zo gespannen te klinken als ze zich voelde. 'Dat weet ik. Ik kom eraan –'

– zodra ik die ellendelingen kan lozen die een half uur te laat komen en een hint niet snappen, zeiden haar ogen en Philip knikte nauwelijks merkbaar.

'Hoe zag jouw bruidsjurk eruit?' zei Bethany mistroostig toen hij weg was. 'Die was natuurlijk prachtig.'

'Ik ben nooit getrouwd,' zei Chloe en pakte haar speldenkussen. Als ze het meisje nu maar eens uit die jurk kon peuteren...

'Wat?' De ogen van mevrouw Bridges vlogen naar Bethany en gleden vervolgens door de kamer die vol lag met reepjes bruidszijde en gaas, alsof ze een trucje verwachtte. 'Wat bedoel je met dat je nooit bent getrouwd? Wie was dat dan?'

'Philip is al heel lang mijn levensgezel,' zei Chloe, die zichzelf dwong om beleefd te blijven. 'We zijn al dertien jaar bij elkaar.' Ze glimlachte naar mevrouw Bridges. 'Langer dan de meeste huwelijken.'

En waarom zit ik dat aan je uit te leggen? dacht ze woest.

Omdat drie pasbeurten voor Bethany plus zes bruidsmeisjesjurken meer dan duizend pond opleveren, antwoordde haar verstand onmiddellijk. En ik hoef nog maar tien minuten langer beleefd te zijn. Tien minuten kan ik wel hebben. Dan zijn ze opgehoepeld – en zijn wij opgehoepeld. Een hele week. Geen telefoontjes, geen kranten, geen zorgen. Niemand zal ook maar een idee hebben waar we uithangen.

Op de luchthaven Gatwick was het heter, drukker en rumoeriger dan ooit. Rijen passagiers van chartermaatschappijen hingen sikkeneurig tegen hun wagentjes; kinderen zeurden en baby's krijsten. Blikkerige stemmen kondigden triomfantelijk de ene vertraging na de andere aan.

Dit alles overspoelde Hugh Stratton terwijl hij aan de incheckbalie van de Regent Airways Club Class stond. Hij tastte in de binnenzak van zijn linnen blazer, haalde vier paspoorten tevoorschijn en gaf ze aan het meisje achter de balie.

'U reist met...'

'Mijn vrouw. En kinderen.' Hugh wees naar Amanda, die een paar meter verderop stond met twee kleine meisjes die zich ieder aan een been vastklampten. Ze hield haar gsm tegen haar oor geklemd; toen ze zijn blik voelde, keek ze op, deed een paar stappen in de richting van de balie en zei: 'Amanda Stratton. En dit zijn Octavia en Beatrice.'

'Mooi,' zei het meisje en glimlachte. 'Ik moet het even controleren.'

'Sorry, Penny,' zei Amanda in de gsm. 'Voor ik wegga, wil ik nog even de kleuren voor de tweede slaapkamer met je doornemen...'

'Hier zijn uw instapkaarten,' glimlachte het meisje naar Hugh terwijl ze hem een stapeltje mapjes gaf. 'De lounge van de Club Class bevindt zich op de bovenste etage. Goede reis.'

'Dank u,' zei Hugh. 'Het zal wel lukken, denk ik.' Hij glimlachte naar het meisje, draaide zich om en liep naar Amanda. Ze stond nog steeds in haar gsm te praten en had blijkbaar niet door dat ze midden in het pad stond van passagiers die naar de incheckbalie van de economy class moesten. Het ene gezin na het andere maakte een boog om haar heen – de mannen loerden naar haar lange, goudbruine benen, de meisjes keken jaloers naar haar jurk van Joseph, oma's keken glimlachend naar Octavia en Beatrice in hun identieke lichtblauwe spijkerjurkjes. Zijn hele gezin zag eruit alsof het zo uit een kleurenbijlage gestapt kwam, stelde Hugh nuchter vast. Geen onvolkomenheden; alles op zijn plaats.

'Ja hoor,' zei Amanda toen hij aan kwam lopen. Ze haalde een gemanicuurde hand door haar glanzende, donkere haardos en draaide hem vervolgens om om naar haar nagels te kijken. 'Nou ja, zolang het linnen maar op tijd binnenkomt...'

Heel even, mimede ze naar Hugh, die knikte en zijn *Financial Times* opensloeg. Als ze met de binnenhuisarchitecte aan het bellen was, kon het wel even duren.

Het plan om verscheidene kamers van hun huis in Richmond tijdens hun verblijf in Spanje opnieuw te schilderen en te behangen was nog maar onlangs opgekomen. Om welke kamers het precies ging wist Hugh nog steeds niet helemaal. Ook snapte hij niet goed waarom het huis al zo snel weer aan een opknapbeurt toe was – ze hadden de hele boel laten verbouwen toen ze het drie jaar geleden kochten. Behang verging toch niet zó snel?

Maar tegen de tijd dat Amanda hem op de hoogte bracht van het hele opknapproject, was het duidelijk dat de kernvraag – opknappen of niet? – al beantwoord was, vermoedelijk op een veel hoger niveau dan het zijne. Het was ook glashelder geworden dat hij er alleen in een adviserende hoedanigheid bij betrokken was en dat hij geen vetorecht had. Zelfs helemaal geen uitvoerende bevoegdheden.

Hugh Stratton was hoofd bedrijfsstrategie van een groot, dynamisch bedrijf. Hij had een eigen parkeervak voor het gebouw, een persoonlijk assistent die hem met respect bejegende, en tientallen jonge, ambitieuze leidinggevenden keken tegen hem op. Het werd algemeen erkend dat Hugh Stratton een van de fijnste neuzen voor bedrijfsstrategie in de hedendaagse zakenwereld had. Als hij sprak, luisterden andere mensen.

Thuis luisterde niemand. Thuis voelde hij zich zo'n beetje het equivalent van de derdegeneratie familieaandeelhouder. Die in de raad van bestuur mocht blijven om sentimentele redenen en de familienaam, maar die eerlijk gezegd voornamelijk in de weg liep.

'Oké, prima,' zei Amanda. 'Ik bel je later in de week. Ciao.' Ze stopte haar mobiele telefoon in haar tas en keek op naar Hugh. 'Oké! Sorry.'

'Het geeft niet,' zei Hugh beleefd. 'Geen probleem.'

Er viel een korte stilte waarin Hugh de tenenkrommende gêne voelde van een gastheer die geen kans ziet de stilte tijdens zijn etentje op te vullen.

Maar dat was bespottelijk. Amanda was zijn vrouw. De moeder van zijn kinderen.

'Goed,' zei hij en schraapte zijn keel.

'Goed – we hebben om twaalf uur een afspraak met dat kindermeisje,' zei Amanda terwijl ze op haar horloge keek. 'Ik hoop dat ze bevalt.'

'Het meisje van Sarah heeft haar toch aanbevolen?' zei Hugh, die gretig de draad van het gesprek oppikte.

'Nou,' zei Amanda. 'Ja, inderdaad. Maar die Aussies bevelen elkaar allemaal aan. Dat wil niet zeggen dat ze ook goed zijn.'

'Het zal wel goed zitten,' zei Hugh, die zekerder probeerde te klinken dan hij zich voelde. Zolang ze maar niet leek op het meisje uit de Oekraïne dat ze eens als au pair hadden gehad, en dat iedere avond in haar kamer had zitten huilen en na een week weer vertrokken was. Hugh wist nog steeds niet precies wat er nu precies misgegaan was: aangezien het meisje geen Engelse les had gevolgd voor ze wegging, was haar laatste, snikkende jammerklacht volledig in het Russisch geweest.

'Ja nou, dat hoop ik maar.' Er lag een onheilspellende klank in Amanda's stem; Hugh wist precies wat die betekende. Die betekende: *We hadden naar Club Med kunnen gaan en van de oppasservice gebruik kunnen maken, dan hadden we al dit gedoe achterwege kunnen laten.* Het betekende: *Ik hoop maar dat die villa zijn belofte waarmaakt.* Het betekende: *Als er iets misgaat, is het jouw schuld.*

'Eh,' zei Hugh haastig. 'Heb je... zin in koffie? Of wil je even de winkels in?'

'Nou, eerlijk gezegd kom ik er net achter dat ik mijn make-uptas thuisgelaten heb.' Er verscheen een lichte rimpel in Amanda's voorhoofd. 'Hè, wat vervelend. Ik was er vanochtend niet helemaal met mijn gedachten bij.'

'Goed dan!' zei Hugh monter. 'Project Make-up.' Hij glimlachte naar Octavia en Beatrice. 'Zullen we mama dan helpen nieuwe make-up uit te kiezen?'

'Ik hoef niet te kiezen,' zei Amanda terwijl ze begonnen te lopen. 'Ik heb altijd hetzelfde. Foundation van Chanel, oogschaduw en mascara van Lancôme, Bourjois-oogschaduw nummer 89... Octavia, hou op met duwen. Godzijdank heb ik de sunblock apart ingepakt... Octavia, hou op Beatrice te duwen!' Ze verhief vol ergernis haar stem. 'Die kínderen...'

'Zeg, zal ik ze soms meenemen terwijl jij gaat winkelen?' zei Hugh. 'Beatrice, wil jij met papa mee?'

Hij stak zijn hand uit naar zijn dochter van twee, die begon te jammeren en zich aan het been van haar moeder vastklampte.

'Laat maar,' zei Amanda en sloeg haar ogen ten hemel. 'We gaan gewoon snel de parfumerie in en uit. Al weet ik niet wat ik moet als ze geen Chanel hebben...'

'Dan doe je zonder,' zei Hugh. Hij ging met zijn vinger over haar lichtgebruinde jukbeen. 'Lekker naakt.'

Amanda draaide zich naar hem toe en keek hem glazig aan.

'Lekker náákt? Wat bedoel je daar in vredesnaam mee?'

'Niets,' zei Hugh na een korte stilte en probeerde te glimlachen. 'Gewoon een geintje.'

De zon leek Philip uit te lachen terwijl hij op het snikhete trottoir stond en koffers doorgaf aan een zwetende taxichauffeur. Het was de warmste juli in Groot-Brittannië in twintig jaar: dag na dag een gloeiende, mediterrane hitte die het volk aangenaam verrast had. Waarom zou je naar het buitenland gaan? vroegen onbekenden elkaar zelfvoldaan op straat. Waarom zou je in vredesnaam naar het buitenland gaan?

En daar stonden ze dan, op het punt om naar een onbekende villa in Spanje te vliegen.

'Nog meer koffers?' vroeg de chauffeur die overeind kwam en zijn gezicht afveegde.

'Dat weet ik niet,' zei Philip en draaide zich naar het huis. 'Chloe?'

Er kwam geen antwoord. Philip zette een halve stap in de richting van het huis en stopte toen, uit pure hittegolflamheid. Het was te warm om drie meter overbruggen. Laat staan een paar duizend kilometer. Waar waren ze in godsnaam mee bezig? Hoe hadden ze het in hun hoofd gehaald om een vakantie, naar Spanje nota bene, te boeken?

'Doe maar rustig aan, hoor,' zei de chauffeur gemoedelijk en leunde tegen de auto.

Een klein meisje op rolschaatsen reed voorbij en keek Philip nieuwsgierig over haar ijslolly aan. Philip voelde dat hij een blik vol afkeer terugwierp. Ze was ongetwijfeld op weg om haar toevlucht te zoeken in een of andere koele, schaduwrijke tuin. Een prachtige groene Engelse tuin. Terwijl hij gedwongen was om hier in de gloeiende hitte te staan, met niets anders om naar uit te kijken dan een benauwd ritje in een Ford Fiesta zonder airconditioning, gevolgd door een nog benauwder tochtje in een overvol vliegtuig. En daarna?

'Het paradijs,' had Gerard zijn villa genoemd terwijl hij met zijn cognacglas zwaaide. 'Een puur Andalusisch paradijs, lieverds. Jullie zullen het fantastisch vinden.' Maar Gerard was wijnrecensent en woorden als 'paradijs', 'nectar' en 'ambrozijn' rolden maar al te gemakkelijk van zijn tong. Als hij een doodgewone bank van Habitat als 'transcendentaal' kon beschrijven – en het stond zwart op wit dat hij dat kon – hoe zou dit 'paradijs' van een villa dan zijn?

Iedereen wist hoe chaotisch Gerard was, hoe volkomen hopeloos op praktisch gebied. Hij beweerde een doe-het-zelfdyslecticus te zijn, hij kon nog niet eens een bougie verwisselen, laat staan met een hamer in de weer gaan. 'Wat is een plug eigenlijk?' placht hij met opgetrokken wenkbrauwen aan zijn gasten te vragen, wachtend op een schaterlach. Als je in zijn luxe appartement in Holland Park zat en zijn dure wijn dronk, leek die onwetendheid altijd een van die amusante trekjes van hem. Maar wat betekende het voor hun vakantie? Visioenen van verstopte gootstenen en afbrokkelend pleisterwerk doemden voor Philips geestesoog op en er verscheen een bedenkelijke rimpel in zijn voorhoofd. Misschien was het nog niet te laat om het hele idee maar te laten varen. Wat had deze vakantie in godsnaam te bieden dat niet net zo gemakkelijk – en een stuk goedkoper – bereikt kon worden met een paar dagtochtjes naar Brighton en een avondje in een tapasbar?

Bij de gedachte aan geld begon zijn hart te bonken en hij haalde diep adem. Maar een paar slierten paniek begonnen al te ontsnappen en zoemden door zijn hoofd om een plekje te zoeken waar ze zich konden nestelen. Hoeveel gaven ze uit aan deze vakantie? Op hoeveel zou het neerkomen als je alle uitstapjes en extra dingetjes meerekende?

Niet veel in het grote geheel, bracht hij zichzelf, voor de honderdste keer, in herinnering. Niet veel vergeleken met de verkwistingen van andere mensen. Als het hierbij bleef, was het een bescheiden, ingetogen korte vakantie.

Maar hoe lang zou het hierbij blijven?

Een nieuwe angstaanval dreigde hem te overmannen en hij deed zijn ogen dicht in een poging zichzelf onder controle te krijgen. Een poging om zijn hoofd leeg te maken van de gedachten die hem naar de keel vlogen als hij even niet oplette. Hij had Chloe met zijn hand op zijn hart beloofd dat hij zou proberen deze week te ontspannen; ze hadden afgesproken dat ze het er niet eens over zouden hebben. Dit zou een week van ontsnapping op alle fronten worden.

De taxichauffeur stak een sigaret op. Philip onderdrukte de neiging om er een te bietsen en keek op zijn horloge. Ze hadden nog tijd zat voor hun vlucht ging, maar toch...

'Chloe?' riep hij terwijl hij een stap in de richting van het huis zette. 'Sam? Komen jullie?'

Er volgde een stilte waarin de zon nog sterker dan tevoren op zijn hoofd leek te branden. Toen ging de voordeur open en kwam Sam naar buiten, op de voet gevolgd door de achtjarige Nat. Beide jongens droegen een slobberige korte surfbroek en een surfzonnebril en liepen met de stoere, zelfverzekerde losse tred van de jeugd.

'Alles kits?' zei Sam zelfverzekerd tegen de taxichauffeur. 'Alles kits, pa?'

'Alles kits?' echode Nat met zijn piepstem.

De jongens gooiden allebei hun tassen in de kofferbak en gingen op het tuinmuurtje zitten met hun oortjes al ingeplugd.

'Jongens?' zei Philip. 'Nat, Sam, willen jullie alvast in de auto gaan zitten?'

Het bleef stil. Nat en Sam hadden net zo goed op een andere planeet kunnen zitten.

'Jongens?' herhaalde Philip op scherpe toon en met stemverheffing. Hij zag de spottende blik van de chauffeur en wendde snel zijn gezicht af. 'Instappen!'

'Vanwaar die haast?' zei Sam schouderophalend.

'Sam, we staan op het punt om op vakantie te gaan. Het vliegtuig vertrekt over...' Philips stem stierf weg en hij wierp een weinig overtuigende blik op zijn horloge. 'Maar daar gaat het trouwens helemaal niet om.'

'Mam is er nog niet eens,' merkte Sam op. 'We kunnen toch instappen als zij er is? No problemo.' Hij ging weer lekker op zijn gemakje zitten en Philip keek hem enkele ogenblikken aan, een beetje met ontzag ondanks zijn ergernis. Eigenlijk, dacht hij, was Sam niet opzettelijk brutaal of dwars – hij vond alleen zijn eigen mening net zo zwaar tellen als die van een volwassene. Op zijn zestiende beschouwde hij de wereld als evengoed van hem als van iemand anders. Misschien nog wel meer.

En misschien had hij ook wel gelijk, dacht Philip somber. Misschien behoorde de wereld tegenwoordig aan de jeugd toe, met zijn computertaal en tienercolumnisten en internetmiljonairs, met zijn vraag naar snelheid en vernieuwing en nu. Alles was onmiddellijk, alles was online, alles was gemakkelijk. En de langzame, overbodige mensen werden er eenvoudigweg uitgesmeten, als stukken in onbruik geraakte hardware.

Het begon op een vertrouwde manier te knagen in Philips borst en om zichzelf af te leiden, tastte hij in zijn binnenzak om te voelen of de vier paspoorten erin zaten. Die hadden ze tenminste nog níet op de computer gezet, dacht hij heftig. Die waren echt, solide en onvervangbaar. Hij bladerde er afwezig doorheen en bekeek beurtelings iedere foto. Hijzelf – nog maar een jaar geleden, maar hij zag er tegenwoordig zo'n tien jaar ouder uit. Nat op vierjarige leeftijd met enorme angstogen. Chloe, die een jaar of zestien leek, met dezelfde blauwe ogen als Nat, hetzelfde fijne blonde haar. Sam als twaalfjarige met een gebruind gezicht die onbevangen naar de camera grijnsde. 'Samuel Alexander Murray', stond er in zijn paspoort.

Philip bleef een ogenblik vol genegenheid naar Sams open, twaalfjarige gezicht kijken. Samuel Alexander Murray.

S. A. M.

Ze hadden zijn naam officieel van Harding in Murray laten veranderen toen Chloe zwanger was van Nat.

'Ik wil niet dat mijn zoons verschillende achternamen hebben,' had ze gezegd, haar stem huilerig van de hormonen. 'Ik wil niet dat ze verschillend zijn. En je bent nu Sams vader. Echt.'

'Ja, natuurlijk ben ik dat,' had Philip gezegd en hij had haar in zijn armen genomen. 'Natuurlijk ben ik zijn vader en dat weet Sam ook. Maar hoe hij héét... dat maakt niet uit.'

'Het kan me niet schelen. Ik wil het.' De tranen waren in haar ogen opgeweld. 'Ik wil het echt, Philip.'

Dus hadden ze het gedaan. Uit beleefdheid had ze contact gezocht met Sams echte vader, die nu professor in Kaapstad was, om hem te vertellen over de voorgenomen verandering van Sams naam. Hij had kortaf geantwoord dat het hem echt niet kon schelen hoe het kind heette en of Chloe zich alsjeblieft aan de afspraak wilde houden en geen contact meer met hem zou zoeken.

Dus hadden ze de formulieren ingevuld en Sam laten inschrijven als Murray. En tot Philips verbazing merkte hij dat, hoe oppervlakkig de verandering ook was, hij zich er eigenaardig door getroffen voelde: door het feit dat een jongetje van zeven – dat geen bloedverwant van hem was – zijn naam aannam. Ze hadden zelfs een fles champagne opengetrokken om het te vieren. Op een bepaalde manier was dit het dichtst dat ze ooit bij een bruiloft zouden komen.

Zijn gedachten werden onderbroken toen de voordeur openging en hij zag hoe Chloe haar laatste klanten het huis uitwerkte – een blozend meisje in een korte broek en een pinnige moeder die hem argwanend aankeek, maar snel haar blik afwendde. Naast dat stel zag Chloe er in haar wijde katoenen jurk koel en onaangedaan uit.

'Denk er nog eens over na, Bethany,' zei ze. 'Dag, mevrouw Bridges. Fijn u weer gezien te hebben.'

Er volgde een beleefde stilte terwijl de vrouw en haar dochter naar hun Volvo liepen. Toen hun portieren met een klap dichtgeslagen waren, slaakte Chloe een zucht.

'Eindelijk!' Ze keek met stralende ogen naar Philip op. 'Eindelijk! Ik kan bijna niet geloven dat het echt zover is.'

'Dus je wilt nog wel,' zei Philip. Hij realiseerde zich dat hij maar half schertste.

'Idioot.' Chloe grijnsde naar hem. 'Ik moet even mijn tas pakken...'

Ze verdween weer in het huis en Philip keek naar Sam en Nat.

'Oké, mannen. Jullie kunnen nu in de taxi stappen – of we kunnen jullie achterlaten. Jullie mogen kiezen.'

Nats hoofd schokte nerveus en hij wierp een blik op zijn oudere broer. Het was heel even stil – toen stond Sam nonchalant op, schudde zich als een hond en kuierde om de auto heen naar de passagierskant. Duidelijk opgelucht volgde Nat zijn voorbeeld en gespte zijn gordel vast. De taxichauffeur startte de auto en de opgewekte stem van een diskjockey galmde door de stille straat.

'Oké!' Chloe verscheen een beetje verhit naast Philip met een grote mand in haar hand. 'Ik heb afgesloten, dus we kunnen gaan! Op naar Spanje.'

'Jááá!' zei Philip die zijn best deed om een bijpassend enthousiasme op te brengen. 'Op naar Spanje.'

Chloe keek naar hem.

'Philip…' begon ze en zuchtte. 'Je hebt beloofd dat je zou proberen…'

'Het naar mijn zin te hebben.'

'Ja! Waarom niet, voor de verandering?'

Het was stil.

'Sorry,' zei Chloe en wreef over haar voorhoofd. 'Dat is niet eerlijk. Maar… ik heb deze vakantie echt nodig, Philip. Wij allebei. We moeten echt even weg van huis… en de mensen… en…'

'En…' zei Philip en zweeg.

'Ja,' zei Chloe die hem recht aankeek. 'Vooral dat. Deze ene week wil ik er niet eens aan denken.'

Er kwam een vliegtuig binnen gehoorsafstand over en ook al waren ze het gewend om in de vliegroute te wonen, legden ze onwillekeurig hun hoofd in hun nek om ernaar te kijken.

'Je beseft toch wel dat het rapport deze week uitkomt, hè?' zei Philip terwijl hij naar de blauwe lucht staarde. 'De beslissing zal hoe dan ook vallen.'

'Ja, dat weet ik,' zei Chloe. 'En jij weet toch wel dat je er absoluut niets aan kunt doen? Behalve je zorgen maken en er de hele dag aan denken en jezelf nog meer maagzweren bezorgen?' Ze fronste ineens haar voorhoofd. 'Heb je je mobieltje bij je?'

Philip aarzelde en haalde het toen uit zijn zak. Chloe pakte het van hem af, liep het pad over naar het huis en gooide het door de brievenbus.

'Ik meen het, Philip,' zei ze terwijl ze zich omdraaide. 'Ik ga deze vakantie door niets laten verpesten. Kom mee.' Ze liep naar de taxi en deed het portier open. 'Dan gaan we.'

2

Het kindermeisje was te laat. Amanda zat aan het afgesproken tafeltje in Costa Coffee met haar nagels te trommelen, ongeduldig te zuchten en om de haverklap op de monitor te kijken.

'Je beseft toch wel dat we zo aan boord moeten, hè?' zei ze met tussenpozen. 'Je beseft toch wel dat we moeten gaan? Wat moeten we doen, ieder twintigjarig meisje in het vliegtuig aanspreken en vragen of ze Jenna heet?'

'Ze komt naast ons te zitten,' merkte Hugh voorzichtig op. 'Het zal duidelijk blijken wie ze is.'

'Ja, maar daar gaat het niet om,' zei Amanda geprikkeld. 'Het ging er nu juist om dat ze kennis zou maken met de meisjes en ze een beetje zou leren kennen voordat het vliegtuig vertrekt. Dan kan zíj voor ze zorgen en kunnen wíj ontspannen... Het was allemaal geregeld! Echt waar, ik weet niet waarom ik –' Ze verstarde toen haar mobieltje begon te piepen. 'O God, zeg dat zij het niet is. Zeg dat ze verdomme niet ineens afbelt, dat kan ik nog net gebruiken. Hallo?' Amanda's gezicht ontspande. 'O, Penny. Godzijdank.' Amanda wendde zich met een zwaai op haar krukje van hen af en legde een hand op haar andere oor. 'Alles goed? Is dat verfmeisje al geweest? Waarom dan niet?'

Hugh nam een slok van zijn espresso en glimlachte naar Octavia en Beatrice die stilletjes een schaal *biscotti* soldaat maakten.

'Heb je zin in de vakantie?' vroeg hij. 'Octavia?'

Octavia keek hem glazig aan, ging met haar hand over haar neus en nam een hap uit een nieuwe *biscotto.* Hugh schraapte zijn keel.

'Welk vak vind je het leukst op school?' probeerde hij, maar werd opnieuw door een ijzige stilte begroet.

Hadden vijfjarigen wel dingen als vakken op school? vroeg hij zich een beetje te laat af. Ze zat wel op school, zoveel wist hij nog wel. Claremount House, 1800 pond per trimester plus lunch, een toneelclub en een club van nog iets anders. Donkergroen uniform. Of donkerblauw. Absoluut donkergroen of donkerblauw.

'Meneer Stratton?'

Hugh keek verrast op. Een meisje in een versleten spijkerbroek met donkerrode dreadlocks en een rij piercings in haar wenkbrauwen keek hem met tot spleetjes vernauwde ogen aan. Onwillekeurig schrok Hugh een beetje. Hoe wist dit meisje in vredesnaam zijn naam? Ging ze hem om geld vragen? Misschien was dit het nieuwste trucje. Ze kwamen achter je naam door de bagagelabels te lezen, volgden je, wachtten tot je ontspannen was...

'Ik ben Jenna.' Het meisje grijnsde breed en stak haar hand uit. 'Leuk kennis met u te maken!'

Hugh voelde hoe zijn keel samenkneep van schrik.

'Jij bent... Jenna?' Hij was zich ervan bewust dat hij een ongelovige piep liet horen, maar gelukkig scheen Jenna het niet te merken.

'Ja! Sorry dat ik zo laat ben. Ik was zo druk aan het winkelen, je weet hoe het gaat.'

'Och... dat is niet zo erg,' zei Hugh die zichzelf dwong om haar vriendelijk toe te lachen. Alsof hij eigenlijk wel een kindermeisje verwacht had dat er meer uitzag als een punkster dan als Mary Poppins. 'Maak je maar geen zorgen.'

Jenna maakte zich niet alleen geen zorgen, ze luisterde niet eens. Ze had haar rugzak met een zwaai op de grond gezet en was tussen Octavia en Beatrice in gaan zitten.

'Hoi, meiden! Octavia en Beatrice, hè?' Ze wachtte niet op antwoord. 'Weten jullie wat? Ik heb een probleem. Een héél groot probleem.'

'Wat dan?' vroeg Octavia met tegenzin.

'Te veel Smarties,' zei Jenna terwijl ze plechtig haar hoofd schudde. 'Mijn rugzak zit er vol mee. Zouden jullie me er vanaf kunnen helpen?'

Uit het niets haalde ze twee rollen Smarties tevoorschijn en gaf ze aan de meisjes die kreetjes van blijdschap lieten horen. Toen ze het hoorde, draaide Amanda zich al pratend in haar mobiele telefoon op haar kruk weer om en zweeg abrupt toen ze de kleurige rollen zag.

'Wat –' Haar blik viel op Jenna en nam haar geverfde haar, wenkbrauwringetjes, een getatoeëerde bloem op haar schouder, zag Hugh ineens, op. 'Wie is –'

'Schat,' viel Hugh haar haastig in de rede, 'schat – dit is Jenna.'

'Jenna?' Amanda keek hem vol ongeloof aan. 'Dít is... Jenna?'

'Ja!' zei Hugh met gemaakte hartelijkheid. 'Dus nu zijn we er allemaal. Is dat niet geweldig?'

'Aangenaam kennis te maken,' zei Jenna en stak haar hand naar Amanda uit.

Het was even stil en toen gaf Amanda haar aarzelend een hand.

'Hoe maak je het?'

'Te gek, bedankt.' Jenna straalde. 'Leuke dochters hebben jullie. Geweldige meiden. Ik pik de goeien er altijd uit.'

'O,' zei Amanda bedremmeld. 'Nou... dank je wel.' Ze schrok van een geluid uit haar mobiele telefoon. 'O, sorry, Penny! Ik moet ophangen. Ja, alles is in orde. Denk ik...' Ze zette haar telefoon uit en stopte hem in haar tas terwijl ze in de tussentijd naar Jenna staarde alsof ze een zeldzame soort octopus was.

'Ik zat net uw man hier te vertellen dat ik te lang in de duty-free was blijven hangen,' zei Jenna en klopte op haar boodschappentasje. 'Even sigaretten en drank inslaan.'

Er viel een geschokte stilte. Amanda's ogen vlogen naar die van Hugh en er verscheen een gespannen trek om haar kaken.

'Geintje!' zei Jenna en gaf Octavia een por, die begon te giechelen.

'O,' zei Amanda onthutst. Ze probeerde te lachen. 'Ja, natuurlijk –'

'Eerlijk gezegd zijn het condooms, voor mijn vrije avond.' Jenna knikte met een ernstig gezicht. Toen begonnen haar ogen te twinkelen. 'Geintje!'

Hugh deed zijn mond open en weer dicht. Hij durfde niet naar Amanda te kijken.

'Dus we gaan naar Spanje,' vervolgde Jenna onbekommerd terwijl ze een paar lolly's voor de meisjes tevoorschijn toverde. 'Ligt het aan zee, waar we naartoe gaan?'

'Ik heb begrepen dat het huis in de heuvels ligt,' zei Hugh. 'We zijn er nooit eerder geweest.'

'Een oude vriend van Hugh is zo vriendelijk geweest zijn huis voor een week aan ons uit te lenen,' zei Amanda stijfjes en schraapte haar keel. 'De wijnrecensent, Gerard Lowe. Hij is tamelijk bekend, ik neem aan dat je hem wel eens op tv hebt gezien.'

'Nou, nee hoor,' zei Jenna schouderophalend. 'Maar ja, ik hou niet zo van wijn. Bier is meer mijn drankje. En tequila als ik in de stemming ben.' Ze keek naar Hugh. 'Je zult me in de gaten moeten houden, jongen – als de zon schijnt en ik heb een Tequila Sunrise in mijn hand, is niemand veilig voor me.' Ze haalde de wikkel van een lolly, stak hem in haar mond en knipoogde. 'Geintje!'

Hugh keek even naar Amanda en onderdrukte een glimlach. In acht jaar huwelijk had hij haar nog nooit zo met haar mond vol tanden zien staan.

Het verkeer naar het vliegveld toe was verschrikkelijk geweest; lange rijen vakantiegangers in auto's en bussen en taxi's zoals de hunne. Terwijl ze in de ronkende, van uitlaatgassen vergeven stilte zaten, voelde Philip het zuur aan de voering van zijn maag knagen. Hij had om de halve minuut op zijn horloge gekeken en een nieuwe angstaanval gevoeld. Wat moesten ze doen als ze de vlucht misten? Konden de tickets omgezet worden? Zou het vliegveldpersoneel behulpzaam of sarcastisch zijn? Had hij zich op de een of andere manier moeten verzekeren voor dit soort eventualiteiten?

Het bleek dat ze net op tijd waren. Het meisje aan de incheckbalie van Regent Airways had hun snel hun instapkaarten gegeven en gezegd dat ze meteen door moesten naar de gate om in te stappen. Geen tijd om de bagage in te checken, had ze gezegd – die moesten ze maar meenemen.

'Nou,' had Chloe gezegd toen ze bij de incheckbalie vandaan stapten. 'Dat was boffen!' Ze had vrolijk haar hand door Nats haar gehaald. 'We hadden nou niet direct zin om onze vakantie op het vliegveld door te brengen, hè?'

Philip had haar vol ongeloof aangekeken; hij kon niet geloven hoe ze er nu al om kon lachen. Op hem was het helemaal niet overgekomen als boffen. Het was meer overgekomen als een waarschuwing. Een herinnering dat je, ook al plande je nog zoveel, je eigen lot niet in de hand had. Je kon net zo goed de handdoek in de ring gooien. Zelfs nu hij veilig in zijn stoel zat met een gratis glas sinaasappelsap in zijn handen, had hij last van een sluimerende bezorgdheid, een voorgevoel van iets akeligs.

Hij omklemde zijn glas en haatte zichzelf; hij wilde af van die onzekerheden die hem voortdurend teisterden. Hij wilde weer degene worden die hij vroeger was; de man die lekker in zijn vel zat. De man op wie Chloe verliefd geworden was.

'Alles goed?' zei Chloe die naast hem zat en hij glimlachte.

'Prima.'

'Kijk Nat eens.'

Philip volgde Chloe's blik. Het gezin was over twee rijen stoelen verdeeld en Nat en Sam zaten een paar rijen voor hen. Sam had zijn oortjes al ingedaan en staarde voor zich uit alsof hij in trance was – maar Nat had duidelijk de waarschuwingen van het cabinepersoneel ter harte genomen en bestudeerde ernstig het gelamineerde blad met veiligheidsinstructies. Terwijl ze hem gadesloegen, keek hij op, liet een bezorgde blik door de cabine dwalen – en ontspande zich opgelucht toen hij de nooduitgangen zag.

'Ik durf te wedden dat hij Sam vertelt waar alle nooduitgangen zijn,' zei Chloe. 'En hoe hij een zuurstofmasker moet gebruiken.'

Ze glimlachte vol genegenheid, haalde een pocket uit haar tas en sloeg hem open. Philip nam een slok sinaasappelsap en huiverde vanwege de scherpte tegen zijn kolkende maag. Hij had liever cognac gehad. Bij voorkeur een dubbele.

Hij sloeg zijn gratis krant open en sloeg hem weer dicht. Ze hadden afgesproken deze vakantie geen kranten te lezen. In de zak van zijn colbertje zat een thriller over Rusland – maar hij wist dat hij zich door de gemoedstoestand waarin hij verkeerde toch niet genoeg zou kunnen concentreren om het plot te volgen. Hij zette zijn glas weer aan zijn mond en zette het neer – en terwijl hij dat deed, ving hij de blik op van de man die naast hem zat. De man grinnikte.

'Smerig spul.' Hij wees naar zijn eigen glas. 'Neem toch een biertje. Kost maar een pond.'

Hij had een zwaar Zuid-Londens accent en droeg een poloshirt van Lacoste dat om zijn gespierde borst gespannen zat. Terwijl hij zijn bier pakte, zag Philip dat zijn horloge een knoeit van een Rolex was.

'Op vakantie?' vervolgde hij.

'Ja,' zei Philip. 'En jij?'

'Ik ga ieder jaar,' zei de man. 'Je hebt de meeste zon in Spanje.'

'Of in Engeland, op het moment,' merkte Philip op.

'Ja, dat is wel zo,' wierp de man tegen. 'Maar je kunt er niet op rékenen, hè? Dat is het probleem.' Hij stak een vlezige hand uit. 'Ik ben Vic.'

'Philip.'

'Aangenaam kennis te maken, Phil.' Vic nam een flinke slok bier en slaakte een luidruchtige zucht van tevredenheid. 'Jezus, wat is het lekker om eruit te zijn. Ik zit zelf in de bouw. Nieuwe keukens, uitbouwen... Het is een gekkenhuis geweest. Non-stop.'

'Dat zal best,' zei Philip.

'Het gaat een beetje té goed, als je het mij vraagt. Maar ja, ik heb er wel ons nieuwe appartement van betaald. De vrouw ligt er al lekker te bakken.' Vic nam nog een slok bier en maakte het zich weer gemakkelijk in zijn stoel. 'En, Phil – in welke business zit jij?'

'Ik ben...' Philip schraapte zijn keel. 'In het bankwezen. Heel saai.'

'O ja?' Welke bank?'

Een fractie van een seconde was het stil.

'National Southern.'

Misschien zei de naam deze man helemaal niets. Misschien zou hij gewoon knikken en 'o' zeggen.

Maar hij zag het begin van herkenning al op Vics gezicht.

'National Southern. Zijn jullie niet pas overgenomen of zo?'

'Dat klopt.' Hij forceerde een glimlach. 'Door PBL. Het internetbedrijf.'

'Ik wist wel dat het zoiets was.' Vic zweeg peinzend. 'Hoe gaat dat dan vorm krijgen?'

'Dat weet nog niemand precies,' zei Philip die zich dwong te blijven glimlachen. 'Het is nog maar pas een feit.' Hij nam een slok sinaasappelsap en slaakte een tevreden zucht, verbaasd over zijn eigen nonchalante manier van doen.

Maar ja, hij was het nu wel gewend. De opgetrokken wenkbrauwen, de gefronste voorhoofden, de verwonderde ondervragingen. Sommigen stelden hun vragen in alle onschuld. Anderen – die iets meer dan de koppen hadden gelezen – hulden hun bezorgdheid in optimisme: 'Maar jíj zit toch wel goed?' En hij glimlachte altijd terug en zei geruststellend: 'Ik? Ja, hoor.' Dan ontspanden de gezichten en veranderde hij behendig van onderwerp en schonk nog eens de wijnglazen vol.

Pas veel later stond hij zichzelf dan toe om een blik met Chloe te wisselen. En pas als ze allemaal naar huis waren, liet hij zijn laagje vernis dat steeds meer onder druk kwam te staan, als een versleten pak op de grond glijden.

'Sorry.' Vic knikte naar Philip. 'Even plassen.'

Terwijl hij het gangpad doorliep, ving Philip de blik van een stewardess op.

'Een dubbele cognac, alstublieft,' zei hij. Hij zag dat zijn handen trilden en hij liet zijn hoofd erin zakken. Een ogenblik later voelde hij Chloe's koele hand in zijn nek.

'Je hebt het beloofd,' zei ze zachtjes. 'Je hebt beloofd er niet aan te denken. Laat staan erover praten.'

'Wat moest ik anders?' Hij hief zijn hoofd om haar aan te kijken, zich bewust van het feit dat zijn wangen knalrood zagen. 'Wat moet ik als mensen me ernaar gaan vragen?'

'Je kunt liegen.'

'Liegen.' Philip keek Chloe aan en voelde een scheut van ergernis. Soms zag ze het leven zo simplistisch, als een kind. Ze richtte die lichtblauwe blik op de wereld en zag een patroon, een logische volgorde die ergens op sloeg. Terwijl hij alleen maar een willekeurige, chaotische troep kon zien. 'Jij stelt voor dat ik over mijn werk lieg.'

'Waarom niet?' Chloe gebaarde naar Vics lege plek. 'Je dacht toch niet dat het hem iets kan schelen wat je doet? Hij zocht gewoon iets om over te praten. Nou, zoek dan iets waar jíj over wilt praten.'

'Chloe –'

'Je kunt tegen mensen zeggen dat je eh... postbode bent. Of boer. Er bestaat geen wet dat je de hele tijd de waarheid moet spreken. Toch?'

Philip zweeg.

'Je moet jezelf beschermen,' zei Chloe op vriendelijker toon. Ze kneep in zijn hand. 'Deze hele week werk je niet op een bank. Je bent... piloot. Oké?'

Onwillekeurig voelde Philip hoe zijn mond zich tot een glimlach vormde. 'Oké,' zei hij ten slotte. 'Het wordt piloot.'

Hij leunde achterover in zijn stoel en haalde een paar keer diep adem in een poging zich te ontspannen. Toen liet hij zijn blik naar Sam en Nat dwalen. Hij zag tot zijn verrassing dat ze uit hun stoel opstonden.

'Uw dubbele cognac, meneer,' klonk de stem van de stewardess boven zijn hoofd. 'Dat is dan twee pond.'

'O, dank u,' zei Philip en tastte onhandig in zijn zak naar kleingeld. 'Ik vraag me af wat de jongens van plan zijn,' voegde hij er zachtjes tegen Chloe aan toe. 'Ze zijn aan het rondstruinen.'

'Het kan me niet schelen,' zei Chloe, die weer in haar boek dook. 'Ze mogen doen wat ze willen. We zijn op vakantie.'

'Zolang ze maar geen rottigheid uithalen...'

'Ze halen geen rottigheid uit,' zei Chloe en sloeg een pagina om. 'Hun vader is piloot.'

'Het heet de Club Class,' mompelde Sam tegen Nat terwijl ze behoedzaam door het gangpad liepen. 'En je krijgt er een hoop gratis dingen.'

'Zoals wat?'

'Zoals champagne.'

'Géven ze je gewoon champagne?' Nat keek Sam sceptisch aan.

'Ja, als je erom vraagt.'

'Ze zouden het nooit aan jóu geven.'

'Wel waar. Moet je maar kijken.'

Ze waren bij het voorste deel van de cabine aangekomen zonder dat iemand hun had gevraagd waar ze heen gingen. Voor hen hing een dik blauw gordijn wat voor Nat Keer op Uw Schreden Terug betekende.

'Oké,' mompelde Sam die het een klein stukje opzij schoof en door de kier naar binnen gluurde. 'Achterin zijn een paar plaatsen vrij. Je moet er gewoon gaan zitten alsof het jouw plaats is – en net doen of je kak bent.'

'Wat is kak?'

'Je weet wel. Van dat "O, líeverd", smak, smak.'

'O líeverd,' probeerde Nat uit. 'Sam...' Hij zweeg.

'Wat is er?'

'Ik weet het niet.'

'Nou, kom mee. Er is niemand in de buurt.'

Sam haalde heel rustig het gordijn van het haakje, loodste Nat naar binnen en maakte het gordijn weer vast. Geruisloos glipten de jongens op de lege plaatsen die Sam had gezien en keken elkaar vol onderdrukte pret aan. Niemand had opgekeken. Niemand had hen zelfs maar gezien.

'Fijn is het hier, hè?' zei Sam zachtjes tegen Nat die met grote ogen knikte. Het was hier een andere wereld, dacht hij: een en al licht en rust en ruimte. Zelfs de mensen waren anders. Ze snauwden niet tegen elkaar, ze bulderden niet van het lachen en klaagden niet luidkeels over het eten. Ze zaten daar allemaal stilletjes, zelfs die twee kleine meisjes in hun identieke blauwe jurkjes die iets dronken wat eruitzag als aardbeienmilkshakes. Zijn blik bleef enkele ogenblikken op hen rusten, dwaalde toen verder – en stopte verschrikt.

Iemand keek naar hen. Een meisje met donkerrode dreadlocks, die keek alsof ze precies wist wat ze aan het doen waren. Die, vond Nat, eruitzag alsof ze ook niet in de Club Class thuishoorde. Ze had een grijns op haar gezicht en toen Nat haar aankeek, stak ze haar duim naar hem op. Nat wendde verschrikt zijn gezicht af en voelde dat hij knalrood werd.

'Sam,' fluisterde hij op dringende toon. 'Sam, iemand heeft ons gezien.'

'Nou en?' zei Sam en grinnikte. 'Kijk, daar komt een stewardess aan.'

Nat keek op en verstarde. Er kwam inderdaad een stewardess op hen afgestevend – en ze keek niet bepaald blij.

'Neem me niet kwalijk,' zei ze zodra ze binnen gehoorsafstand was. 'Dit is het Club Class-gedeelte.'

'Ja, dat weet ik,' zei Sam en glimlachte naar haar. 'Voor mij champagne graag. En ook voor mijn jonge compagnon hier.' Nat giechelde.

'Eigenlijk,' zei hij, 'heb ik liever een milkshake. Als het kan. Zoals zij daar,' zei hij en wees naar de kleine meisjes in hun blauwe jurkjes. Maar de stewardess scheen niet naar hem te luisteren.

'Mag ik jullie verzoeken om naar jullie plaatsen terug te gaan?' zei ze, met een ijzige blik op Sam.

'Dit zijn onze plaatsen,' zei Sam. 'We hebben een upgrade gehad.'

De stewardess keek naar Sam alsof ze hem het liefst wilde stompen. In plaats daarvan draaide ze zich met een ruk om en stapte gedecideerd naar het voorste deel van het vliegtuig. Sam grinnikte naar Nat.

'Dit is vet gaaf, hè? Nu kunnen we tegen iedereen zeggen dat we eersteklas gevlogen hebben.'

'Cool.' Nat grijnsde terug.

'Kijk, de stoelen gaan helemaal achterover als je op deze knop drukt.' Sam liet zijn stoel zo ver mogelijk naar achteren gaan en een ogenblik later volgde Nat zijn voorbeeld.

'Hmm, líeverd,' zei Sam op een toon waar Nat altijd om moest lachen. 'Ik vind het echt te gek om te vliegen terwijl ik lég. Vind je ook niet, líeverd? Ik bedoel, waarom zou men zitten als men ook kan léggen? Waarom zou –'

'Oké, mannen,' viel een stem hen in de rede. 'Het is mooi geweest. Ga zitten, jullie.'

De man die op hen neerkeek had een officieel uitziende goudkleurige badge op zijn revers en hield een klembord tegen zich aan. 'Goed,' zei hij terwijl hun stoelen langzaam overeind kwamen. 'Ik wil dat jullie rechtsomkeert naar jullie plaatsen maken zonder ook maar een kik te laten horen. Dan hoef ik jullie ouders niet lastig te vallen. Oké?'

Het bleef stil.

'Anders,' vervolgde de man, 'kunnen we nu met zijn allen terug naar pa en ma – en precies uitleggen wat jullie gedaan hebben.'

Het was nog even stil en toen haalde Sam zijn schouders op.

'Kom mee, Nat,' zei hij en verhief zijn stem enigszins. 'Ze willen het plebs hier niet hebben.'

Terwijl ze zich uit hun stoelen omhoog worstelden, zag Nat dat iedereen in de cabine naar hen keek.

'Dag,' zei hij tegen het meisje met de rode dreadlocks. 'Leuk je ontmoet te hebben.'

'Dag,' zei het meisje en trok een meelevend gezicht. 'Jammer dat jullie niet mochten blijven. Hé, wil je een souvenir?' Ze bukte zich en haalde een mooi toilettasje tevoorschijn waar in gouden letters REGENT AIRWAYS op stond. 'Alsjeblieft. Er zit zeep in, shampoo, aftershave...' Ze gooide het door de lucht en Nat ving het automatisch op.

'Cool!' riep hij verrukt uit. 'Kijk eens, Sam!'

'Hé, dat is leuk,' zei Sam terwijl hij het aandachtig bekeek. 'Heel erg leuk.'

'Wil je er ook een?' klonk een stem uit de voorste rij. Een oudere vrouw draaide zich om en gaf Sam een identiek toilettasje. 'Neem dat van mij maar. Ik gebruik het toch niet.'

'Dank u!' zei hij en grijnsde breed naar haar. 'Jullie mensen van de Club Class zijn best cool.'

Er steeg gelach op in de cabine.

'En nu is het genoeg geweest,' zei de man met de gouden badge op scherpe toon. 'Terug naar je plaatsen, jullie.'

'Dag, allemaal!' zei Sam en maakte een zwaaiend gebaar door de hele cabine. 'Ontzéttend bedankt.' Hij maakte een lichte buiging en verdween door het gordijn.

'Dag,' zei Nat ademloos. 'Geniet van jullie champagne.' Terwijl hij Sam volgde naar de toeristenklasse hoorde hij nog meer gelach achter zich.

Toen de twee jongens uit het zicht verdwenen waren, klonk er een gedempt geroezemoes terwijl de eersteklaspassagiers naar hun plaatsen terugkeerden en het normale leven hervat werd.

'Nu vraag ik je toch!' zei Amanda die haar *Vogue* pakte. 'Hoe halen ze het in hun hoofd! Ik bedoel, ik weet dat het een cliché is, maar de jeugd van tegenwoordig...' Ze sloeg een pagina om en tuurde naar een paar slangenleren laarzen. 'Ze doen net of de hele wereld van hen is. Vind je niet?' Ze keek op. 'Hugh?'

Hugh gaf geen antwoord. Hij keek nog steeds over zijn schouder naar het achterste deel van de cabine waar de twee jongens naartoe gegaan waren.

'Hugh!' zei Amanda ongeduldig. 'Wat is er?'

'Niks,' zei Hugh en draaide zich weer om. 'Alleen... die jongen. Die oudste jongen.'

'Wat is ermee? Een ellendige hooligan, als je het mij vraagt. En zoals hij gekleed was... die afschuwelijke afgezakte broeken die ze tegenwoordig allemaal schijnen te dragen...'

Hij kwam zo bekend voor. Zijn ogen. Die ogen.

'Wat is er dan met hem?' Amanda keek hem afkeurend aan. 'Je vindt toch niet dat ze hen in de eersteklas hadden moeten laten blijven, hè?'

'Nee, natuurlijk niet! Nee. Ik ben alleen... het is niets.' Hugh schudde zijn hoofd om die belachelijke gedachten van zich af te schudden, glimlachte naar zijn vrouw en keerde veilig terug naar zijn *Financial Times*.

3

De weg vol haarspeldbochten die de bergen in leidde was een smalle strook die uit de stoffige rotsen was gehouwen. Hugh reed in stilte, concentreerde zich op de weg en nam iedere bocht soepel. De wagen met airconditioning had op het vliegveld op hen staan wachten, hun bagage was volledig en heelhuids gearriveerd – tot dusver was alles volgens plan verlopen.

Toen hij een bijzonder geniepige bocht naderde, stopte hij even en keek op; hij liet de eindeloze groengrijze bergen die zich voor hem uitstrekten, de kale rotsen en de genadeloze blauwe lucht op zich inwerken. Was dat een glimp van de zee in de verte, vroeg hij zich af. Hij kon niet eens zeggen of ze de juiste kant uit keken. Misschien was het alleen maar een luchtspiegeling. Het was bekend dat je last kon hebben van gezichtsbedrog in de bergen onder de zon. Perspectieven veranderden, het beoordelingsvermogen werd aangetast. Een mens kon zich hierboven heel anders dan anders gedragen. Boven de rest van de wereld, boven de kritiek uit.

Zijn ogen gleden weer over de bergpieken en hij voelde dat hij met volle teugen genoot van de pure vreugde van het hoog zitten. Er zat in de mens een elementair verlangen om zich te verheffen, dacht hij. Om zich te verheffen en te overwinnen – en dan onmiddellijk op zoek te gaan naar de volgende piek, de volgende uitdaging.

Toen hij Amanda leerde kennen, waren ze ook in de bergen – maar heel andere bergen dan deze. Hij was in Val d'Isère met een groepje enthousiaste skiërs die hij al van de universiteit kende; zij logeerde in het ernaast gelegen chalet met een groepje oude schoolvriendinnen. De twee groepen hadden zich al snel gerealiseerd, vanuit het soort zogenaamde toeval dat typerend voor dergelijks skioorden was, dat ze elkaar kenden. Dat wilde zeggen, een van Hughs vrienden had wel eens iets gehad met een van de meisjes – en verscheidene anderen herkenden elkaar van feestjes in Londen.

Hugh en Amanda, daarentegen, hadden elkaar nooit eerder gezien – en voelden zich ogenblikkelijk tot elkaar aangetrokken. Ze waren allebei uitstekende skiërs, ze waren allebei in goede conditie en gebruind, ze werkten allebei in de City. Op de derde dag van de vakantie waren ze al begonnen samen buiten de pistes te skiën; al snel, onder goedmoedige schimpscheuten van zijn vrienden, bracht Hugh iedere avond in het chalet van de meisjes door. Iedereen vond dat ze een perfect stel vormden, dat ze er samen zo goed uitzagen. Op hun bruiloft anderhalf jaar later werd er buiten de kerk een erehaag gevormd met ski's en de toespraak van de getuige van de bruidegom was doorspekt met après-skigrapjes.

Ze gingen nog steeds elk jaar skiën. Iedere februari keerden ze terug naar de betoverende, fonkelende bergen waar ze elkaar ontmoet hadden. Ieder jaar waren ze een week weer pasgetrouwd: stapelgek op elkaar, op de besneeuwde bergtoppen, op de opwinding en adrenaline. Ze skieden snel en verwoed, zonder veel te zeggen, instinctmatig wetend waar de ander heen ging. Hugh kende Amanda's skiën zoals dat van hemzelf. Omdat ze al skiede sinds ze klein was, kon ze het beter dan hij – maar ze had dezelfde weloverwogen houding ten opzichte van het gevaar. Ze namen risico's, maar niet meer dan nodig was. Ze vonden het allebei onzin om hun leven in de waagschaal te stellen alleen vanwege de extra kick.

Ze hadden de kinderen nog niet meegenomen om te skiën. Amanda wilde hen er zo snel mogelijk mee laten beginnen, maar Hugh had zich ertegen verzet. Hij was er zelfs onkarakteristiek gedecideerd over geweest. Hij had die week ieder jaar nodig. Niet voor de vakantie, niet eens voor de sport, maar voor een heropleving van zijn relatie met Amanda. Wanneer hij daarboven in de bergen, in de zon en de poedersneeuw, haar soepele, atletische lichaam gehuld in een merkskipak zag, voelde hij weer het verlangen, de bewondering, de roes die hij die eerste keer in Val d'Isère had gevoeld.

Waarom hij dat jaarlijkse oppepmiddel nodig had – en wat er zou gebeuren als hij het niet kon krijgen – vroeg hij zich nooit af. Hugh schakelde een beetje ruw en begon aan de beklimming van een steil stuk weg.

'Prachtig landschap,' zei Amanda. 'Kinderen, kijk eens naar het uitzicht. Kijk eens naar dat dorpje.'

Hugh wierp een snelle blik uit het raam. Toen ze de bocht om gingen, was er een groepje spierwitte huisjes in zicht gekomen dat tegen de berg geplakt lag. Hij ving een glimp op van pannendaken, smeedijzeren balkonnetjes en lijnen met wasgoed dat te drogen hing. Toen maakte de weg weer een bocht en het dorpje was uit het zicht verdwenen.

'Dat moet San Luís zijn,' zei hij terwijl hij naar Gerards aanwijzingen keek. 'Mooi, hè?'

'Gaat wel,' zei Amanda.

'Ik ben misselijk,' klonk Beatrice's stem van de achterbank.

'O God,' zei Amanda die zich omdraaide. 'Nou, hou het nog even vol, schat. We zijn er bijna. Kijk eens naar die mooie bergen!' Ze ging weer recht zitten en fluisterde tegen Hugh. 'Hoe ver is het nog? Deze weg is een ramp.'

'Het zijn geen bergen,' zei Octavia, 'het zijn heuvels. Bergen hebben sneeuw bovenop.'

'Niet zo heel ver meer,' zei Hugh die naar Gerards aanwijzingen tuurde. 'Het is kennelijk acht kilometer van San Luís.'

'Ik bedoel, het is allemaal leuk en aardig om een villa in de rimboe te hebben,' zei Amanda met een geprikkelde ondertoon. 'Maar als het betekent dat je verdorie uren over gevaarlijke bergwegen moet rijden...'

'Ik zou dit niet echt gevaarlijk willen noemen,' zei Hugh die zich concentreerde terwijl hij een scherpe bocht naar links maakte. 'Alleen een beetje slingerend.'

'Inderdaad. Slingerend is het woord. Joost mag weten waar de dichtstbijzijnde winkels zijn...'

'In San Luís, neem ik aan,' zei Hugh.

'Dat dorp?' zei Amanda vol afschuw. 'Het lijkt me een absolute negorij.'

'Maar we hoeven ons trouwens niet druk te maken over winkels. Gerard heeft beloofd dat hij zou zorgen dat er eten voor ons was.'

'Wat helemaal niets wil zeggen,' zei Amanda. 'Ik heb nog nooit iemand gekend die zo ongeorganiseerd is!'

'Och, dat zou ik niet zo zeggen,' zei Hugh op milde toon. 'Hij heeft ons de aanwijzingen toch keurig gefaxt?'

'Nou, dat was ook maar net aan!' wierp Amanda tegen. 'Pas nadat ik zijn assistente drie keer gebeld had. En zij leek er helemaal niets vanaf te weten.' Ze trok een strak gezicht. 'Als je het mij vraagt, was hij ons helemaal vergeten. Als hij een paar glazen wijn op heeft, nodigt hij waarschijnlijk iedereen uit om naar zijn huis te komen en vergeet het vervolgens helemaal.'

Hughs gedachten vlogen even terug naar de lunch waarbij Gerard voor het eerst de villa had genoemd. Het was sowieso al een enigszins ongemakkelijke situatie geweest. De twee hadden elkaar sinds kostschool niet meer gezien, maar hadden elkaar bij toeval op een tentoonstelling ontmoet die door Hughs bedrijf gesponsord werd. Ze hadden een lunchafspraak gemaakt, die Hugh een paar keer overwogen had af te bellen, maar uiteindelijk was hij er meer uit nieuwsgierigheid dan wat anders heen gegaan. Want Gerard was nu tenslotte min of meer een bekendheid, op tv en in de kranten, en hij genoot klaarblijkelijk van ieder moment.

De uitnodiging om naar de villa in Spanje te gaan had eerst onderdeel van zijn hoogdravende act geleken. Het hoorde bij zijn voortdurend strooien met bekende namen, zijn maatkostuum, zijn eindeloze verwijzingen naar vliegen in de eerste klas. Pas tegen het eind van de maaltijd – toen ze samen al twee flessen wijn soldaat gemaakt hadden – realiseerde Hugh zich dat Gerard er, nogal aangeschoten, op stónd dat Hugh de villa zou lenen; hij had zijn agenda tevoorschijn gehaald en van geen weigering willen horen. Toen Hugh ermee instemde, was er een blije uitdrukking op Gerards ronde gezicht verschenen – en bij Hugh kwam opeens een herinnering aan hem naar boven toen hij als schooljongen een keer een van de mentoren terechtwees over tafelmanieren en met net zo'n blij gezicht de eetzaal had rondgekeken. Natuurlijk was niemand onder de indruk geweest. Gerard was niet bepaald populair geweest op school en achteraf vermoedde Hugh dat er achter die bravoure een tamelijk ongelukkig jongetje schuilgegaan was. Misschien was deze nogal royale uitnodiging een poging om te laten zien hoe ver hij sinds die tijd gekomen was.

Terwijl Hugh zat te mijmeren, zwenkte de auto naar de buitenste vangrail en Amanda slaakte een gilletje. 'Hugh! Je rijdt ons de berg af!'

'Welnee,' zei Hugh die snel een ruk aan het stuur gaf. 'Niks aan de hand.'

'Wel verdomme, Hugh! We willen er wel graag levend aankomen als dat niet te veel gevraagd is.'

'Hé, kijk eens!' zei Jenna. 'Daar is onze villa!' Iedereen keek en Hugh minderde automatisch vaart. Zo'n honderd meter bij hen vandaan stond een indrukwekkende smeedijzeren poort, waarachter een ongeplaveid weggetje naar een betonmolen leidde die voor een huis in aanbouw stond, dat bestond uit twee betonnen verdiepingen, een aantal steunbalken en weinig anders. 'Geintje!' voegde Jenna eraan toe en de twee kleine meisjes giechelden.

'Ja,' zei Amanda afgemeten. 'Heel leuk, hoor. Wil je alsjeblieft verder rijden, Hugh?'

Ze reden zwijgend verder. Toen Hugh in de achteruitkijkspiegel keek, zag hij Jenna gekke bekken naar Octavia en Beatrice trekken en hun zwijgend instrueren om niet te lachen. Een onderdrukte giechel ontsnapte plotseling aan Octavia's mond en Amanda draaide zich met een ruk om.

'Mooi huis,' zei Jenna onschuldig. 'Ik meen het. Kijk, daar. Dat is toch niet van ons, hè?' Hugh keek naar rechts en zag een grote, abrikooskleurige villa uitdagend tegen de berg liggen.

'Ik denk het niet,' zei hij. 'Blijkbaar moeten we linksaf slaan om bij de onze te komen.'

'Godallemachtig,' zei Jenna toen ze langs de villa reden. 'Zou die van ons ook zo groot zijn?'

'Ik geloof wel dat hij redelijk groot is,' zei Hugh die weer op het blad met aanwijzingen keek. 'Maar of hij zo groot is...'

'Dan moet uw vriend Gerard wel rijk zijn, hè?'

'Nou, ja,' zei Hugh. 'Ik geloof het wel. Ik ken hem eerlijk gezegd niet zo heel goed, hoor.'

'Ik heb hem zelfs nooit ontmoet,' zei Amanda.

'U kent hem niet, maar hij leent jullie zijn huis?' zei Jenna. 'Dan moet hij wel goed van vertrouwen zijn.'

Hugh lachte.

'Vroeger kende ik hem veel beter. We waren vrienden op school en toen verloren we elkaar uit het oog. We kwamen elkaar een paar maanden geleden stomtoevallig weer tegen en ineens bood hij ons zijn villa aan voor een week. Heel gul van hem.' Hugh zweeg even en keek fronsend naar de weg. 'Ik begrijp het niet goed. Volgens de aanwijzingen zouden we er nu wel moeten zijn. Tenzij ik iets over het hoofd heb gezien...' Hij pakte het blad met aanwijzingen weer.

'O, godallemachtig,' zei Amanda. 'We komen er nooit! Die assistente heeft vast de verkeerde aanwijzingen gestuurd of zo. We zitten vast op de verkeerde berg. We moeten ergens dáár zijn!' Ze wees naar een bergtop in de verte en Hugh keek op.

'Je moet een beetje vertrouwen hebben, Amanda.'

'Waarin?' snauwde Amanda. 'In jou? In die Gerard die op een

andere planeet schijnt te leven?' Ze gaf ongeduldig een tik met de rug van haar hand op het papier. 'Ik had kunnen weten dat het hele idee van een Spaanse villa te mooi was om waar te zijn. We hebben er niet eens een foto van gezien! Alleen deze waardeloze fax.'

'Amanda –'

'We hadden naar Club Med moeten gaan. Met Club Med zit je goed. Je weet in ieder geval waar je aan toe bent! Ik bedoel – stel dat we het niet kunnen vinden? Wat doen we dan?'

'Wacht even!' Hugh minderde vaart. 'Aha. Hé, ik geloof dat dit onze afslag is.'

Het was stil toen de auto van de weg draaide en een smaller weggetje op reed. Stekelig struikgewas maakte plaats voor olijf- en citroenbomen; ze reden langs een groepje kleine huisjes en een fraaie blauwe poort met camerabewaking.

'Villa del Serrano is het volgende huis na de blauwe poort,' las Hugh voor. Hij reed nog een paar honderd meter door en stopte bij een bordje. Het was stil toen ze afsloegen en langzaam op een hoge smeedijzeren poort af reden die versierd was met rijk bewerkte goudkleurige schilden.

'Villa del Serrano,' zei Hugh die de inscriptie op de steen opzij van de poort las, en stopte. Hij draaide zich om en glimlachte naar de meisjes. 'Daar zijn we dan. Alles goed, Beatrice? Octavia?'

'Hebben we een sleutel voor de poort?' vroeg Amanda.

'Geen sleutel,' zei Hugh. Hij tastte in zijn zak, haalde er een elektronische afstandsbediening uit en priemde hem in de richting van de poort. Even heerste er een gespannen stilte. Toen ging de poort langzaam open.

'Jezus,' fluisterde Jenna die naar het uitzicht voor hen keek. 'Het is ongelooflijk!'

Een laan van cipressen en palmbomen voerde naar een halfcirkelvormige oprijlaan. De gevel van het huis was wit, met smeedijzeren balkons en een spits toelopend pannendak. Enorme terracotta potten met witte bloemen stonden op regelmatige afstand van elkaar langs de oprijlaan en geplaveide paden leidden naar schaduwrijke gazons. In de verte fonkelde het blauw van een zwembad.

Ze reden langzaam en in stilte verder. Ze stopten voor de pilaren aan weerszijden van de ingang en keken er enkele ogenblikken zwijgend naar. Toen deed Hugh abrupt zijn portier open. De warme, geurige lucht buiten was na de kille sfeer in de auto alsof je in een warm bad stapte.

'Zullen we naar binnen gaan?' zei hij.

'Ach ja,' zei Amanda met een nonchalance waarvan hij wist dat die volkomen gemaakt was. 'Waarom niet?'

Ze liepen langzaam naar de voordeur toe. Hugh zocht in zijn zak naar de sleutel en stak hem in de zware voordeur. Toen hij hem openduwde, klonk er een hoog gepiep.

'Shit,' zei Hugh. 'Dat is natuurlijk het alarmsysteem.' Hij ging op een holletje naar de auto, zijn ogen tot spleetjes geknepen in het felle zonlicht, en kwam weer teruggehold met Gerards instructies. 'Oké, kast links... 35462... enter.' Hij drukte zorgvuldig de toetsen in en een ogenblik later stopte het gepiep. Hugh kwam uit de kast en keek voor het eerst om zich heen.

Ze stonden in een grote, marmeren ontvangsthal waar een ronde tafel van donker hout stond. Voor hen liep aan weerszijden een monumentale trap omhoog naar een overloop met zuilen; boven hen was het hoge koepelvormige plafond beschilderd met *trompe-l'oeil* wolken. Hugh zag Amanda's verbijsterde blik en er verscheen een glimlachje om zijn lippen.

'En Amanda,' zei hij, niet in staat de verleiding te weerstaan. 'Wil je nu nog dat we naar Club Med waren gegaan?'

Ze waren weer gestopt om Nat te laten overgeven. Terwijl Philip met hem in de berm hurkte en hem kalmerend toesprak, wierp hij een blik op zijn horloge. Ze waren al bijna tweeënhalf uur onderweg, een uur langer dan Gerards instructies aangegeven hadden. Nadat ze bij het vliegveld vandaan waren gereden, was het hen gelukt om hopeloos te verdwalen. Ze hadden de kustweg in de verkeerde richting genomen en werden zich pas bewust van hun fout toen ze in een beruchte badplaats aankwamen vol roodverbrande Engelse toeristen die hamburgers liepen te eten.

Chloe was de hele rit opgewekt gebleven. Ze bleef kalm toen de motor afsloeg terwijl Philip probeerde te keren en glimlachte flauw toen een Spaanse vrachtwagenchauffeur uit zijn raampje leunde en hun een of andere onverstaanbare verwensing toeriep. Hoe ze zo vrolijk kon blijven wist Philip niet. Hij voelde zich net een koffiepot die borrelde van frustratie – over zichzelf, over Gerards onduidelijke aanwijzingen, over dat klote Spanje omdat het zo heet en droog en buitenlands was.

Zijn ogen gleden over de bergen die zich voor hem uitstrekten. Dit was geen mooi land, was de ondankbare gedachte waarop hij zich betrapte. De groenheid van die bergen was een illusie. Van dichtbij waren ze droog en troosteloos en zagen er ook nog eens slordig uit. Het enige wat hij kon zien waren opgedroogde rivierbeddingen, overhangende rotsblokken, kale struikjes die elkaar bevochten om te kunnen overleven.

'Ik voel me beter,' zei Nat die overeind kwam. 'Denk ik.'

'Mooi,' zei Philip. 'Goed gedaan.' Hij sloeg zijn arm om Nats schouder en kneep erin.

'We wachten even een paar minuten voor we verdergaan.' Hij keek naar Chloe, die tegen de auto geleund stond en Gerards instructies aan het lezen was. 'Hoeveel verder is het nog, schat je?'

'Niet zo ver. We moeten een dorpje zien te vinden dan San Luís heet.' Ze keek met een stralend gezicht op. 'Ik moet zeggen dat die villa fantastisch klinkt. Vier slaapkamersuites. Een hectare land. En een citroenboomgaard!'

'Heel mooi.'

'O, allemachtig!' Chloe stikte bijna van het lachen. 'Er zit kogelvrij glas in!'

'Kogelvrij glas?' Philip keek haar ongelovig aan. 'Weet je dat zeker?'

'Het staat hier. En het alarmsysteem staat in verbinding met het plaatselijke politiebureau. We hoeven bepaald niet bang te zijn voor indringers.'

'Typisch Gerard.' Philip schudde ongeduldig zijn hoofd. 'Waar heeft hij dat in godsnaam allemaal voor nodig?'

'Misschien is hij bezorgd dat een of andere gepikeerde wijnhandelaar hem te grazen wil nemen.' Chloe giechelde. 'Misschien heeft iemand een prijs op zijn hoofd gezet.'

'Eerder zelfverheerlijking.'

Chloe legde het papier neer en keek hem met heldere blauwe ogen aan.

'Jij mag Gerard eigenlijk helemaal niet, hè?'

'Ik mag hem wél!'

'Nietwaar. Je hebt hem nooit gemogen.'

'Nee, ik... ik weet het niet.' Philip haalde zijn schouders op. 'Hij vindt zichzelf zo leuk en ad rem.'

'Hij ís leuk en ad rem,' merkte Chloe op. 'Het is zijn werk om leuk en ad rem te zijn.'

'Niet ten koste van anderen,' zei Philip terwijl hij naar een rots in de verte keek. Chloe zuchtte.

'Philip, dat is gewoon zijn manier van doen. Hij bedoelt er niets kwaads mee.'

'Hij moet je carrière niet belachelijk maken,' zei Philip koppig.

'Je bent te gevoelig!' wierp Chloe tegen. 'Dat doet hij helemaal niet. Niet echt.' Ze glimlachte. 'Kom op. Hij heeft ons toch voor niks zijn villa geleend?'

'Dat weet ik. Het was heel vriendelijk van hem.'

'Dus...'

'Dus. Brave, ouwe Gerard.'

'Brave, ouwe Gerard,' echode Philip na een korte stilte en wendde zijn gezicht af.

Chloe en hij zouden het nooit eens worden over de heerlijk vage en maffe Gerard Lowe. Ja, de man was charmant. Ja, hij was een bijzonder vrijgevige gastheer die je altijd paaide met heerlijke hapjes en wijn en roddels. Maar onder de jovialiteit, meende Philip, ging ook een arendsoog schuil, op zoek naar zwakheden, op zoek naar kwetsbare plekken. Iedereen vond het geweldig om door Gerard beledigd te worden; het hoorde allemaal bij het spel, bij het amusement. Maar terwijl het slachtoffer krom lag van het lachen, verscheen er vaak ook een glans in de ogen, een blos op de wangen, die aangaf dat Gerard iets te accuraat de vinger op de zere plek had gelegd.

Chloe vond zijn geplaag natuurlijk om te gillen. Ze kende Gerard al zo lang, meende Philip, dat ze blind was voor zijn slechte eigenschappen. Ze zag niet hoe hij geworden was. Gerard behandelde haar met een kinderachtige bezitterigheid die ze vleiend vond. Als hij haar 'zijn meisje' noemde en met een bezitterig air zijn arm om haar middel sloeg, lachte ze en vond ze het charmant. Philip vond het walgelijk.

'Nou, wat maakt het uit,' zei hij en keek haar weer aan. 'Laten we verdergaan.'

'Nou en of,' zei Chloe die met toegeknepen ogen naar de weg voor hen keek. 'Het kan nu echt niet meer veel verder zijn. Gaat het, Nat? Hup, de auto in.' Terwijl het portier dichtsloeg, keek ze Philip aan en glimlachte. 'Moet je nagaan. We zijn er bijna. Ik kan het nog niet helemaal geloven.'

Er lag iets weemoedigs in haar stem, een verlangende toon die maakte dat Philip zich ineens schaamde voor zijn lompheid. Chloe verdiende deze vakantie. Ze verdiende een kans om zich te ontspannen, te ontsnappen. Hij was niet eerlijk tegenover haar. Tegenover hen allebei niet.

'We zijn er bijna,' praatte hij haar na en liep naar haar toe. 'Heerlijk, hè?'

'Vind je dat echt, Philip?' Toen ze hem aankeek, leken alle vragen die er tussen hen bestonden in haar ogen gevangen. 'Ben je echt blij dat we hier zijn?'

'Ja natuurlijk,' zei Philip. Hij trok haar naar zich toe en kuste haar terwijl hij haar stevig tegen zich aanhield. 'Ja natuurlijk. Het wordt perfect.'

Hugh lag op een ligstoel bij het zwembad met de krant opengeslagen en een biertje naast zich. Hij moest het Gerard nageven, dit was een behoorlijk spectaculair optrekje. Hij zat op een uitgestrekt terras van terracottategels, omringd door enorme palmbomen en goedverzorgde stukjes groen. Voor hem maakte het zwembad een lichte bocht naar een brug, waar het water in een waterval naar een lager, ondieper zwembad stroomde. Voorbij het zwembad liep een lange smeedijzeren reling – en daar voorbij niets anders dan de bergen en de blauwe lucht.

Binnen was het huis ook echt ongelooflijk. Een enorme salon, een lange eetkamer, een keuken met een leistenen vloer die naar een met druiven overgroeide oranjerie leidde. Alles was weelderig ingericht. Er waren, zoals Amanda aangegeven had, slechts vier slaapkamers, wat minder was dan je misschien verwacht zou hebben van een luxueus huis als dit. Maar, zoals hij geantwoord had, ze hadden niet meer dan vier slaapkamers nodig. En dat maakte het perfect.

En de keuken was volgestouwd met eten. Niet zomaar eten, maar delicatessen. Bereide vis en schaaldieren, patés en kazen, mooie wijnen en schalen vol fruit. Zelfs Amanda was sprakeloos toen ze in de afgeladen koelkast keken.

'Ananassap,' had ze ongelovig gezegd terwijl ze het op haar vingers afturfde. 'Passievruchtensap. Appelsap, sinaasappelsap, cranberrysap.' Ze had opgekeken en het uitgeproest. 'Iemand zin in sap?'

Hugh had een biertje genomen en was ermee naar buiten gegaan, de zon in. Nu pakte hij het en nam een slok. Hij ging naar de volgende pagina van zijn krant en merkte dat hij naar een kop keek van een artikel dat hij al gelezen had. Meer uit lamlendigheid dan belangstelling begonnen zijn ogen weer over de woorden te gaan, alsof hij op zoek was naar stukjes informatie die hij over het hoofd had gezien.

Hij hoorde getrippel en keek op. Beatrice kwam op het zwembad af gestapt, met een badpak, zwembandjes en teenslippers aan. Ze zag wit van de zonnebrandcrème factor 24 en ze zoog aan het rietje van een pakje jus d'orange.

'Hé, hoi,' zei Hugh die zijn krant wat liet zakken. 'Ga je zwemmen?'

'Ja,' zei Beatrice die aan de rand ging zitten.

'Zullen we...' Hugh schraapte zijn keel. 'Wil je er samen met papa in?'

Hij legde zijn krant neer, stond op en stak zijn hand uitnodigend naar zijn dochter uit. Ze negeerde hem.

'Kom, Beatrice!' zei Hugh die een speelse stem opzette. 'Dan gaan we er samen in.'

'Ik wil met mama,' zei Beatrice en zoog hard aan haar rietje.

'We kunnen toch –'

'Nee!' jammerde Beatrice toen Hugh haar hand probeerde te pakken. 'Wil met mama!'

'Goed dan,' zei Hugh en forceerde een toegeeflijke glimlach. 'Dan wachten we op mama.'

'Beatrice?' Amanda's stem klonk geschrokken vanaf de andere kant van het terras. 'Beatrice, waar ben je?'

'Ze is hier!' riep Hugh. 'Niks aan de hand.'

Amanda kwam de hoek om met Octavia aan de hand. Ze had een piepklein bikinibroekje aangetrokken, een paar teenslippers met kraaltjes en een strak wit T-shirt.

'Beatrice, laat papa met rust,' zei ze op scherpe toon.

'Niks aan de hand,' zei Hugh nogmaals.

'Ik had gezegd dat ze bij me moest blijven tot ik klaar was.'

'Waar is Jenna?' vroeg Hugh. 'Hoort ze je niet te helpen?'

'Ze is hun spullen aan het uitpakken.'

Amanda liet Octavia's hand los, legde een handdoek op een ligstoel en trok haar T-shirt met één handige beweging uit. Ze had geen bovenstukje aan en haar borsten waren stevig en bruin zonder een enkele afdruk van een bandje. Haar buik was strak, haar rug sterk en gespierd, haar bicepsen zichtbaar. Met haar kortgeknipte haar dat glansde in het zonlicht zag ze eruit als een amazone, dacht Hugh.

'Alsjeblieft,' zei ze tegen Octavia terwijl ze vier mandarijnen uit haar tas tevoorschijn haalde. 'En voor jou, Beatrice. Ga ze maar op het gras opeten en stop de schillen in dit zakje. En loop voorzíchtig.'

De twee meisjes trippelden naar een schaduwrijk plekje op het gras en begonnen de schillen van de mandarijnen te pulken. Amanda sloeg hen enkele ogenblikken gade met een alerte uitdrukking op haar gezicht alsof ze op het punt stond nog een bevel te geven of een kritische opmerking te maken. Ten slotte zuchtte ze en wendde zich naar haar ligstoel.

'Zo,' zei Hugh toen ze ging zitten. 'Daar zitten we dan. Niet gek, hè?'

'Het is leuk,' zei Amanda met nog steeds een spoortje weerzin in haar stem. Ze haalde een pocket uit haar tas en bladerde snel door naar de juiste pagina. 'Jammer dat er geen tennisbaan is...'

'Waar het om gaat is dat het voor ons alleen is,' zei Hugh. 'We hoeven ons om niemand druk te maken. We kunnen doen wat we willen.'

Hij nam nog een slok bier, zette het glas op de grond, stak zijn hand uit en begon haar blote borst te strelen.

'Hugh,' zei Amanda met een blik in de richting van de kinderen.

'Die zijn toch bezig,' zei Hugh. 'Ze kunnen ons niet eens zien.'

Zijn vingers gleden naar haar grote bruine tepel die een beetje hard werd. Hugh keek naar het gezicht van zijn vrouw voor een bijbehorende reactie – maar haar ogen gingen schuil achter een Gucci-zonnebril en haar prachtig gestifte mond was bewegingloos.

Wat voelde ze precies achter dat schild van perfectie? vroeg Hugh zich af. Was alle hartstocht er nog achter het roerloze masker, onder de gebeeldhouwde spieren? Of was alle gevoeligheid uit haar huid gemasseerd of door peelings verdwenen?

Hij had haar onlangs aan de telefoon tegenover een vriendin horen bekennen dat ze expres minder glimlachte om de kans op rimpels te verkleinen. Misschien strekte die geforceerde kalmte zich ook uit tot seks. Hij had absoluut geen idee.

'Hugh...' zei Amanda en ging verliggen, een beetje bij hem vandaan.

Hij moest toegeven dat het er niet goed uitzag. Ze klonk licht geïrriteerd en wilde verdergaan met haar boek. Maar het kon hem niet schelen, dacht Hugh. Hij was op vakantie en hij wilde seks.

'Laten we siësta houden,' zei hij zachtjes. Langzaam ging zijn vinger langs haar tepel, gleed naar haar perfect strakke buik en friemelde aan haar bikinibroekje.

'Doe niet zo gek. We kunnen er toch niet zomaar vandoor gaan?'

'Daar hebben we het kindermeisje voor.' Hugh dook met zijn hoofd naar beneden en trok zachtjes met zijn tanden aan de bandjes van haar bikini.

'Hugh!' siste Amanda. 'Hugh, hou op! Ik hoor iets!'

'Laten we dan naar binnen gaan,' mompelde Hugh die opkeek. 'Dan worden we niet gestoord.'

'Nee, hou op!' Amanda maakte zich met een ruk los. 'Luister. Ik meen het, ik hoor een auto!'

Hugh hield op en luisterde. Ze hoorden achter de bomen het onmiskenbare geluid van een auto die het huis naderde.

'Hij komt dichterbij!' zei Amanda. Ze ging rechtop zitten en pakte haar T-shirt. 'Wie kan dat in vredesnaam zijn?'

'De huishoudster, neem ik aan,' zei Hugh. 'Of de tuinman. Zo'n soort iemand.'

'Nou, ga eens kijken. Zorg ervoor dat ze weten dat we hier horen. Toe dan!' Amanda gaf hem een zetje.

Een geplaveid pad met weelderige planten leidde naar de zijkant van het huis; de stenen voelden warm en stoffig aan onder Hughs blote voeten. Hij deed zijn ogen dicht terwijl hij liep, genietend van het gevoel, van de geur van een conifeer toen hij erlangs liep, van het buitenlandse van de lucht.

Toen hij op de oprijlaan uitkwam, zag hij aan de andere kant de auto staan: een gehuurde Mondeo. Een man met krullend haar, gekleed in een gekreukte korte kakibroek en een groene polo stapte aan de bestuurderskant uit. Toen hij Hugh zag, keek hij verrast op. Hij boog zich voorover, mompelde iets tegen de anderen in de auto en liep toen langzaam over de oprijlaan naar Hugh toe.

'Perdona, por favor,' begon hij met een Engels accent. *'Mi dice por donde se...se...'*

'Bent u Engels?' viel Hugh hem in de rede.

'Ja!' zei de man opgelucht. 'Neem me niet kwalijk dat ik u stoor, maar ik ben op zoek naar een villa. Ik dacht dat we het juiste huis gevonden hadden, maar... nou ja.' Zijn blik dwaalde van Hugh, met het bier in zijn hand, naar de wagen die voor de voordeur geparkeerd stond. 'Dit is het duidelijk niet.' Hij zuchtte en wreef over zijn gezicht. 'Onze aanwijzingen waren niet echt duidelijk. Kent u de streek misschien?'

'Ik vrees van niet,' zei Hugh. 'Wij hebben ook nogal moeten zoeken.'

'O, wacht even. Wat is er?' De man boog zich voorover om antwoord te geven op iets dat iemand in de auto zei. 'Ja, dat is waar,' zei hij langzaam, terwijl hij overeind kwam met een nieuwe uitdrukking op zijn gezicht. 'Dat is heel erg waar.'

'Wat?'

'We moeten wel bij het juiste huis zijn. We hebben een afstandsbediening gekregen om de poort open te maken.' De man keek om zich heen. 'Zijn hier soms twee villa's of zo?'

Er klonk een geluid achter Hugh en toen hij omkeek, zag hij Amanda aankomen, in haar witte T-shirt en met een ijzige uitdrukking op haar gezicht.

'Wat is er aan de hand?' zei ze. 'Wie zijn deze mensen?'

'Ze proberen hun vakantievilla te vinden,' zei Hugh. Hij wendde zich weer tot de man. 'Hoe heet het huis waar u naar op zoek bent?'

'Villa del Serrano,' zei de man.

Het bleef even stil.

'Dit is Villa del Serrano,' zei Amanda ten slotte. 'Maar het is voor een week door de eigenaar aan ons uitgeleend. Het klinkt alsof uw touroperator een fout heeft gemaakt.'

'Touroperator?' zei de man verontwaardigd. 'We zijn hier niet via een touroperator! Wij kennen de eigenaar ook. Mijn vrouw kent hem al jaren. Gerard Lowe. Hij zei dat we hier van de 24ste tot de 31ste mochten logeren.'

Hugh en Amanda keken elkaar aan.

'Ik denk niet dat dat kan,' zei Amanda voorzichtig, 'want Gerard heeft óns de villa geleend vanaf de 24ste. De afspraak is al een tijd geleden gemaakt, vrees ik.' Ze wierp de man een vriendelijke glimlach toe. 'Maar ik ben ervan overtuigd dat er genoeg alternatieven –'

'Onze afspraak dateert ook van enige tijd geleden,' viel de man haar in de rede. 'Van een hele tijd geleden zelfs.' Hij keek van Hugh naar Amanda. 'Ik neem aan dat jullie je niet in de week vergist hebben?'

'Dat geloof ik niet,' zei Amanda op hartelijke toon. 'We hebben echt de 24ste te horen gekregen.'

'Wij ook.' De man knikte. 'De 24ste.'

Amanda vertrok geen spier.

'We hebben een fax,' zei ze alsof ze een troefkaart tevoorschijn toverde.

'Wij ook,' was het weerwoord van de man, die in de auto dook. 'Een fax met aanwijzingen. En een brief waarin de afspraak bevestigd is.'

Hij stapte naar voren en stak hun de papieren toe. Amanda liet er een geringschattende blik over gaan alsof het een namaak merktas was.

'Kijk jij eens even, Hugh,' zei ze. 'Het is vast een vergissing. Een of andere verwarring of zo...' Ze glimlachte vriendelijk. 'Iedere vakantie heeft zo zijn hobbels.'

'Tja, dat zal wel,' zei de man weinig overtuigd.

'Kunnen we jullie iets te drinken aanbieden terwijl we dit proberen op te lossen? Jus d'orange misschien? Of iets sterkers?'

'Nee, dank u,' zei de man. 'Het is heel vriendelijk – maar tot we weten wat er aan de hand is, denk ik dat ik gewoon liever...' Zijn stem stierf weg en hij stopte zijn handen in zijn zakken.

Ze keken allebei toe terwijl Hugh de papieren bestudeerde. Hij sloeg een blad om, fronste zijn voorhoofd en ging weer terug naar het eerste blad.

'Wel verdomme,' zei hij ten slotte terwijl hij van het ene blad naar het andere keek. 'Wat een achterlijke...' Hij keek naar Amanda. 'Hij heeft gelijk, weet je.'

'Wat bedoel je, hij heeft gelijk?' vroeg Amanda die nog steeds vriendelijk glimlachte, maar nu een scherpe klank in haar stem kreeg. 'Wie heeft er precies gelijk?'

'De data zijn precies hetzelfde.' Hugh schudde zijn hoofd. 'Gerard heeft het huis duidelijk dubbel geboekt.'

'Hij heeft wát gedaan?'

'Hij heeft het aan ons allebei beloofd.' Hugh keek naar haar op. 'Aan ons... en aan hen. Aan meneer...'

'Murray,' vulde de man hem aan. 'En mijn partner – en onze twee zoons.' Hij gebaarde naar de auto en de anderen volgden zijn blik, maar de zon scheen recht op de ramen, dus de inzittenden bleven onzichtbaar. 'De een is een tiener,' voegde de man eraan toe. Of dit de zaak er nu beter of slechter op maakte, wist Hugh eigenlijk niet.

Er volgde een stilte waarin de consequenties van de situatie door ieders hoofd gingen. Toen schudde Amanda haar hoofd.

'Nee,' zei ze. 'Nee, dit pik ik niet. Ik pík het niet.'

'Ik moet zeggen dat dit verdomme typisch Gerard is,' zei de man. 'Typisch. Hij is zo ongelooflijk vaag. Ik had kunnen weten dat er zoiets als dit zou gebeuren.' Hij keek weer naar de auto en maakte een verontschuldigend gebaar naar de mensen die erin zaten. 'Wat moeten we nu verdorie doen?'

'We gaan Gerard bellen,' snauwde Amanda en rukte de fax uit

Hughs hand. 'We gaan hem onmiddellijk bellen en hem een veeg uit de pan geven. Dit is te gek voor woorden.' Ze keek naar de man. 'Komt u mee om hem ook te spreken?'

'Ja, goed,' zei de man die weer zijn schouders ophaalde. 'Al weet ik niet wat voor zin...'

'Hij moet maar een hotel voor een van ons regelen! Of met iets anders komen.' Amanda begon met grote stappen naar de deur te lopen en na een korte aarzeling volgde de man. 'Ik heet trouwens Philip,' zei hij.

'Ik heet Amanda.'

'Hugh,' zei Hugh met een beleefd knikje.

'Philip?' klonk een vrouwenstem en ze draaiden zich allemaal om naar het portier aan de passagierskant dat opengíng. Een slank blond meisje – nee, vrouw – in een katoenen jurkje stapte uit en keek Philip vragend aan.

Hugh voelde zijn hele lichaam van schrik verstarren.

'Wat is er aan de hand?' vroeg Chloe aan Philip. 'Is dit niet het juiste huis?'

'Ja, het is wel het juiste huis,' zei Philip, 'maar Gerard heeft verkeerde afspraken gemaakt. Hij heeft ons allemaal in dezelfde week geboekt. We gaan hem even bellen. We zijn zo terug.'

'O,' zei Chloe. 'Nou... goed.'

Er volgde een stilte terwijl Philip en Amanda op weg naar de villa gingen, en waarin Hugh nog steeds naar Chloe's afgewende gezicht staarde. Pas toen ze door de deur verdwenen waren, keek ze hem aan. Hugh keek terug; hij kon geen woord uitbrengen en zijn hart klopte in zijn keel. De middagzon scheen door de bomen en wierp schaduwen op haar gezicht, zodat haar uitdrukking ondoorgrondelijk was.

'Hallo,' zei ze ten slotte.

'Hallo,' zei Hugh en schraapte zenuwachtig zijn keel. 'Dat is... dat is lang geleden.'

4

Philip stond naast Amanda en luisterde niet echt naar het telefoongesprek, maar keek meer dan een beetje geschokt om zich heen. De villa was zoveel groter dan hij zich voorgesteld had. Zoveel chiquer. De oprijlaan was al indrukwekkend genoeg geweest, maar deze koele, ronde hal met de majestueuze trappen en de overloop met zuilen was spectaculair. Na de lange, hete rit was het gewoon een veilige haven.

'Ik vrees dat het daar niet om gaat.' Amanda's galmende stem weerklonk in zijn hoofd en met een schuldig gevoel richtte hij zijn aandacht op het gesprek. 'Waar het om gaat is dat we hier nu allemaal zijn. Ja, je zult het ongetwijfeld vréselijk vinden. Maar wat ga je eraan doen?' Ze luisterde nog enkele ogenblikken langer en zuchtte toen ongeduldig. 'Probeer jij het eens.' Ze stak Philip de hoorn toe en voegde er zachtjes aan toe: 'Hij is zo hópeloos vaag.'

'Hallo?' zei Philip voorzichtig in de hoorn. 'Gerard? Met Philip.'

'Philip!' klonk Gerards warme bariton. 'Hoe ís het met je?'

'Goed,' zei Philip. 'Gerard, ik weet niet of Amanda uitgelegd heeft wat er gebeurd is...'

'Ja! Weet je, ik begrijp het gewoonweg niet. Het is helemaal niets voor mij om een dergelijke fout te maken. Weet je héél zeker dat jullie je niet in de week vergist hebben?'

'Absoluut zeker,' zei Philip.

'Nou, het is wel heel ongewoon. Ik ben er een beetje van over mijn toeren.'

'Ja,' zei Philip. 'Maar het punt is –'

'Ik zal toch geen Alzheimer hebben?' klonk Gerards stem geschrokken. 'Ze zeggen dat het begint met verstrooidheid. Misschien heb ik wel last van black-outs zonder dat ik het in de gaten heb.'

'Ja, misschien wel,' zei Philip. Hij keek naar Amanda en trok een hulpeloos gezicht. 'Het punt is –'

'Ik ben vorige maand flauwgevallen. Zomaar. Dat zou ermee te maken kunnen hebben, hè?'

Philip zag over Amanda's schouder de zware voordeur opengaan. Chloe kwam de hal in en trok haar wenkbrauwen op en hij haalde zijn schouders op.

'Het punt is, Gerard,' onderbrak hij de woordenwaterval, 'wat moeten we doen? Moeten sommigen van ons naar een hotel verhuizen?'

'Een hotel?' zei Gerard alsof hij verrast was. 'Maar kerel, het is midden in het hoogseizoen. Er is geen hotelkamer te krijgen. Nee, jullie zullen gewoon moeten blijven waar jullie zitten.'

'Wat, met zijn allen?'

'Jullie zijn toch niet met zo heel veel? Met ploegendiensten kom je een heel eind. De werkster komt op donderdag...'

'Gerard, Ik weet echt niet –'

'Het lukt vast wel! En neem alle wijn die je wilt. Is Chloe er ook?'

'Ja,' zei Philip. 'Wil je haar spreken?'

'Nee, laat maar,' zei Gerard. 'Ik moet gaan. Ik ben al laat voor een klarinetrecital. Ik hoop van harte dat het allemaal goed komt. *Adios*!'

De verbinding werd verbroken en Philip staarde een beetje beteuterd naar de telefoon.

'En?' zei Chloe.

'Nou... het ziet ernaar uit dat we hier vastzitten,' zei Philip. 'Gerard denkt niet dat we in deze tijd van het jaar een hotelkamer kunnen krijgen. Dus we moeten maar... Nou, zoals hij zei "met ploegendiensten kom je een eind".

'Ploegendiensten?' vroeg Amanda argwanend. 'Wat bedoelt hij daar nu mee?'

'Ik weet het niet,' zei Philip. 'Hij weidde er verder niet over uit.'
'Deed hij verontschuldigend?' vroeg Chloe.
'Nou... hij zei dat het hem speet,' zei Philip sceptisch. 'Eerlijk gezegd klonk hij meer geïnteresseerd in de kwestie of hij Alzheimer heeft of niet.'
'Alzheimer?' zei Chloe ongelovig.
'Het klonk allemaal nogal als wartaal.'
'Als je het mij vraagt weet hij van voren niet dat hij van achteren leeft,' zei Amanda op scherpe toon. 'Hij strooit met uitnodigingen als de ruimhartige gastheer – en laat iedereen het lekker zelf uitzoeken als het fout gaat. Ik bedoel, wat verwacht hij nou precies van ons? Dat we hier met zijn allen slapen?' Haar stem werd schril van verontwaardiging. 'Ik bedoel, er is geen plaats, laat staan iets anders.'
De voordeur ging open zodat er een stoot warmte en zonlicht binnenkwam en sloeg achter Hugh dicht. Hij keek van het ene gezicht naar het andere en toen naar de telefoon die Philip nog in zijn hand had.
'Opgelost?'
'Nee, niet echt,' zei Philip. 'Gerard schijnt geen idee te hebben hoe dit heeft kunnen gebeuren.'
'Hij lijkt er ook niet mee te zitten,' zei Amanda. 'Het komt er dus op neer dat we tot elkaar veroordeeld zijn.' Ze keek naar Chloe. 'Niet dat ik iets tegen jullie... ik bedoel, jullie lijken me vanzelfsprekend aardige mensen en ik wil zeker niet suggereren...'
'Nee,' zei Chloe met een nauw verholen glimlach om de lippen. 'Vanzelfsprekend niet.'
'Maar je begrijpt wel wat ik bedoel.'
'Ik begrijp heel goed wat je bedoelt,' beaamde Chloe. Hughs blik dwaalde naar haar en weer terug.
'Misschien moeten we op zoek gaan naar een hotel,' zei hij en keek naar Amanda.
'Ja schat,' zei Amanda. 'Een heel goed idee. Besef je wel welke tijd

van het jaar het is? Als je hotelkamers voor ons vijven kunt vinden, zonder vooraf geboekt te hebben –'

'Oké,' zei Hugh een beetje geërgerd. 'Nou goed, misschien moet één gezin maar terug naar huis vliegen. De anderen hun rust gunnen.'

'Naar huis?' echode Amanda vol afschuw. 'Hugh, heb je énig idee in welke staat ons huis zich bevindt? De nieuwe keukenvloer gaat er vandaag in!'

'Wij gaan niet naar huis,' zei Chloe kalm. 'We hebben deze vakantie nodig.' Ze liep naar een van de trappen en liet zich op de derde tree zakken alsof ze er aanspraak op maakte. 'We hebben hem nodig en we zullen hem krijgen ook.' Haar stem weerklonk door de koepel en haar ogen fonkelden intens vanuit de lichte, marmeren schemering.

'Hebben jullie erg stressvolle banen?' zei Amanda die haar nu met iets meer interesse bekeek. 'Wat doen jullie?'

'Ik praat deze week niet over werk,' zei Chloe terwijl Philip automatisch zijn mond opendeed om antwoord te geven. 'Wij geen van beiden. Het is een verboden onderwerp. We zijn hierheen gekomen om eraan te ontsnappen. Om er helemaal uit te zijn.'

'En in plaats daarvan zitten jullie met ons opgezadeld,' zei Hugh na een korte stilte. Hij maakte een plechtige buiging naar haar. 'Mijn verontschuldigingen.'

'Wíj hoeven ons niet te verontschuldigen!' zei Amanda bits. 'Het is die lul van een Gerard die zijn verontschuldigingen moet aanbieden. Ik zweer je, ik lees zijn column nooit meer. En ik ga ook zijn Wijn van de Week boycotten.' Ze keek naar Chloe. 'Ik stel voor dat jij hetzelfde doet.'

'We kunnen ons de Wijn van de Week nooit veroorloven,' zei Philip. 'Het is verdomd pretentieus spul.'

'Daar ben ik het wel mee eens,' zei Hugh. 'Ik heb nooit zo'n hoge dunk van hem gehad. Als wijnrecensent, tenminste.'

'Wat is de link dan eigenlijk tussen Gerard en jou?' zei Philip. 'Blijkbaar niet de wijn. Ben je een vriend van hem?'

'Ik heb met hem op school gezeten,' zei Hugh. 'We zijn elkaar jaren geleden uit het oog verloren en we kwamen elkaar bij toeval weer tegen. Hij leek er nogal op gebrand om de vriendschap nieuw leven in te blazen.'

'O, Gerard vindt het heerlijk om mensen terug in de kudde te krijgen,' zei Philip een beetje sarcastisch. 'Je zult nu overspoeld worden met uitnodigingen. Hij geeft zo ongeveer eens per maand een feest.'

'Wil je zeggen dat we feestvee zijn?' Hugh glimlachte een beetje. 'Vrienden van de reservelijst.'

'Nee,' zei Chloe terwijl ze fronsend naar Philip keek. 'Dat is niet eerlijk. Zo is Gerard niet. Niet tegenover zijn echte vrienden.'

Philip haalde zijn schouders op, slenterde naar een van de plafondhoge ramen en tuurde naar de oprijlaan.

'En jullie twee?' zei Amanda terwijl er een rimpel in haar voorhoofd verscheen. Ze gebaarde naar Chloe en Hugh. 'Als jullie allebei oude vrienden van Gerard zijn, kennen jullie elkaar dan al?'

Er volgde een stilte.

'We zijn elkaar misschien wel eens een of twee keer tegengekomen,' zei Chloe onverschillig. 'Dat kan ik me echt niet meer herinneren.'

Haar ogen flitsten even naar die van Hugh. 'Kun jij het je herinneren, Hugh?'

'Nee,' zei Hugh na een korte stilte. 'Nee, ik kan het me niet herinneren.'

'Mooie tuin,' zei Philip die nog uit het raam stond te kijken. 'Wat een huis, zeg.' Hij draaide zich om en sloeg zijn armen over elkaar. 'Goed – willen jullie ons een rondleiding geven?'

Terwijl Amanda hen door het huis voorging, bleef Chloe een beetje achter en keek naar de kleden en vazen en wandkleden, maar zonder ze echt te zien. Het aanvankelijk nieuwe van de netelige toestand was eraf. Ze voelde een groeiende woede over de situatie, op alle anderen, op zichzelf omdat ze zich liet meevoeren in deze bespottelijke optocht. Iedere keer dat ze naar Hugh keek, werd ze overvallen door ongeloof; een bijna bedwelmend ongeloof dat ze hier nu met zijn tweeën waren, in deze kluchtige situatie, netjes meelopend, zonder te laten merken dat ze elkaar kenden. Ze moest er bijna om lachen. Maar tegelijkertijd voelde ze diep van binnen oude emoties de kop opsteken. Als slangen die langzaam wakker werden.

'En dit is de ouderslaapkamer,' zei Amanda die aan de kant ging om de anderen naar binnen te laten stappen.

Chloe keek zwijgend om zich heen. Er stond een enorm gebeeldhouwd hemelbed midden in de kamer, waarvan de mahoniehouten hoekspijlen voorzien waren van dikke, lichte gordijnen. Voor het raam stond een bank waar Turkse kussens hoog opgestapeld lagen. Boekenkasten aan weerszijden van het bed stonden vol in leer gebonden boeken en aan de muur ertegenover hing een enorme spiegel in een vergulde lijst. Glazen deuren, omlijst door geurende klimplanten, leidden naar een breed balkon met ficussen in gevernistе potten en bamboestoelen om een glazen tafeltje.

Op de vloer voor het bed stonden twee lege koffers en toen Chloe langs een kleerkast liep, zag ze dat hij vol kleren hing. Ze keek opnieuw naar het bed, wendde haar blik af en keek Hugh recht in de ogen. Ze voelde een ongewilde tinteling in haar wangen en keek snel weer weg.

'Jullie tweeën slapen hier, neem ik aan,' zei ze terwijl ze naar Amanda keek.

'Nou,' zei Amanda verdedigend. 'Wij hebben onze spullen vanzelfsprekend hier uitgepakt...'

'Maar we hoeven hier niet te blijven,' zei Hugh die zijn armen uitsloeg. 'Ik bedoel, we hebben niet meer recht op deze kamer dan jullie.'

'Inderdaad,' zei Amanda na een korte stilte. 'We kunnen gemakkelijk verhuizen. Heel gemakkelijk.'

'Geen enkele moeite,' zei Hugh.

'Nee, blijf alsjeblieft hier,' zei Chloe. 'Ik bedoel, jullie waren hier als eersten en jullie hebben jullie spullen al uitgepakt...'

'Dat zegt helemaal niets,' zei Hugh. 'En het kan ons niet schelen in welke kamer we slapen, hè schat?'

'Natuurlijk niet, schat,' antwoordde Amanda en wierp hem een nogal benepen glimlachje toe. 'We vinden het helemaal niet belangrijk.'

'Wij ook niet,' zei Chloe. 'Echt –'

'We gaan erom tossen,' zei Hugh resoluut. 'Dat is het eerlijkst, hè?'

'Dat lijkt mij ook,' zei Philip.

'Nee, hou op,' zei Chloe hulpeloos terwijl ze naar Amanda's strakke gezicht keek. 'Het kan ons echt niet schelen in welke kamer we slapen...'

Maar Hugh gooide al een munt in de lucht.

'Kop,' zei Philip toen het muntje op de tegelvloer kletterde. Hugh bukte zich en raapte het op.

'Het is kop,' zei hij. 'Jullie hebben gewonnen. Eerlijk is eerlijk.'

Er volgde een bedremmelde stilte.

'Oké,' zei Amanda na een korte stilte. 'Mooi. Goed, dan zal ik onze kleren maar weer inpakken...'

'Er is geen haast bij,' zei Chloe. 'Echt niet.'

'O, het is helemaal geen moeite!' zei Amanda. 'En ik denk dat jullie ook wel willen uitpakken. Ik wil jullie in ieder geval niet ophouden!'

Ze liep naar de kleerkast en begon met kleine, schokkerige bewegingen kleren van de hangertjes te trekken. Chloe keek naar Philip en trok een gezicht.

'Wat de accommodatie betreft,' zei Philip snel, 'eh... hoeveel slaapkamers zijn er ook alweer?'

'Maar vier,' zei Amanda zonder om te kijken. 'Jammer genoeg.'

'Dus... als onze twee jongens een kamer delen en die twee van jullie ook...' Philip keek naar Chloe. 'Dan moet het allemaal goed komen, hè?'

'Eerlijk gezegd hebben we ook nog een kindermeisje,' zei Hugh.

'O,' zei Philip onthutst. 'Juist.'

'Ja natuurlijk,' mompelde Chloe terwijl ze zich afwendde. 'Vanzelfsprekend.'

'Zij heeft geen eigen kamer nodig,' zei Amanda die een stapel T-shirts in haar koffer smeet. 'Ze kan bij de meisjes slapen. Of in dat kleine kamertje achter. Daar staat een slaapbank.'

'Weet je het zeker?' vroeg Philip. 'Zal ze het niet vervelend vinden?'

'Ze wordt er niet voor betaald om het vervelend te vinden,' zei Amanda kortaf. 'Bovendien kunnen die Australiërs alles hebben. Ik heb eens een meisje gehad –'

'Amanda,' zei Hugh waarschuwend.

'Wat?' Amanda draaide zich om en zag Jenna achter zich staan. 'O hallo, Jenna,' zei ze zonder een spier te vertrekken. 'We hadden het net over jou.'

Philip en Chloe wierpen elkaar een blik toe.

'Ik kom even zonnebrandcrème voor de kinderen halen,' zei Jenna. Ze keek naar Philip en Chloe. 'Hebben we bezoek?'

'Er is een kleine... wijziging in de organisatie,' zei Hugh en kuchte. 'Blijkbaar logeren deze mensen – Philip en Chloe – ook deze week in de villa.'

'O, leuk,' zei Jenna opgewekt. 'Geweldig. Hoe meer zielen, hoe meer vreugd.'

'Ja-a,' zei Hugh. 'Het enige probleem is... slaapkamers. Zij hebben twee jongens – en met ons erbij en maar vier slaapkamers...'

Er viel een gespannen stilte. Philip wreef onbeholpen over zijn gezicht en keek weer naar Chloe, die haar wenkbrauwen optrok. De enige die niet gegeneerd leek was Amanda.

'O, ik snap het al,' zei Jenna plotseling. 'Jullie verwachten van mij dat ik mijn kamer opgeef voor die mensen. Daar heeft u het over, hè?' Ze keek beschuldigend om zich heen. 'Me uit mijn kamer zetten. Me op de bank laten slapen.' Ze stak haar kin naar voren. 'Dat had je gedroomd, maat. Als er niet genoeg plek is, breng je me maar onder in een hotel!'

Er volgde een geschrokken stilte.

'Nu moet je eens even goed luisteren,' zei Amanda ten slotte, met een stem als mitrailleurvuur. 'Laten we eens even heel duidelijk zijn. In de eerste plaats –'

'Geintje!' zei Jenna en grijnsde naar de verbijsterde gezichten. 'Jullie kunnen me onderbrengen waar jullie willen! Het kan mij niet schelen waar ik slaap. Of met wie, trouwens.' Ze knipoogde naar een geschrokken Philip en Chloe moest haar lachen inhouden. 'Is dit de sunblock?' Jenna pakte een plastic fles van de kaptafel. 'Yep. Oké, tot straks.'

Ze schudde haar dreadlocks achterover en slenterde de kamer uit. De anderen keken elkaar bedremmeld aan.

'Tja,' zei Philip uiteindelijk. 'Ze lijkt...' Hij schraapte zijn keel. 'Ze lijkt me wel... leuk.'

Sam en Nat hadden het zwembad gevonden.

'Wauw,' zei Nat toen ze de hoek om kwamen en het blauwe water zagen dat over het watervalletje stroomde, fonkelend en kabbelend in het zonlicht. 'Wáuw.'

'Cool,' gaf Sam toe en slenterde naar een ligstoel.

'Wat een ongelooflijk huis is dit.' Nat bleef staan toen hij honderd meter verderop twee kleine meisjes zag. Ineens had hij het gevoel dat hij zich op verboden terrein bevond. 'Wie denk je dat het zijn?'

'Weet ik veel,' zei Sam terwijl hij zijn armen achter zijn hoofd vouwde. 'Wat kan ons het schelen?' Nat keek naar hem en toen weer naar de meisjes. Ze waren jonger dan hij, gekleed in hetzelfde blauwe badpakje met madeliefjes. Hij herkende hen als de twee kleine meisjes uit het vliegtuig.

'Hallo,' zei hij voorzichtig tegen de oudste. 'Zijn jullie aan het zwemmen?'

'Je mag er niet in zonder dat er een volwassene bij is,' deelde ze hem op strenge toon mee.

'Oké,' zei Nat. 'Ik heb me trouwens toch nog niet omgekleed.' Hij ging voorzichtig op een ligstoel zitten en keek naar de meisjes terwijl ze op het gras gingen zitten. 'Denk je dat ze hier wonen?' vroeg hij zachtjes aan Sam.

'Weet ik veel.'

'Wat denk je dat pap en mam aan het doen zijn?'

'Weet ik veel.' Sam duwde met zijn voet een voor een zijn schoenen uit. Ineens verstarde hij. 'Jezusmina.'

Nat volgde zijn blik. Er kwam een meisje om de hoek van het huis. Het meisje met de rode dreadlocks.

'Dat is zij!' siste hij tegen Sam. 'Dat meisje dat aardig tegen ons was.'

Sam luisterde niet. Hij staarde zwijgend en vol vervoering voor zich uit. Het meisje met de dreadlocks trok zonder gêne haar T-shirt over haar hoofd en onthulde een mager, bruin figuur dat gehuld was in een piepkleine bikini. Er glinsterde een zilveren ringetje in haar navel en op een dij kronkelde een getatoeëerde slang suggestief in de richting van het piepkleine bikinidriehoekje. Terwijl hij toekeek, voelde hij een verharding in zijn kruis; zonder zijn blik ook maar een ogenblik van haar af te wenden, ging hij verzitten. Op dat moment, alsof ze zijn gedachten kon lezen, keek het meisje op en zag hen.

'Hallo, jongens,' zei ze vriendelijk. 'Heb ik jullie niet in het vliegtuig gezien?'

'Ja,' riep Nat. 'We logeren hier. Ik ben Nat – en dit is mijn broer Sam.'

'Hallo, Nat,' zei het meisje. Haar twinkelende ogen gleden naar die van Sam en bleven er een paar tellen rusten. 'Hallo, Sam.'

'Hoi,' zei Sam en hief nonchalant zijn hand bij wijze van groet. 'Hoe gaat het?'

'Goed, bedankt.'

Ze bukte zich om een fles zonnebrandcrème te pakken, glimlachte weer naar de jongens en liep naar de kleine meisjes op het gras.

'Oké, meiden,' hoorden ze haar zeggen, 'wie wil er als eerste ingesmeerd worden?'

'Ze is heel aardig,' zei Nat en keek naar Sam. 'Vind je niet?' Het bleef stil en Nat fronste verbaasd zijn voorhoofd. 'Sam?'

'Ze is niet aardig,' zei Sam zonder zijn hoofd te bewegen. 'Ze is niet áárdig. Ze is verdomme een... godin.' Hij staarde nog wat langer naar haar en scheen toen bij zijn positieven te komen. Hij kwam overeind, trok zijn T-shirt uit, keek zelfvoldaan naar zijn gespierde, gebronsde bovenlichaam en grinnikte toen naar Nat. 'En ik –' hij leunde achterover in zijn stoel '– ga haar nemen.'

Tegen de tijd dat alle bagage uitgepakt was, was het avond. Chloe stond op het balkon en keek uit over de weelderige, goed beplante tuin. Het felle zonlicht van de dag was verdwenen, de kleuren voor haar waren gedempt. Er waren geen stemmen beneden, geen teken van mensen, alleen stilte. Stilte en rust.

Maar Chloe voelde zich niet rustig, ze voelde zich rusteloos en nerveus. Toen ze haar blik van de tuin naar de bergen verderop liet dwalen, voelde ze het verlangen om met zevenmijlslaarzen over hen heen te stappen. Wegstappen, en wel meteen...

'Nou,' zei Philip achter haar en ze schrok. 'Wat vind je ervan?' Chloe draaide zich om en keek hem aan.

'Wat bedoel je?'

'Deze vakantie.' Philip haalde een hand door zijn donkere krullen. 'Dit is niet echt wat we gepland hadden, hè?'

'Nee,' zei Chloe na een korte stilte. 'Niet bepaald.'

'Maar ze lijken me best aardig. Ik denk dat het wel wat kan worden.'

Chloe zweeg. Ze voelde zich bijna barsten van iets, maar ze wist niet zeker van wat. Frustratie over het feit dat Philip zich zo vlot bij de situatie neerlegde, woede over hoe de dingen gelopen waren. Maar vooral teleurstelling. Ze had zo wanhopig verlangd naar de vergetelheid van een vreemd land, naar een andere horizon en een nieuwe sfeer. Ze had zo gesnakt naar een kans voor Philip en haar om de problemen waar ze thuis onder gebukt gingen van zich af te schudden, om in de zon te liggen en te praten en zichzelf langzaam te herontdekken.

In plaats daarvan zouden ze de hele week een show voor een ander gezin opvoeren. Ze zouden niet kunnen praten, ze zouden zich niet natuurlijk kunnen gedragen. Ze zouden de hele week toneelspelen, zonder privacy, zonder tijd voor henzelf. Dit was geen ontsnapping, dit was een kwelling.

En niet eens het gezin van een vreemde. Niet eens de troost van anonimiteit.

Opnieuw zag ze Hughs geschokte gezicht weer voor zich toen ze uit de auto stapte en ze wreef ruw over haar gezicht om het van zich af te schudden. Om die kleine speldenprikjes van vijandigheid van zich af te schudden, die kleine belletjes nieuwsgierigheid. Het was in een ander leven geweest, hield ze zichzelf resoluut voor. Heel lang geleden. Twee volkomen andere mensen. Hij deed haar niets meer. Ze was niet eens zo geschokt hem te zien. Tenslotte woonden Hugh en zij allebei in Londen – zij het in volkomen verschillende delen van de metropool. Het verbazingwekkende was dat ze elkaar niet eerder tegengekomen waren.

Maar moest het nu net deze week zijn, dacht ze en deed haar ogen dicht. Deze week die Philip en zij zo hard nodig hadden?

'Wat zullen we met het eten doen?' Philip liep naar de hoek van het balkon en gluurde over de rand. 'Ik denk dat de jongens voor zichzelf zorgen. Ze hebben een paar pizza's in de vriezer gevonden. Maar wij kunnen ons iets ambitieuzer opstellen.'

Chloe zweeg. Ze kon zich er niet toe zetten om aan eten te denken. Het enige waar ze aan kon denken was haar nervositeit.

'Chloe?' Philip kwam naar haar toe en keek haar vorsend aan. 'Chloe, gaat het?'

'Laten we gaan.' Chloe draaide zich naar hem toe en keek hem plotseling indringend aan. 'Laten we gewoon in de auto stappen en ergens heen rijden. Weg uit deze villa.' Ze gebaarde naar de glooiende bergen. 'We vinden wel een plek om te logeren. Ik weet het niet, een pension of zo.'

'Weg?' Philip keek haar vol ongeloof aan. 'Meen je dat?'

Chloe keek hem enkele ogenblikken zwijgend aan, waarin ze probeerde haar verwarde gevoelens over te brengen. Om hem de reactie te ontlokken die ze wilde – zonder precies te weten wat die was. Toen wendde ze zich zuchtend af. Ze pakte een lichtroze bloem en begon de blaadjes er een voor een af te plukken.

'O, ik weet het niet. Ik doe gewoon stom. Alleen...' Ze zweeg even en keek naar de half kaalgeplukte bloem. 'Dit is niet wat we wilden. We wilden tijd alleen samen. Een kans om... dingen uit te praten.' Ze trok de laatste overgebleven blaadjes met een venijnig gebaar uit en liet ze over de rand van het balkon vallen.

'Dat weet ik.' Philip kwam naast haar staan en legde een hand op haar schouder. Hij keek naar de kale stengel in haar hand en trok zijn wenkbrauwen op. 'Arme bloem.'

En arme ik dan? dacht Chloe woedend. *En arme wij dan?*

Ze bedacht ineens dat ze wel kon gillen. Ze vond Philips aanwezigheid, zijn apathie, verstikkend. Zijn acceptatie van hun omstandigheden. Waarom kon hij niet kwaad zijn zoals zij? Waarom kon hij haar verontwaardiging niet delen? Ze had het gevoel dat haar woorden in een zacht, onverschillig niets wegzonken.

Toen ze zijdelings naar zijn gezicht keek, zag ze dat zijn ogen gericht waren op een punt ergens halverwege de horizon, zijn voorhoofd vol rimpels omdat hij diep in gedachten was. Hij dacht helemaal niet aan de vakantie, realiseerde ze zich ineens met een schok. Hij was in gedachten nog in Engeland; hij liep zich nog steeds zinloos druk te maken. Hij probéérde zich niet eens te ontspannen, dacht ze met weerzin.

'Waar denk je aan?' vroeg ze, voor ze zich kon inhouden, en Philip schrok op met een schuldig gezicht.

'Niks,' zei hij. 'Helemaal niks.' Hij keerde zijn gezicht naar haar en wierp haar een scheef lachje toe, maar Chloe kon niet teruglachen.

'Ik ga naar buiten,' zei ze abrupt en ontweek zijn aanraking. 'Ik denk dat ik een wandelingetje door de tuin ga maken.'

'Goed,' zei Philip. 'Ik ga zo naar de keuken om avondeten voor ons klaar te maken.'

'Prima,' zei Chloe zonder achterom te kijken. 'Je doet maar.'

Hugh stond bij het bad in de tweede slaapkamersuite en keek hoe Amanda de zonnebrandcrème van Octavia's schouders boende.

'Het is zo jammer,' zei ze met horten en stoten. 'Ik bedoel, moet je ons nou zien. Opgesloten in een benauwd...'

'Nou, benauwd,' zei Hugh terwijl hij zijn blik door de ruime marmeren badkamer liet dwalen. 'En ze hebben het volste recht op die kamer.'

'Dat weet ik,' zei Amanda. 'Maar we zijn niet op vakantie om uit onze kamer gezet te worden door mensen die we nooit eerder gezien hebben. Ik bedoel, het zijn niet eens vrienden. We weten helemaal niets van hen!'

'Ze lijken me heel aardig,' zei Hugh na een korte stilte. 'Heel aardige mensen.'

'Jij vindt iedereen aardig,' zei Amanda geringschattend. 'Jij vond de vrouw aan de overkant van de straat ook aardig.'

'Mamaaa!' jammerde Octavia. 'Je doet me pijn!'

'Amanda, waarom laat je mij dat niet doen?' vroeg Hugh en zette een stap in de richting van het bad.

'Nee, laat maar,' zei Amanda met een lichte zucht. 'Ga jij maar naar je gin-tonic. Ik kom zo. En Jenna komt zo hierheen.'

'Ik vind het niet erg,' zei Hugh. 'Ik kan de kinderen ook in bed stoppen.'

'Luister, Hugh,' zei Amanda, die zich op haar hurken omdraaide. 'Het is een lange dag geweest. Ik wil gewoon de kinderen zo snel mogelijk in bed hebben zodat we ons daarna misschien kunnen ontspannen. Goed?'

'Oké,' zei Hugh na een korte aarzeling. Hij dwong zichzelf om te glimlachen. 'Nou… welterusten, meisjes. Slaap lekker.'

'Welterusten, papa,' riepen de meisjes plichtmatig in koor, vrijwel zonder op te kijken, en Hugh glipte stilletjes de badkamer uit met een vertrouwd knagend gevoel in zijn borst.

Toen hij naar de deur liep, zag hij Jenna binnenkomen met twee pyjama's.

'Hoi,' zei ze en hield ze op. 'Zijn dat de goeie, denkt u?'

Hugh staarde enkele ogenblikken naar de katoenen bloemetjespyjama's, naar de kleine mouwtjes, de minizakjes.

'Dat lijkt me wel,' zei hij uiteindelijk. 'Het is niet echt mijn terrein.' En hij liep snel weg voor het meisje nog iets anders tegen hem kon zeggen. Hij liep naar de keuken, vond een kastje vol flessen en begon langzaam, methodisch een gin-tonic te mixen.

Niet echt zijn terrein. Eerlijk gezegd was niets wat met zijn dochters te maken had zijn terrein. Op de een of andere manier was hij gedurende de vijf jaar sinds Octavia's geboorte versteend tot een vader die zijn eigen kinderen niet kende. Een vader die zoveel op kantoor zat dat er vaak een hele week voorbijging waarin hij geen glimp van zijn dochters opving. Een vader die geen idee had waar zijn kinderen graag mee speelden of waar ze op tv naar keken of zelfs maar wat ze graag aten. Die zich in dit late stadium te erg schaamde om ernaar te vragen.

Hugh nam een flinke slok gin, deed zijn ogen dicht en genoot van de smaak en de geur. Iedere avond een gin-tonic was een van zijn vaste gewoonten geworden, samen met zijn krant en, de laatste tijd, e-mail. Als Beatrice weigerde naar hem toe te komen voor een verhaaltje voor het slapen gaan en om haar mama huilde, wendde hij zich af en verborg zijn uitdrukkingloze gezicht achter de krant. Terwijl de meisjes en Amanda op zaterdagochtend naar ballet waren, ging hij achter zijn computer zitten om naar zijn mail te kijken en onnodige antwoorden te tikken. Soms las hij hetzelfde bericht wel tien keer over.

Als dat gedaan was en ze waren nog niet terug, concentreerde hij zich op willekeurig welke bedrijfstechnische uitdaging die zijn aandacht getrokken had. Hij las de gegevens en verwerkte de informatie, waarna hij zijn ogen dichtdeed en zich onderdompelde in de wereld die hij beter kende dan wie ook. Dan zat hij in volkomen stilte alternatieve strategieën uit te denken als een schaker, als een generaal. Hoe ingewikkelder, hoe meer het hem afleidde – hoe beter. Zijn meest briljante werk kwam dikwijls op een zaterdag tot stand.

Hij wist dat Amanda hem vaak beschreef, met haar ogen ten hemel geslagen, als een workaholic. Haar vriendinnen die in haar smetteloze keuken koffie met haar zaten te drinken betoonden dan hun medeleven. Je bent het equivalent van een alleenstaande moeder, plachten ze verontwaardigd te zeggen. Wat is er met de Nieuwe Man gebeurd?

Drie jaar geleden was Hugh thuisgekomen, koud en moe en met een voorstel dat hij in de trein had zitten bedenken. Dat hij zijn voltijdbaan zou opgeven en als managementconsulent zou gaan freelancen. Hij zou wel minder verdienen – maar hij kon dan vanuit huis werken en veel meer tijd met haar en de kinderen doorbrengen.

Hij had Amanda maar zelden zo vol afkeer gezien.

Hugh nam nog een slok en slenterde toen de keuken uit de salon in – en vervolgens door de terrasdeuren de tuin in. De hemel neigde naar donkerblauw en het was warm en stil buiten. Gerards tuin werd duidelijk onderhouden door mensen die wisten wat ze deden, dacht hij. Heesters waren gesnoeid, bloemen stonden keurig in perken, uit een klein stenen fonteintje stroomde koel, helder water. Hij ging een hoek om terwijl hij zich afvroeg hoe ver de tuin doorliep, en bleef staan.

Chloe stond bij een muur, met haar hoofd in haar handen, alsof ze bad. Hij probeerde onmiddellijk weg te lopen, maar ze had een geluid gehoord en keek op. Ze had een blos op haar wangen en er fonkelde een emotie in haar blauwe ogen die hij niet kon peilen. Ze keken elkaar enkele ogenblikken zwijgend aan – toen hief Hugh banaal zijn glas.

'Proost. Op...' Hij haalde zijn schouders op.
'Een fijne vakantie?' Hugh kromp ineen om Chloe's sarcasme.
'Ja,' zei hij. 'Een fijne vakantie. Waarom niet?'
'Goed,' zei Chloe. 'Een fijne vakantie.'
Hugh nam nog een slok van zijn gin-tonic. Maar die smaakte hier verkeerd, scherp en uit de toon vallend. Hij had zachte rode wijn moeten nemen.
'Waarom heb je gelogen?' vroeg hij abrupt. 'Waarom deed je net of we elkaar niet kenden?'
Het was even stil en Chloe duwde met haar handen haar fijne, golvende haar omhoog. Ze zag er gespannen uit, dacht hij ineens. Gespannen en uitgeput.
'Ik wilde er met mijn gezin tussenuit,' zei ze en keek op. 'Om even overal vanaf te zijn. Om onze problemen te vergeten en... en onszelf weer te vinden. Om alleen te zijn. Als gezin.'
'Wat voor problemen?' Hugh zette zijn glas neer en deed een stap naar voren. 'Is er iets mis?'
'Het doet er niet toe wat voor problemen,' zei Chloe kortaf. 'Die hebben niets met jou te maken. Het punt is –' Ze brak haar zin af en deed haar ogen dicht. 'Het punt is dat Philip en ik – en de jongens ook trouwens – we hebben deze tijd nodig. We hebben het écht nodig. En ik wil niet dat allerlei complicerende factoren dat in de weg staan.' Ze deed haar ogen open. 'Zeker niet een of andere... waardeloze, onbetekenende affaire.' Hugh keek haar strak aan.
'Jij vond het onbetekenend.'
'Toentertijd niet, nee.' Chloe's gezicht verhardde een beetje. 'Maar de tijd leert je wat echt belangrijk was – en wat niet. De tijd leert je een hoop. Vind je niet?'
Er volgde een gespannen stilte. Een hangende witte bloem achter Chloe's hoofd wiegde een beetje in de wind en liet toen, terwijl Hugh toekeek, een blaadje vallen. Hij volgde de gang met zijn ogen en zag het op de donker wordende grond vallen.
'Ik heb nooit de kans gekregen om mijn beweegredenen echt uit

te leggen,' zei hij terwijl hij opkeek, zich bewust van het feit dat zijn stem hakkelend klonk. 'Ik... ik heb er altijd een rotgevoel over gehouden.'

'Je bent heel helder geweest, Hugh.' Chloe klonk luchtig en snijdend. 'Kristalhelder zelfs. En het doet er nu niet meer toe.' Hugh deed zijn mond open om antwoord te geven, maar ze hief haar hand om hem ervan te weerhouden. 'Laten we gewoon... jullie gaan jullie gang en wij gaan de onze. Oké? En misschien wordt het dan nog wel wat.'

'Ik zou echt graag willen praten,' zei Hugh. 'Ik zou echt graag de kans krijgen om –'

'Tja, nou, ik wil ook een heleboel,' viel Chloe hem in de rede. En voor hij kon antwoorden, liep ze weg en liet hem alleen in de avondschemering achter.

5

De volgende ochtend voelde Hugh zich katterig en uitgeput. Hij had de avond ervoor een fles rioja gevonden die hij vervolgens vrijwel in zijn eentje leeggedronken had omdat het, zo had hij zich voorgehouden, immers vakantie was. Nu lag hij op een ligstoel met een zonnehoed over zijn gezicht en kromp ineen bij ieder speldenprikje zonlicht dat zijn weg door het weefwerk naar zijn gesloten oogleden vond. Als vanuit de verte hoorde hij de stem van Amanda en zo nu en dan die van Jenna als antwoord.

'Denk eraan dat je zonnecrème op de nekjes van de meisjes smeert,' zei ze. 'En op de achterkant van hun benen.'

'Ja hoor.'

'En hun voetzolen.'

'Al gedaan.'

'Weet je dat zeker?' Hugh was zich er vaag bewust van dat Amanda op de ligstoel naast hem overeind kwam. 'Ik wil geen risico nemen.'

'Mevrouw Stratton –' Jenna's stem klonk opzettelijk beheerst. 'Als ik ergens iets vanaf weet, dan zijn het wel de gevaren van de zon. Ik ga ook geen risico nemen.'

'Goed. Eh ja.' Het was even stil en toen ging Amanda weer op haar ligstoel liggen. 'Nou,' zei ze zachtjes tegen Hugh. 'Nog geen spoor van ze.'

'Van wie?' mompelde Hugh zonder zijn ogen open te doen.

'Van hén. De anderen. Ik moet zeggen dat ik geen idee heb hoe het gaat uitpakken.'

Hugh zette zijn hoed af. Terwijl hij zijn ogen toekneep tegen de zon, worstelde hij zich omhoog en keek naar Amanda. 'Wat bedoel je met "uitpakken"?' zei hij. 'Hier is het zwembad, hier zijn de stoelen, hier is de zon...'

'Ik bedoel alleen...' Amanda fronste haar voorhoofd een beetje. 'Het zou wel eens vervelend kunnen uitpakken.'

'Ik zie niet in waarom,' zei Hugh die keek hoe Jenna met Octavia en Beatrice via het trapje het zwembad in stapte. 'Ik heb gesproken met...' Hij zweeg even. 'Met Chloe. De vrouw.' Hij keek naar Amanda. 'Gisteravond, toen jij de meisjes in bad aan het doen was.'

'O echt? Wat zei ze?'

'Ze willen net zo graag hun eigen gang gaan als wij. Er is geen enkele reden waarom we elkaar in de weg zouden zitten.'

'We zaten elkaar gisteravond anders wel in de weg, hè?' zei Amanda bits. 'Het was gisteravond verdomme een fiasco!'

Hugh haalde zijn schouders op en ging weer liggen met zijn ogen dicht. Hij was er de avond tevoren niet bij geweest in de keuken, was geen getuige geweest van het voorval waar Amanda het over had. Philip en Jenna waren blijkbaar ieder aan het avondeten voor hun respectieve familie begonnen en hadden daarbij het oog op dezelfde kip gehad. Op een bepaald moment waren ze achter dat feit gekomen. (Hadden ze tegelijkertijd naar de kip gereikt? vroeg Hugh zich nu af. Waren hun handen met elkaar in aanraking gekomen om de nek? Of was het meer een besef geweest dat langzaam tot hen doorgedrongen was?) Voor zover hij kon nagaan, had Philip onmiddellijk aangeboden om iets anders voor hun eten te bedenken en had Jenna hem hartelijk bedankt.

Niet bepaald een fiasco in zijn ogen. Maar Amanda had dit voorvalletje opgevat als bevestiging dat de hele vakantie in het water zou vallen – zelfs al in het water gevallen wás. Terwijl ze hun avondeten in de eetkamer gebruikten (Philip en Chloe hadden het hunne mee naar het terras genomen) had ze die mening in verschillende variaties eindeloos herhaald tot Hugh het spuugzat was. Hij had zich teruggetrokken op het balkon van hun slaapkamer met zijn fles wijn en had hem langzaam leeggedronken tot de hemel helemaal donker was. Toen hij naar binnen kwam, lag Amanda al in bed, diep in slaap voor een miniserie op televisie.

'Daar gaan we dan.' Amanda's gefluister onderbrak zijn gedachten. 'Daar komen ze.' Ze verhief haar stem. 'Goeiemorgen!'

'Goeiemorgen,' hoorde Hugh Philip antwoorden.

'Wat een heerlijke dag,' klonk Chloe's stem.

'Ja, hè?' zei Amanda opgewekt. 'Het is echt fantastisch weer.'

Er volgde een stilte en Amanda ging weer liggen.

'Ze proberen ons in ieder geval niet uit onze ligstoelen te smijten,' zei ze met gedempte stem tegen Hugh. 'Nog niet, tenminste.' Het was even stil, op het gekraak van haar ligstoel na terwijl ze een gemakkelijke houding probeerde te vinden, haar koptelefoon pakte en hem opzette. Een ogenblik later zette ze hem weer af en keek op. 'Hugh?'

'Mmm?'

'Wil je mijn factor acht even aangeven?'

Hugh deed zijn ogen open, kwam overeind en verstarde. Aan de andere kant van het zwembad, met haar rug naar hem toe, knoopte Chloe haar oude katoenen jurk los. Toen hij van haar lichaam gleed en in een hoopje op de grond viel, keek Hugh gebiologeerd toe. Ze droeg een ouderwets badpak met rozen en ze had haar blonde haar op haar achterhoofd met een bloemclip vastgemaakt. Haar benen waren blank en slank, haar schouders tenger en kwetsbaar, als van een kind. Toen ze zich omdraaide, kon hij zich er niet van weerhouden om zijn blik over haar lichaam te laten glijden voor de minste glimp van een blanke borst.

'Hugh?' Naast hem begon Amanda overeind te komen en tegelijkertijd keek Chloe naar de andere kant van het zwembad, recht in zijn ogen. Hugh voelde een steek van verlangen. Van schuldgevoel. De twee leken bijna hetzelfde te zijn. Hij keerde zich snel af.

Hij pakte een willekeurige fles, gaf hem aan Amanda en zei: 'Alsjeblieft.'

'Dit is niet factor acht!' zei ze ongeduldig. 'De grote fles.'

'Oké.' Hugh tastte naar de juiste fles, stak hem snel zijn vrouw toe en ging met bonkend hart weer liggen. Hij kreeg Chloe's gezicht niet uit zijn gedachten, haar felle, enigszins minachtende blauwe ogen. Natuurlijk wist ze wat hij dacht. Chloe had altijd precies geweten wat hij dacht.

Ze hadden elkaar vijftien jaar geleden op een studentenfeest in Londen ontmoet, een feest vol economie- en medicijnenstudenten, dat gehouden werd in een gedeelde flat in Stockwell. Gerard was ook uitgenodigd als vriend van een van de economen – en Gerard zou Gerard niet geweest zijn als hij niet een groep onuitgenodigde mensen van zijn colleges kunstgeschiedenis aan het Courtauld Institute of Art meegenomen had. Een van hen was Chloe.

Achteraf had Hugh het idee dat hij onmiddellijk verliefd op haar geworden was. Ze droeg een jurk die er een beetje typisch uitzag, zodat ze opviel tussen de anderen. Ze waren aan de praat geraakt over schilderijen, waar Hugh maar heel weinig van wist, en waren op de een of andere manier terechtgekomen bij historische klederdrachten – waar Hugh helemáál niets van wist. Toen had Chloe tussen neus en lippen door onthuld dat ze de jurk die ze droeg zelf ontworpen en gemaakt had.

'Ik geloof je niet,' had Hugh gezegd, onder invloed van verscheidene glazen wijn en omdat hij graag van het onderwerp negentiende-eeuwse knopenhaakjes wilde afstappen. 'Bewijs het maar eens.'

'Goed dan,' had Chloe met een lachje gezegd. Ze had zich voorovergebogen en de zoom van haar jurk opgetild. 'Kijk eens naar deze naad. Kijk eens naar de steken. Die heb ik zelf een voor een met de hand gemaakt.'

Hugh had gehoorzaam gekeken – maar had geen steekje gezien. Hij had een glimp opgevangen van Chloe's slanke benen, gehuld in doorschijnende kousen, en was overvallen door een schokkend, overweldigend verlangen naar haar. Hij had een slok wijn genomen om zich weer onder controle te krijgen en toen voorzichtig in haar ogen gekeken, in de verwachting er onverschilligheid, zelfs vijandigheid te zien. In plaats daarvan had hij een koel, blauw besef gezien. Chloe had precies geweten wat hij wilde. Ze wilde het zelf ook.

Later die avond, in zijn slaapkamer in Kilburn, had ze hem gedwongen om haar jurk in slow motion uit te trekken, waarbij hij zo lang moest stoppen dat ze hem elke handgemaakte steek beurtelings kon laten zien. Tegen de tijd dat de jurk helemaal uit was, verlangde hij meer naar haar dan hij ooit van zijn leven naar een vrouw had verlangd.

Later waren ze zwijgend blijven liggen. Hugh dacht al aan de volgende ochtend, aan hoe hij zich eraan kon onttrekken om de hele dag in haar gezelschap te moeten doorbrengen. Toen ze iets had gemompeld en uit bed was gestapt, had hij het amper in de gaten. Pas toen ze half aangekleed was, realiseerde hij zich oprecht geschokt dat ze op het punt stond om weg te gaan.

'Ik moet terug,' had ze gezegd en hem een zachte kus op zijn voorhoofd gegeven. 'Maar misschien zien we elkaar nog eens.' Toen ze de deur achter zich dichtgedaan had, besefte Hugh een beetje tot zijn misnoegen dat dit de eerste keer was dat hij alleen achterbleef in een leeg bed terwijl zijn partner met excuses kwam. Tot zijn milde verbazing vond hij het maar niets.

De volgende keer dat ze elkaar ontmoetten, had ze zijn bed op dezelfde manier verlaten – en de daaropvolgende keer ook. Na een paar weken had hij voor de vuist weg gevraagd waarom – en ze had iets gezegd over een tante bij wie ze in de buitenwijken van Londen woonde, dat die nogal lastig kon doen. Ze had nooit meer uitleg gegeven, was nooit van patroon veranderd. In die drie zomermaanden – die in ieder ander opzicht vrijwel perfect waren geweest – had ze nooit een hele nacht met hem doorgebracht. Uiteindelijk had hij alle trots laten varen; hij had haar gesmeekt een keer een hele nacht bij hem te blijven. 'Ik wil zien hoe je eruitziet als je wakker wordt,' had hij gezegd, een beetje lachend om het feit te verdoezelen dat hij de waarheid sprak. Ze had niet toegegeven. De verleiding, zag hij nu in, moest enorm zijn geweest – maar ze had absoluut geweigerd om door de knieën te gaan. Als hij nu zijn ogen dichtdeed, kon hij zich nog het geritsel van haar spijkerbroek herinneren, het geruis van een katoenen blouse, het gerammel van de gesp van een broekriem. Het geluid van het stilletjes in het donker haar kleren aantrekken en naar de plek verdwijnen waar hij nooit uitgenodigd werd.

Ze zag er zo tenger uit, zo elfachtig. Maar Chloe was een van de sterkste mensen die hij ooit had ontmoet. Ook in die tijd had hij dat gewaardeerd. Rond die tijd was een van zijn studievrienden in het buitenland bij het bergbeklimmen om het leven gekomen. Gregory was niet zijn beste vriend geweest – maar de klap was hard aangekomen bij Hugh. Hij had nooit eerder met een sterfgeval te maken gehad en schrok van de intensiteit van zijn eigen reactie. Na de eerste schok was hij in een depressie geraakt die weken duurde. Chloe had urenlang bij hem gezeten, luisterend, adviserend, kalmerend. Ze was nooit gehaast, nooit ongeduldig geweest, maar altijd nuchter en relativerend. Hij miste die nuchterheid, die kracht nog steeds. Hij had zichzelf nooit tegenover haar hoeven verklaren: ze had altijd zijn gedachtekronkels begrepen. Ze leek hem beter te begrijpen dan hij zichzelf begreep.

Hugh was uit die zwarte, van verdriet vergeven periode tevoorschijn gekomen met een hernieuwde energie. Hij was bezeten geraakt van een vastberadenheid om iets van zijn leven te maken zolang hij het had. Om succes te boeken, geld te verdienen, alles te bereiken wat hij maar kon. Hij liet zijn oog vallen op ambitieuze loopbanen, vroeg glossy brochures van bedrijven aan en ging langs bij de afdeling beroepskeuze van de universiteit van Londen.

Zo rond die tijd dat hij naar voorlichtingsdagen ging en afspraken had met beroepskeuzeadviseurs, was Chloe voor het eerst begonnen iets over haar thuissituatie te vertellen. Ze praatte over haar tante en haar jonge, schoolgaande neefje en nichtje. En over iemand die Sam heette en van wie ze heel graag wilde dat hij kennis met hem zou maken.

Hij herinnerde zich die gebeurtenis nog als de dag van gisteren. De tocht naar de buitenwijken van Londen. De wandeling door identiek keurige straten. Ze waren gestopt bij een huisje in zogenaamde vakwerkstijl. Chloe had verlegen de deur opengemaakt en hem naar binnen geloodst. Enigszins terugdeinzend voor het huiselijke scenario, had hij niettemin bemoedigend teruggelachen en was de smalle gang en vervolgens de kamer binnengestapt. Daar was hij verrast blijven staan. Op het kleed zat een baby die naar hem grijnsde.

Hij had bereidwillig teruggelachen, in de veronderstelling dat de baby een of ander neefje of het kind van een vriendin was. Dat hij niets met Chloe te maken had. Niet Chloe die twintig was, die er zelf nog uitzag als een kind. Hij had zich omgedraaid om een of andere plagerige opmerking te maken – en had de liefdevolle uitdrukking op haar gezicht gezien.

'Hij vindt je leuk.' Ze was naar de baby toegelopen, had hem opgetild en naar Hugh meegenomen. 'Zeg eens dag tegen Hugh, Sam.' Hugh had vol verbijstering naar het vrolijke gezichtje van de baby gekeken – en toen, als een steen die met een plons in het water terechtkomt, was de waarheid tot hem doorgedrongen.

Hij herinnerde zich nog de verstikkende paniek die hij voelde. De woede, het gevoel van verraad omdat ze hem om de tuin had geleid. Hij was thee blijven drinken, met een glimlach op zijn gezicht geplakt, en had met de tante gepraat, waarbij hij haar hoopvolle vragen zo goed en zo kwaad als hij kon had gepareerd. Maar in gedachten was hij al ver weg en bezig zijn ontsnapping te plannen. Hij kon niet langer naar Chloe kijken zonder een ziekmakende woede te voelen. Hoe had ze alles zo kunnen verpesten? Hoe kon ze nou een báby hebben?

Later had ze hem terzijde genomen om alles uit te leggen. Terwijl de tante in de keuken met serviesgoed aan het kletteren was, had ze uitgelegd hoe erg ze ertegenop had gezien om iemand aan Sam voor te stellen, hoe eindeloos ze had lopen dubben wanneer ze het hem zou vertellen, haar besluit om het moment uit te stellen tot hij wat meer over Gregory's dood heen was. 'Ik dacht dat als ik je vertelde dat ik een baby had, je geen belangstelling meer zou hebben,' had ze gezegd. 'Maar dat als je hem zou ontmoeten en zou zien hoe lief hij is...' Ze brak haar zin af, met een lichte blos van emotie op haar wangen, en Hugh had met een strak gezicht geknikt.

Ze had hem vlug de naakte feiten omtrent Sams verwekking gegeven. Haar verhouding met een leraar die veel ouder was, haar naïviteit, haar pijnlijke beslissing om het kind te houden. Hugh had amper geluisterd.

De volgende dag had hij het land verlaten. Hij was in zijn eentje met een lastminutereis naar Korfoe gegaan en had op het strand gezeten, waar hij somber naar de zee staarde en haar haatte. Want hij wilde haar nog steeds. Hij verlangde nog steeds naar haar. Maar hij kon haar niet hebben. Hij kon geen baby in zijn leven hebben. Dat had ze moeten weten, had hij met oplaaiende weerzin gedacht terwijl hij zijn kokende hoofd in zijn handen begroef. Alles was zo perfect geweest – en nu had ze het bedorven.

Hij was er twee weken gebleven en met de dag bruiner en vastberadener geworden. Hij zou zijn leven niet weggooien voor het kind van een ander. Hij zou zich niet laten verleiden tot een of ander ondoordacht gebaar waar hij later spijt van zou krijgen. In plaats daarvan zou hij de doelen nastreven die hij voor zichzelf vastgesteld had, het ambitieuze solopad dat voor hem bestemd was. Hij zou het leven hebben dat híj wilde.

Toen hij terugkwam, waren er ontelbare berichten van Chloe. Hij had ze allemaal genegeerd, had sollicitatieformulieren ingevuld voor een stageplaats bij alle grote managementadviesbureaus en was weer aan de slag gegaan. Wanneer hij haar stem op zijn antwoordapparaat hoorde of haar handschrift op de mat zag, kreeg hij een knagend gevoel in zijn borst. Maar hij trainde zichzelf om het te negeren, om het hoe dan ook door te zetten en na verloop van tijd was het minder gaan worden. Langzamerhand werden de berichten van Chloe minder – en toen werden ze korter. En na verloop van tijd waren ze helemaal gestopt, als een kind dat zich boven in slaap huilt.

Hugh ging ongemakkelijk op zijn zonnebed verliggen en deed een oog open. Chloe lag; hij kon haar gezicht niet zien. Maar Philip zat wel en onder het mom van zijn krant pakken bestudeerde Hugh hem. Op een slordige manier zag hij er niet slecht uit, dacht hij knorrig. Maar hij zag bleek, had een baard van een paar dagen en diepe rimpels in zijn voorhoofd. Hij staarde voor zich uit, zich ogenschijnlijk niet bewust van Hugh, van Chloe, van wat ook.

'Pap?'

Philips hoofd ging met een ruk omhoog en tegelijkertijd dat van Hugh. Sam kwam met grote passen naar het zwembad met een badmintonracket in zijn hand. Hij liet zijn blik over het terras dwalen en keek toevallig naar Hugh. Toen hun ogen elkaar ontmoetten, keek Hugh hem aan en voelde een absurde emotie in zich opwellen. Die baby, die jaren geleden op een kleedje in die buitenwijk zat, was nu deze lange, knappe jongeman. Hij voelde een bespottelijke behoefte om naar de jongen toe te stappen en tegen hem te zeggen: *Ik kende je al voor je een jaar oud was.*

Maar Sam had zich al naar zijn vader gewend. Zijn stiefvader, verbeterde Hugh zichzelf.

'Pap, we willen badmintonnen.'

'Nou, ga dan badmintonnen,' zei Philip.

'Ja, maar het net valt steeds om.'

'Heb je het goed vastgezet?' Sam haalde met een buitengewoon gebrek aan belangstelling zijn schouders op en pakte een blikje cola dat op de grond stond. 'Luie donder,' zei Philip. 'Je wilt zeker dat ik het voor je opzet, hè?'

'Ja.'

Philip schudde zijn hoofd en keek met een flauw lachje naar Chloe.

'Vinden we de luiheid van deze jongeman niet ongelooflijk?'

'Aartslui,' zei Sam voldaan. 'Dat ben ik.' Hij nam een slok cola en terwijl hij dat deed, zag hij Hugh vanaf de overkant van het zwembad naar hem kijken.

Hugh wendde onmiddellijk zijn gezicht af omdat hij zich een indringer voelde. Iemand die stiekem naar hun gezinsleven zat te luisteren.

'Een ogenblikje,' zei Philip. 'Ga maar vast, ik kom eraan.'

'We zijn op het grasveld,' zei Sam. 'Daar, achter de bomen.'

Hij verdween en Hugh keek hem na met een steek van jaloezie. Hij was jaloers op die jongen met zijn gouden haar, op zijn ontspannen verhouding met een vader die niet eens een bloedverwant van hem was. Op de manier waarop dat hele gezin elkaar vanzelfsprekend leek te vinden.

Hij stond plotseling op en liep om zijn ongemak te verbergen naar het ondiepe deel van het zwembad waar Octavia aan het rondspatten was. Hij zag haar kijken en lachte haar joviaal toe.

'Wil je met de bal spelen?' zei hij. 'Wil je met de bal spelen met papa?' Octavia keek hem vragend en met toegeknepen ogen aan en hij besefte ineens dat hij geen bal had. 'Of... of verstoppertje,' verbeterde hij zich. 'Of iets anders leuks.' Hij gebaarde naar het grasveld rechts van hem. 'Laten we een spelletje gaan doen!'

Het was even stil en toen begon Octavia weinig enthousiast uit het zwembad te klauteren om naar hem toe te komen. Hugh haastte zich het grasveld op en keek om zich heen voor inspiratie. Wat speelden kinderen? Waarmee had hij als kind gespeeld? Met meccano, herinnerde hij zich. En die prachtige treinset die ze op zolder hadden gehad. Hij zou voor zijn dochters een trein kopen, besloot hij in een vlaag van enthousiasme. Waarom zouden zij ook niet van treinen genieten? Hij zou hem kopen zodra ze terug in Engeland waren.

De grootste treinset van de hele winkel. Maar in de tussentijd... nou, wat was er mis met doodgewoon tikkertje?

'Oké, Octavia, wat we gaan doen –' begon hij opgewekt terwijl hij zich omdraaide – en bleef stokstijf staan.

Octavia was hem niet achterna gekomen op het gras. Ze trippelde in de tegengestelde richting achter Jenna aan, die uit het niets was opgedoken met een of ander felgekleurd stuk opblaasbaar speelgoed.

Hugh stond daar moederziel alleen op het gras; hij kreeg ineens last van knikkende knieën, en voelde zich voor schut staan. Zijn kind had hem afgewezen. Hij was een man van zesendertig die alleen op een grasveldje stond te wachten om een spelletje met niemand te spelen.

Hij bleef een paar seconden lang roerloos staan terwijl hij probeerde te bedenken wat hij moest doen, wat voor excuus hij kon aanvoeren. Niemand anders had zijn woorden tegen Octavia gehoord, maar toch voelde hij zich opgelaten. Uiteindelijk slenterde hij met brandende wangen naar een boom vlakbij en begon met een rimpel van concentratie in zijn voorhoofd de bast te bestuderen.

Na enige ogenblikken zette Amanda haar koptelefoon af en keek verwonderd op.

'Hugh – wat ben je toch aan het doen?' zei ze. Hugh keek naar haar, met zijn vingers nog om een stuk bast geklemd.

'Niks...' Hij zweeg even. 'Ik wilde gewoon even naar kantoor bellen. Even horen wat er gaande is. Ik ben zo terug.'

Amanda hief haar ogen ten hemel.

'Je doet maar.' Ze liet zich weer achterover op haar ligstoel vallen en met een onwillekeurig gebaar brak Hugh een stukje bast van de boom af. Hij keek er een ogenblik naar en liet het vervolgens op de grond vallen. Toen draaide hij zich met een strak gezicht om en liep naar de villa.

De jongens hadden geen zin meer om te kijken hoe Philip het badmintonnet ophing en waren teruggegaan naar het zwembad om te gaan zwemmen. Chloe keek met schrijnende genegenheid naar Nats voorzichtige schoolslag en weerhield zich er net op tijd van om hem advies toe te roepen. Na een paar minuten ging ze weer achterover op haar zonnebed liggen, waar ze probeerde te ontspannen en op vakantie te zijn. Aan haar eigen instructies te gehoorzamen.

Maar ze vond het net zo moeilijk om te ontspannen als Philip. Hij was die ochtend met hetzelfde bezorgde gezicht wakker geworden als waarmee hij naar bed was gegaan. En zij was wakker geworden met dezelfde frustraties. Dezelfde geestelijke frustratie, dezelfde fysieke frustratie. Het was de fysieke behoefte waar ze gek van werd terwijl ze uiterlijk kalm en tevreden in de zon lag.

Het was een van de stilzwijgende afspraken van haar relatie met Philip dat ze misschien niet iedere avond van hun vakantie vrijden, maar in ieder geval vaker op vakantie dan thuis. En altijd op de eerste avond. Ze hadden het nodig, vond Chloe – om hun aankomst te vieren, om de spanning van de reis kwijt te raken, om het begin van een week vol plezier in te luiden. Maar vooral om het feit opnieuw vast te stellen dat ze een paar waren. Om henzelf bij elkaar in herinnering te brengen, weg uit het decor van thuis, de huiselijke omgeving waar je vertrouwdheid zo gemakkelijk met liefde kon verwarren.

Gisteravond was het niet gebeurd. Ze had haar hand naar Philip uitgestoken en hij had hem zachtjes weggeduwd. Ze voelde nog de tintelingen van de schrik als ze eraan dacht; op het moment zelf was ze gewoon te verbluft geweest om over haar toeren te raken. Ze had naar de hoge gordijnen om hun bed gestaard en gedacht, dit is het dus. Zo erg was het dus al geworden.

'Ik ben hondsmoe,' had Philip in zijn kussen gemompeld, zo onduidelijk dat ze de woorden bijna niet had kunnen onderscheiden. Dat was zijn excuus geweest. Maar hij had zich niet eens op zijn zij gedraaid om haar aan te kijken, had haar niet eens welterusten gekust. Hoe had Philip – die dynamische, vrolijke Philip – dit niveau van lusteloosheid bereikt?

'Ik hou van je, Chloe,' had hij eraan toegevoegd en zachtjes in haar been geknepen. Ze had geen antwoord gegeven. Die ochtend waren ze apart wakker geworden. Ze hadden zich apart aangekleed, hadden apart ontbeten. Ze hadden naast elkaar op hun ligstoelen gelegen, als beleefde, voorzichtige vreemden. Ze wist niet hoe lang ze het nog zou kunnen verdragen.

Het duurde nu al maanden. Al maanden lang werd hun hele leven beheerst door die overname. Alles werd overschaduwd door dat rottige PBL en zijn plannen – tot Philip aan helemaal niets anders meer kon denken. Hoe vaak was ze niet na een dag werken tevoorschijn gekomen voor een glas wijn en een knuffel en had ze Philip en zijn adjunct-directeur, Chris Harris, in de keuken aangetroffen waar ze bier dronken en eindeloos, zinloos speculeerden. Ze speculeerden over de betekenis van het nieuwste memo van PBL, over de jongste artikelen in de krant, over het langverwachte Mackenzie-rapport waarin hun lot besloten lag. Hou je kop er nou eens over! wilde ze woedend schreeuwen. Erover praten maakt geen enkel verschil! Met erover praten behoud je je baan niet! Maar toch gingen ze maar in een kringetje rond, met het gissen naar de ideeën van onbekende mensen die ver weg waren, het melden van stukjes irrelevante informatie en het herhalen van oppeppende mantra's. 'Je kunt een bank niet runnen zonder mensen,' zei Philip dan terwijl hij nog een paar flesjes bier openmaakte. 'Dat kan gewoon niet,' zei Chris loyaal en hief zijn flesje naar Philip.

En zo gingen ze maar door, elkaar verzekerend dat alles goed zou komen, terwijl Chloe achter Philips bravoure een leegte zag, een angst die zijn leven aan het overnemen was. Dat hele gedoe had hem onherkenbaar veranderd. Weg was de zelfverzekerde, opgewekte, enigszins individualistische vent die ze al die jaren geleden had ontmoet. In zijn plaats zag ze een angstige man die gebukt ging onder een depressie, verslagen door een ramp die zich nog niet eens voltrokken had. Die zich misschien wel nooit zou voltrekken.

Het probleem was, meende ze, dat Philip een te gemakkelijk

leven had gehad. Tot nu toe was hij nog nooit met een ramp geconfronteerd, dus was hij er buitengewoon bang voor. Hij scheen oprecht te geloven dat er een einde aan hun leven zou komen als hij zijn baan zou kwijtraken, dat ze zo'n slag nooit te boven zouden komen. Hij onderschatte de menselijke veerkracht.

Mensen komen alles te boven, dacht Chloe terwijl ze zich op haar ligstoel omdraaide en haar ogen dichtdeed. Wat er ook gebeurt, mensen vinden altijd een manier om verder te gaan. Toen ik twintig was, leek het feit dat ik zwanger raakte van mijn leraar een tamelijk grote ramp, maar het bleek uiteindelijk een van de mooiste, meest vreugdevolle dingen van mijn leven te zijn. En er zijn heus wel ergere dingen in het leven dan te moeten afvloeien. Het probleem met Philip was niet zijn baan of het gebrek eraan, maar zijn gemoedstoestand. Met een beetje geluk zal deze vakantie helpen...

Een reeks kreten en plonzen begon geleidelijk tot haar door te dringen. Bij een extreem harde kreet richtte ze met tegenzin haar aandacht op het hier en nu en worstelde ze zich omhoog. Nat en Sam deden bommetjes in het zwembad, zodat er druppels op het omringende terras, op het gras en – zag Chloe ineens – op Amanda spatten, die bij iedere druppel zwijgend ineenkromp.

'Jongens,' zei ze vlug. 'Jongens, hou op.'

Het was te laat. Sam was al in de lucht gesprongen en had zijn benen strak onder zich opgetrokken. Hij kwam zo'n halve meter van de rand van het zwembad neer en er ontstond een enorme golf die Amanda volledig doorweekte.

'Oooo!' gilde ze en sprong overeind. 'Rótjochies dat jullie zijn!'

'Sam!' schreeuwde Chloe naar Sams ondergedompelde hoofd. 'Sam, kom eruit!'

'Sorry,' zei Nat zenuwachtig vanaf de andere kant van het zwembad. 'Sorry, mam.'

'Je moet niet sorry tegen míj zeggen,' zei Chloe geërgerd. 'Je moet sorry tegen mevrouw Stratton zeggen.'

'Sorry, mevrouw Stratton,' praatte Nat haar na en Amanda knikte stijfjes naar hem.

'Sam,' herhaalde Chloe. 'Sam, kom eruit en zeg tegen mevrouw Stratton dat het je spijt.'

Sam hees zich aan de rand van het zwembad op en keek naar Amanda.

'Het spijt me,' zei hij en zweeg. Hij leek wat moeite te hebben om uit zijn woorden te komen. 'Het spijt me, mevrouw...'

'Stratton.'

'Stratton,' zei Sam schor.

Chloe volgde Sams blik en zag tot haar verrassing nu pas dat Amanda topless had liggen zonnen. Ze stond nu met haar lange benen wijd uit elkaar, haar borsten onder de druppels en haar gezicht rood van ergernis. Het totale effect, dacht Chloe, verschilde niet zo heel veel van sommige posters die Sam thuis op zijn kamer had hangen.

Tot haar stomme verbazing leek Amanda zich totaal niet bewust van het effect dat ze op Sam had.

'Ik geloof best dat je het niet expres deed,' zei ze op formele toon. 'Maar denk er alsjeblieft aan dat we dit zwembad moeten delen.' Ze wierp Sam een ijzige glimlach toe en hij knikte sprakeloos, zijn ogen machteloos genageld aan haar blote borsten. Dat moet ze toch zeker wel beseffen? dacht Chloe. Ze kan toch niet zo stom zijn? Maar toen Amanda haar vanaf de overkant van het zwembad toeknikte, was het duidelijk dat ze in Sams stilzwijgen niets anders zag dan boetedoening voor zijn misdrijf.

'Neem me alsjeblieft niet kwalijk,' zei Chloe die om het zwembad heen liep en haar ogen resoluut op het gezicht van de vrouw gericht probeerde te houden. 'De jongens kunnen wel eens wild doen, dus spreek ze alsjeblieft bestraffend toe als ze te ver gaan.'

'Ja,' zei Amanda. 'Tja.' Ze ging weer op haar zonnebed liggen, pakte een handdoek en droogde zich af. 'Ik denk dat dit voor niemand van ons gemakkelijk is.'

'Nee,' zei Chloe. 'Inderdaad.'

Ze keek in stilte toe terwijl Amanda een fles zonnebrandcrème pakte en haar perfecte goudbruine huid insmeerde.

'Nou, tot eh... tot ziens dan maar,' zei ze ten slotte. 'Nogmaals sorry.' Ze wilde weglopen en Amanda keek op.

'Wacht even,' zei ze en fronste haar wenkbrauwen. 'Ik wilde het met je hebben over het fiasco in de keuken gisteravond.'

'O,' zei Chloe, en de moed zakte haar een beetje in de schoenen. 'Ja, dat was tamelijk ongelukkig. Misschien moeten we – ik weet niet – menu's op elkaar afstemmen of zo.' Ze zuchtte. 'Dat maakt het allemaal wel een beetje formeel...'

'Ik wilde iets anders voorstellen,' zei Amanda. 'Met ingang van vanavond gaat ons kindermeisje iedere avond voor ons koken.'

'O echt?' zei Chloe, onder de indruk. 'Heeft ze dat aangeboden?'

'We hebben haar op die basis aangenomen,' zei Amanda alsof ze het tegen een dom kind had. 'Kindermeisje annex chaletmeisje.'

'Villameisje,' zei Chloe flauwtjes glimlachend. Amanda, die het niet scheen te horen, fronste opnieuw haar wenkbrauwen.

'Wat ik wilde zeggen is dat, als jullie ervoor voelen, ik tegen haar zou kunnen zeggen dat ze voor vier moet koken. We zouden samen kunnen eten.' Chloe keek haar verbijsterd aan.

'Weet je dat zeker?' zei ze. 'Ik bedoel...'

'Het hoeft natuurlijk niet,' zei Amanda. 'Als jullie andere plannen hebben...'

'Nee!' zei Chloe. 'Het is alleen... het is heel gul aangeboden van je. Dank je.'

'Goed,' zei Amanda. 'Dat is dan afgesproken.' Ze ging achteroverliggen en deed haar ogen dicht. Chloe keek nog een ogenblik naar haar en schraapte toen haar keel.

'Sorry, Amanda – maar zijn we niet met zijn zessen? Met Sam en Nat erbij.'

'De kinderen?' Amanda deed haar ogen open en keek bedenkelijk. 'Eten die meestal samen met jullie?'

'Op vakantie, ja,' zei Chloe. 'En Sam is nauwelijks meer een kind...'

'Ik moet zeggen dat ik de mijne graag op een redelijk tijdstip in bed wil hebben,' zei Amanda. 'Om een volwassen gesprek te kunnen voeren.'

Ja, jij misschien, dacht Chloe geïrriteerd. Maar jouw kinderen zijn peuters.

'De jongens zijn gewend aan volwassen gesprekken,' zei ze op vriendelijke toon. 'Ze zijn tenslotte ouder.'

Ze keek Amanda uitdagend aan. Het bleef een paar tellen stil.

'Nou,' zei Amanda ten slotte. 'Goed dan. Ik zal tegen Jenna zeggen dat ze voor zes personen moet koken.'

'Prima,' zei Chloe en glimlachte vriendelijk. 'Ik kijk ernaar uit.'

Hugh kwam om de hoek van de villa en bleef staan. Zijn vrouw praatte met Chloe. Ze waren maar met zijn tweetjes, blijkbaar diep in gesprek. Amanda keek vanachter haar zonnebril uitdrukkingloos op en hij kon Chloe's gezicht niet zien. Wat zeiden ze tegen elkaar? Wat zei Chloe?

Er ging een alarmbel bij hem af en hij wist dat hij niet gezien wilde worden. Hij deinsde een stukje achteruit, de beschutting van een struik met brede bladeren in. De aarde was koel en kalmerend onder zijn blote voeten en hij rook een dennengeur. Hij wachtte stilletjes, met bonkend hart – opnieuw een onhandige man in een onhandige situatie.

Zijn secretaresse, Della, was stomverbaasd geweest van hem te horen.

'Gaat het wel?' bleef ze maar vragen. 'Is alles in orde?'

'Nou en of!' zei Hugh die zijn best deed om luchtig en ontspannen te klinken. 'Ik wilde alleen even horen hoe het bij jullie gaat. Iets waar ik iets vanaf zou moeten weten?'

'Ik dacht het niet,' zei Della. 'Even kijken...' Hij hoorde het geritsel van papieren op haar bureau. Als hij zijn ogen dichtdeed, kon hij zich bijna voorstellen dat hij daar was, in haar kleine kantoortje. 'De aanbevelingen van het team van John Gregan zijn binnengekomen...' zei ze.

'Eindelijk!' zei Hugh. 'Wie houdt zich ermee bezig?'

'Nou, Mitchell heeft een kopie,' zei Della. 'En Alistair kwam net langs en heeft een kopie voor zijn team meegenomen...'

'Goed,' zei Hugh. 'Dat is goed.' Hij leunde tegen de koele muur en voelde zich ontspannen toen hij teruggevoerd werd naar de wereld van het werk. Dit was de wereld waarin hij thuishoorde. Waar hij succes had, waar hij tot leven kwam. 'Ik hoop alleen dat Alistair goed in zijn oren geknoopt heeft wat ik hem vorige week verteld heb,' zei hij met meer energie in zijn stem. 'Waar hij goed aan moet denken is dat we zo snel mogelijk met de implementatie aan de gang moeten. Zoals ik al eerder gezegd heb, ligt de waarde van deze overeenkomst voornamelijk in het zo kort mogelijk maken van de overgangsperiode.' Hij zweeg even terwijl hij zijn woorden ordende en de argumenten in gedachten op een rijtje zette. 'We moeten de organisatiestructuur dringend aanpakken, anders gaan de voordelen van consolidatie verloren – en loopt het bedrijf een reëel risico dat het uit balans raakt. Zoals ik tegen Alistair gezegd heb, zijn er al tekenen dat –'

'Hugh,' viel Della hem op vriendelijke toon in de rede. 'Hugh – je bent met vakantie.'

Hugh schrok en kwam weer met beide benen op de grond. Hij zweeg en staarde naar zichzelf – een vage weerspiegeling in een vitrinekast aan de andere kant van de ronde hal. Een man met een bleek gezicht en donkere holtes in plaats van ogen, die een telefoon in zijn hand hield alsof het een reddingslijn was.

En ineens voelde hij zich verstarren van gêne. Waar was hij in godsnaam mee bezig? In de schaduwen van de villa staan praten over organisatiestructuren tegen iemand die niet geïnteresseerd was, in plaats van lekker met zijn gezin in de zon te liggen. Wat moest Della niet van hem denken? Allejezus, hij was nog maar een dag van kantoor weg.

'Ja,' zei hij een beetje lachend. 'Dat weet ik. Ik wilde alleen... van de situatie op de hoogte blijven. Voor het geval iemand een snelle reactie van me wil –'

'Hugh, iedereen weet dat je op vakantie bent. Niemand verwacht een reactie van je voor je terugbent.'

'Juist,' zei Hugh na een korte stilte. 'Daar zit wat in. Nou – ik zie je wel als ik terug ben. Hou je gedeisd!' Hij kromp ineen van zijn poging tot jovialiteit.

'Veel plezier, Hugh,' zei Della vriendelijk. 'En je hoeft je echt geen zorgen te maken, het is hier allemaal onder controle.'

'Ja, dat weet ik wel,' zei hij. 'Dag, Della.' Hij verbrak de verbinding en staarde nog een paar stille minuten naar zijn eigen hologige gezicht.

Toen hij Chloe bij Amanda vandaan zag lopen, voelde hij zich opgelucht. Hij zette voorzichtig een stap uit de schaduwen en liep toen gedecideerd in de richting van het zwembad, genietend van de warme zon op zijn hoofd.

'Hallo, schat,' zei hij op luchtige toon toen hij in de buurt van Amanda kwam. 'Je hebt met de vijand gepraat, zie ik.'

'Tja,' zei Amanda. 'We kunnen ze niet zomaar negeren. Ik heb gevraagd of ze vanavond met ons mee-eten.' Ze sloeg een pagina van haar tijdschrift om en tuurde naar een foto van een bontjas.

'Vanavond?' vroeg Hugh onnozel.

'Ja, waarom niet? Jenna kookt, dus het is helemaal geen moeite.' Amanda keek naar hem op. 'We kunnen net zo goed beschaafd op de situatie reageren, vind je niet?'

'Ja,' zei Hugh na een korte stilte. 'Absoluut.' Zijn ogen gleden over het blauwe water van het zwembad naar waar Chloe zat. Haar blik flikkerde naar hem en toen naar het boek dat ze aan het lezen was. Langzaam keek ze weer op. Hugh keek naar haar terug en voelde een onverwacht, bijna schrijnend verlangen.

'Hugh,' zei Amanda. 'Je zit in mijn zon.'

'O,' zei Hugh. 'Sorry.' Hij liep weg, ging op het zonnebed naast het hare zitten en pakte een boek. Toen hij het bij de eerste pagina opensloeg, waren zijn ogen nog steeds op die van Chloe gericht.

Nadat er een shuttle in een boom was verdwenen en toen nog een in een struik, gaven Sam en Nat het badmintonnen op. Ze lieten zich op het ruwe gras van het grasveld vallen, slurpten blikjes cola leeg en staarden naar de eindeloze blauwe hemel.

'Wat vind jij eigenlijk van de anderen?' vroeg Sam na een tijdje.

'Ik weet het niet.' Nat haalde zijn schouders op. 'Ze lijken me wel aardig.'

'Jij zou met de twee meisjes kunnen spelen,' zei Sam. 'Een spelletje verzinnen of zo.'

'Het zijn nog maar báby's.' Nat klonk kalm geringschattend. 'Ze spelen vast nog met rammelaars en zo.'

'Ja, nou ja.' Sam nam een slok cola.

'Wat vind jij van hen?' vroeg Nat. Hij begon onnodig te fluisteren. 'Die moeder lijkt me nogal een kreng!'

'Ik weet het niet,' zei Sam na een korte stilte en slikte. 'Ze valt wel mee.'

'Ik bedoel, we spatten haar alleen maar een beetje onder. Ik bedoel, we deden het niet ex –' Nat brak zijn zin af en porde Sam. 'Hé, moet je kijken. Zij zijn het. Het is dat meisje.'

Sam schoof een kwartslag op zijn buik en tuurde over het grasveld. Jenna kwam over het droge gras gelopen, met twee tuinstoelen en een deken. De twee meisjes liepen achter haar aan; de een hield een kussen vast en de ander een teddybeer.

'Hé, jongens,' zei ze terwijl ze op hen af kwam gestapt. 'We maken een tent. Doen jullie mee?'

'Nee, bedankt.' Sam klonk ontspannen en nonchalant.

'Nee, bedankt,' zei Nat, die de stem van zijn broer zo goed mogelijk imiteerde. Jenna haalde haar schouders op.

'Dan moeten jullie het zelf maar weten.'

Sam en Nat namen opnieuw hun nonchalante houding aan en

even was het stil. Toen wierp Nat een blik in de richting waar Jenna bezig was.

'Eigenlijk,' zei hij, zijn stem doorspekt met onwillig ontzag. 'Eigenlijk is dat wel een heel goede tent.' Sam volgde zijn blik en slaakte een kreet.

'Allejezus.'

Jenna had de overhangende takken van twee bomen samengebonden. Ze hadden wanden gemaakt van de klapstoelen en het geheel met palmbladeren en gevallen takken gecamoufleerd. Terwijl de jongens toekeken, bukte ze zich en spreidde met efficiënte gebaren iets op de vloer van de tent uit.

'Goed, hè?' zei Nat.

'Verdomde... goed,' zei Sam, met zijn blik op Jenna's strakke dijen. 'Kom op.' Hij kwam overeind. 'Laten we een handje gaan helpen.'

'Oké!' Nat sprong op en draafde naar de hoek van het grasveld. Onderweg liepen ze langs een ijzeren poort die naar de weg leidde en Sam bleef staan om te zien wat er aan de andere kant lag. Het uitzicht was weinig veelbelovend. Een smal weggetje slingerde de verte in; er waren geen auto's of mensen te zien. Ze zaten verdomme echt in de rimboe, dacht hij.

'Hé, jongens,' zei Jenna die opkeek.

'Hoi,' zei Sam, die bij het hek vandaan liep. 'Hoe gaat het?'

'Goed wel.' Jenna kwam overeind en hijgde een beetje. 'Zo, meisjes. Wat vinden jullie ervan?'

'Die is van mij,' zei Octavia onmiddellijk. 'Dat is mijn tent.'

'Nee, nietwaar,' zei Jenna. 'Hij is van mij. Maar jullie mogen er wel in spelen als jullie eerlijk delen.'

De meisjes keken elkaar aan en verdwenen in de tent. Na een korte pauze volgde Nat hen een beetje beschaamd.

'Zo,' zei Sam die nonchalant tegen een boom leunde en naar Jenna keek. 'We moeten eens wat samen gaan doen.'

'O ja?' Jenna haalde haar wenkbrauwen op. 'En waarom dan wel?'

'Nou, dat lijkt me tamelijk duidelijk, hè?'

'Nee, niet echt,' zei Jenna met fonkelende ogen. 'Maar je mag het wel uitleggen als je wilt.'

Sam liet langzaam zijn blik over Jenna's lichaam gaan.

'Ik vind die slang mooi,' zei hij. 'Heel sexy.' Jenna keek hem een ogenblik vol ongeloof aan en wierp toen schaterend haar hoofd achterover.

'O, jij bent echt wanhopig, hè?' zei ze. 'Je smééékt er verdomme gewoon om.'

Sam bloosde.

'Nietwaar!' zei hij woest. 'Jezus! Ik probeer alleen te... te...'

'In mijn slipje te komen. Dat weet ik.'

'O, godallemachtig.' Hij draaide zich om en liep met grote stappen naar de poort die naar het weggetje leidde. Er kwam in de verte een gestalte heuvelopwaarts en hij concentreerde zich er uit alle macht op omdat hij niet aan Jenna's spottende gezicht wilde denken.

Na een tijdje realiseerde hij zich dat hij keek naar een jongen van ongeveer zijn eigen leeftijd die een paar geiten bij zich had.

'Moet je dat zien!' Hij vergat zijn gêne een ogenblik en draaide zich om. 'Heb je een camera bij je?'

'Hoezo?' Jenna tuurde door de heg. 'Wil je een foto van hem maken?'

'Waarom niet? Ik vind het cool. Een knul met zijn geiten.' Jenna sloeg haar ogen ten hemel.

'Wat ben jij een achterlijke toeríst, zeg.'

Dat moet jij zeggen, wilde Sam tegenwerpen, maar hij richtte in plaats daarvan zijn blik weer op de weg.

'Hoi!' zei hij toen de Spaanse jongen dichterbij kwam, en hief zijn hand bij wijze van groet. De jongen bleef staan en keek terug. Hij was kleiner dan Sam, maar zag er sterker uit, met gespierde bruine armen. Hij grijnsde naar Sam en even voelde Sam hoe zijn hart een sprongetje maakte. Het zou helemaal cool worden. Hij zou kennismaken met die knul en dan zou hij met hem en zijn vrienden optrekken. Misschien waren er zelfs wel een paar echt bloedmooie Spaanse meisjes die Engelse jongens leuk vonden.

'Hijo de puta!' De jongen wierp zijn hoofd achterover en spoog naar de ijzeren poort.

Sam voelde hoe hij ineenkromp van schrik. Hij keek vol afgrijzen naar de jongen die een vinger naar hem opstak en toen zijn weg vervolgde, terwijl de belletjes aan de halsbanden van de geiten zachtjes tingelden in de wind.

'Zag je wat hij deed?' Sam keerde zich naar Jenna die op de grond een teennagel zat te bestuderen.

'Nee, wat?'

'Hij spoog op de poort! Hij spoog er verdomme zomaar op!' Jenna haalde haar schouders op en Sam keek haar vol ongeloof aan. 'Vind je dat niet vet... vet grof?'

'Het is niet jouw poort,' merkte Jenna op. 'Niet jouw huis.'

'Dat weet ik. Maar toch. Zou jij op iemands poort spugen?'

'Misschien,' zei Jenna. 'Als ik er reden toe had.'

'Ja, nou,' zei Sam na een korte stilte. 'Dat verbaast me niks.'

Jenna keek naar hem op en grinnikte.

'Je bent pissig op me.'

'Misschien.' Sam haalde mokkend zijn schouders op en leunde tegen de poort. Jenna keek hem peinzend aan en kwam toen overeind.

'Wees niet zo pissig,' zei ze terwijl ze met een glimlachje om haar lippen naar hem toegelopen kwam. 'Doe niet zo boos.' Ze stak langzaam haar hand uit, raakte zijn borst aan en ging toen met een koele vinger tot aan de bovenkant van zijn zwembroek. 'Je weet maar nooit; misschien krijg je nog een kans.'

Ze deed een stap dichter naar hem toe en ze duwde haar hand onder het elastiek van zijn zwembroek. Sam keek verlamd van opwinding naar haar. Toen ze hem aankeek, leken haar ogen te fonkelen van geheimpjes, van beloften van genot. O shit, dacht hij. O shit, dit gebeurt echt.

Jenna's hand wurmde zich in zijn zwembroek. Ze trok de dunne stof zachtjes van zijn huid en hij voelde zichzelf machteloos reageren, zijn hoofd tollend van opwinding. Waar zouden ze gaan – wat zou ze precies gaan – hoe zat het met –

De klets van het elastiek tegen zijn buik was als een kogelinslag. Het geluid van Jenna's bulderende lach een andere. Hij keek haar ontzet aan; ze knipoogde naar hem – bijna vriendelijk – draaide zich om en liep weg, het slangetje kronkelend terwijl ze liep.

6

Veel later die dag slenterde Chloe door de koele, lichte gang naar de slaapkamer om zich om te kleden voor het avondeten. De marmeren vloer was als een balsem voor haar warme voeten, de donkere schilderijen en gedempte kleuren rustig voor haar ogen na het felle zonlicht. Maar inwendig voelde ze zich nog steeds geladen, warm en vol nerveuze opwinding. Ze had het gevoel alsof ze al de hele dag langzaam naar een emotioneel hoogtepunt gevoerd werd waar nu geen uitlaatklep voor was, dat niet zo gemakkelijk kon verdwijnen.

Ze was zich de hele dag bewust geweest van Hughs aanwezigheid aan de andere kant van het zwembad. Ogenschijnlijk had ze het hele gezin zoveel mogelijk genegeerd. Maar iedere keer dat hij zich bewoog, had ze het gezien; iedere keer dat hij naar haar keek, had ze het geweten. Naarmate de uren vorderden was haar gevoeligheid langzamerhand sterker geworden tot de hele horizon leek te zijn geslonken tot alleen hen tweeën: elkaar in de gaten houdend zonder elkaar in de gaten te houden. Gevoed door een wederzijdse, met ontzetting vervulde fascinatie.

Naar hem kijken was als naar het kijken naar een film over het verleden geweest. De bewegingen zonder geluid, het scherpe licht en de donkere schaduwen, de pijnlijke wirwar van herinneringen. Ze zag hoe hij de huid van zijn vrouw insmeerde met zonnebrandcrème en als reactie was haar eigen huid gaan tintelen. Ze kende die hand, ze kende die aanraking. Hij had opgekeken en haar blik beantwoord en haar hart had een sprongetje gemaakt.

Ze had niets gezegd. Stilte was de barrière geworden waar haar emoties tegenaan drongen. Hoe groter het verlangen om te praten, hoe koppiger ze zich ertegen verzette, genietend van haar zelfbeheersing. Hugh Stratton had haar erger gekwetst dan ze ooit tegenover iemand zou toegeven. Maar ze zou het hem niet laten zien. Ze zou hem niets laten zien, alleen een lichte, ongeïnteresseerde minachting. Ze zou tegenover niemand erkennen – niet eens tegenover zichzelf – dat haar hart sneller was gaan kloppen toen ze voor het eerst zijn gezicht voor de villa zag. Dat het nu nog steeds tekeerging.

Ze bleef even voor de slaapkamerdeur staan en haalde een paar keer diep adem, terwijl ze haar gedachten rangschikte en zichzelf met twee benen in het heden zette. Toen deed ze de deur open. Philip stond voor het raam over de tuin uit te staren. Een lang, wit, doorschijnend gordijn naast hem bolde zachtjes in de wind. Hij draaide zich om en even keken ze elkaar aan in een onzekere stilte waarin de tijd even stil leek te staan. Toen stapte Chloe naar voren en legde haar tas op het bed.

'Je bent naar binnen gegaan,' zei ze en glimlachte. 'Te warm?'

'Een beetje hoofdpijn.' Hij keerde zich weer naar het raam en ze zag dat hij een glas in zijn hand had.

'Jij begint al vroeg,' zei ze op luchtige toon. 'Daar wordt je hoofdpijn niet beter van.'

'Nee, dat zal wel niet.' Hij klonk afwezig; hij draaide zich niet om. Chloe voelde frustratie opborrelen. Ze wilde een begroeting die tegemoet kwam aan haar eigen intense, verhevigde emoties. Een kus, een glimlach, zelfs een vonk van woede.

'Goed,' zei ze na een korte stilte. 'Nou... ik ga even douchen.'

'Prima,' zei Philip en nam een slok whisky. 'Hoe laat gaan we eten?'

'Acht uur.'

'Weten de jongens het?'

'Ze eten niet met ons mee,' zei Chloe kortaf. Ze liep zich nog steeds te ergeren aan Sam en Nat. Nadat ze haar uiterste best had gedaan om een plaats voor hen te regelen aan de volwassenentafel, nadat ze Amanda had verteld hoe volwassen ze waren, hadden ze allebei een hartstochtelijk pleidooi gehouden om in plaats daarvan junkfood te mogen eten terwijl ze naar een film op de kabeltelevisie keken. 'We zijn op vakantie,' hadden ze herhaaldelijk gezegd terwijl ze tacochips in hun mond propten en blikjes cola leegslurpten tot ze wel kon gillen.

Uiteindelijk had ze de poging opgegeven om hen te dwingen. Het had geen zin om een balsturige Sam bij zijn lurven te pakken en mee te slepen naar de eettafel en dan te verwachten dat hij zich de hele avond volwassen en beschaafd zou gedragen. Zo hoefde ze zich in ieder geval geen zorgen te maken over zijn tafelmanieren.

Chloe liep de badkamer in en zette de douche aan. Ze wilde er net onder stappen toen ze aan haar shampoo dacht die nog in het plastic tasje van de taxfreeshop zat dat naast haar koffer stond. Zonder de douche uit te zetten liep ze de badkamer uit en bleef verbaasd staan. Philip was aan het bellen. Hij stond met zijn gezicht van haar afgekeerd zodat hij haar niet kon zien en hij praatte zachtjes. Toen de woorden tot haar door begonnen te dringen, voelde ze een overdreven, withete woede in zich opstijgen.

'En wat zei hij dan?' zei Philip. 'Ja, dat zal best. Die hele afdeling heeft geen flauw idee.' Hij zweeg. 'Dus jij zegt dat we maar gewoon moeten afwachten.' Hij schudde zijn hoofd. 'De klootzakken. Tja, nou ja. Ik doe mijn best. Je hebt mijn nummer. Bedankt, Chris. Ik moet ophangen.'

Philip legde de hoorn op de haak, pakte zijn glas en draaide zich om. Toen hij Chloe zag, schrok hij.

'Hoi,' zei hij voorzichtig. 'Ik dacht dat je...' Hij gebaarde naar de badkamer.

'Ik kan niet geloven hoe egoïstisch je bent,' zei Chloe met trillende stem. 'Je had beloofd dat je er niet eens aan zou denken. Je had het belóófd. En wat zie ik nu? Zodra je ook maar denkt dat ik niet in de buurt ben –'

'Zo zat het niet,' zei Philip. 'Ik heb gewoon één telefoontje gepleegd en dat is alles.'

'Maar het is niet alles!' wierp Chloe tegen. 'Ik heb je gehoord! Je hebt hem het nummer hier gegeven, hè?' Ze hief haar handen vol ongeloof. 'We zouden alles achter ons laten – en jij geeft iemand ons telefoonnummer!'

'Ik héb alles achtergelaten!' riep Philip uit. 'Ik zit verdomme in Spánje! Ik heb één keer naar Chris gebeld. En hij belt me alleen terug als er... nou. Als er iets bekend is.'

Chloe schudde haar hoofd.

'Eén telefoontje of twintig telefoontjes. Het maakt niet uit. Je kunt het gewoon niet laten, hè? Iedere keer als ik naar je kijk, zit je eraan te denken. We hadden net zo goed niet kunnen gaan.'

'O, dus nu maak je al uit wat ik al dan niet denk, hè, Chloe?' snauwde Philip. 'Je kunt ineens gedachten lezen. Nou, gefeliciteerd.'

Chloe haalde diep adem en deed haar best om kalm te blijven.

'Je zou het deze hele week vergeten. Dat heb je me beloofd.'

'O ja, dat is waar ook,' zei Philip, zijn stem druipend van sarcasme. 'Ik hoor te vergeten dat deze week ons hele leven zou kunnen veranderen. Te vergeten dat mijn hele carrière aan een zijden draadje hangt. Te vergeten dat ik een gezin te onderhouden heb, een hypotheek te betalen –'

'Dat weet ik allemaal!' zei Chloe. 'Natuurlijk weet ik dat! Maar het heeft geen zin om er de hele tijd aan te denken! Het heeft geen invloed op wat er gebeurt.' Ze zette een paar stappen in zijn richting. 'Philip, je moet er je best voor doen. Je moet proberen het uit je gedachten te zetten. Voor deze ene week.'

'Het is zo makkelijk, hè? Gewoon uit mijn gedachten zetten.' Ze kromp ineen van zijn toon.

'Het is niet makkelijk. Maar je kunt het.'

'Ik kan het niet.'

'Omdat je je best niet doet!'

'Jezus!' riep Philip in plotselinge woede uit en de kamer leek te weergalmen van schrik. 'Jij hebt totaal geen fantasie, hè? Dertien jaar bij elkaar en je leeft totaal niet met me mee!'

Chloe keek hem met samengeknepen keel en brandende wangen aan.

'Hoe kun je zoiets afschuwelijks zeggen!' zei ze en slikte heftig. 'Ik probeer me altijd in jou te verplaatsen –'

'Precies!' zei Philip. 'Precies! Je verplaatst altijd jezélf in mij. Je probeert je nooit voor te stellen hoe het is om míj te zijn. Mij, in mijn situatie.' Hij zweeg even en wreef over zijn gezicht. 'Misschien heb ik het nódig om eraan te denken,' zei hij enigszins gekalmeerd. 'Misschien heb ik het nódig om Chris te bellen en erover te praten en te horen wat er gaande is. Als ik het niet doe, word ik misschien wel gek.' Hij keek haar een ogenblik aan en schudde toen zijn hoofd. 'Chloe, wij zijn heel verschillende mensen. Jij bent zo ongelooflijk sterk. Niets brengt je van je stuk.'

'Er zijn een heleboel dingen die me van mijn stuk brengen.' Ze voelde de tranen opkomen. 'Meer dan je misschien denkt.'

'Misschien wel. Maar wat het ook is, jij weet ermee om te gaan. Met gemak. En je verwacht dat iedereen dat kan.' Philip liet zich langzaam op het bed zakken. 'Maar ik ben niet net als jij. Ik kan niet zomaar dingen wegstoppen en verdergaan. Ik kan verdomme niet net doen of ik... piloot ben.' Hij nam een flinke slok van zijn whisky en keek naar haar op zonder te glimlachen. 'Ik ben geen piloot. Ik ben een middelmatige bankier die op het punt staat af te vloeien.'

'Nee, nietwaar,' zei Chloe na een te lange stilte.

'Wat is niet waar? Dat ik middelmatig ben of dat ik op het punt sta mijn baan kwijt te raken?'

Chloe bloosde. Zonder antwoord te geven liep ze naar hem toe. Ze legde zachtjes haar hand op zijn schouder, maar hij schudde hem van zich af en stond op.

'Het is allemaal giswerk,' zei ze hulpeloos. 'Je weet niet of jij het zal zijn.'

'En ik weet ook niet of ik het niet zal zijn,' zei Philip. Hij wierp haar een blik toe die door haar ziel sneed en liep toen bij haar vandaan naar de deur. Hij sloeg hem achter zich dicht en toen was het stil, afgezien van de douche die nog steeds in de badkamer kletterde als een tropische regenbui.

Beatrice was niet lekker; ze was bleek en misselijk na te veel zon. Hugh stond onbeholpen in de deuropening van de kamer van de meisjes en keek naar Amanda die op het bed zat, haar voorhoofd streelde en fluisterde met een stem die ze nooit tegenover hem gebruikte.

'Is er iets wat ik kan doen?' vroeg hij, ook al wist hij het antwoord al.

'Nee, dank je.' Amanda draaide zich om en fronste haar voorhoofd enigszins alsof het haar ergerde hem daar nog steeds te zien staan. 'Ga jij maar. Beginnen jullie maar met eten zonder mij. Ik kom zo snel mogelijk beneden.'

'Zal ik Jenna roepen?'

'Jenna is aan het kóken,' zei Amanda. 'Echt, Hugh, ga nou maar.'

'Goed,' zei Hugh. 'Nou – als je het zeker weet. Welterusten, meisjes.'

Er kwam geen antwoord. Amanda had zich weer omgedraaid naar Beatrice en Octavia lag naar een pastelkleurig boek te kijken. Hugh bleef een paar tellen naar zijn gezin kijken, draaide zich om en liep weg, de gang door.

Er kwam muziek uit de salon toen hij de trap afkwam, ouderwetse, krakerige muziek die hij half en half herkende. Hij liep de hal door, kwam bij de deuropening en bleef met dichtgeknepen keel staan. Chloe stond midden in de gedempt verlichte kamer raadselachtig in de verte te staren. Ze droeg een donkere, wijd uitlopende jurk, haar blonde haar was in gelijkmatige golven achterovergekamd en ze hield een glas met een hoge steel in haar hand. Ze zag er niet uit als iets uit het heden, dacht Hugh terwijl hij naar haar bleef kijken. Een lijntekening van Beardsley misschien, of een modeschets uit de jaren dertig. Haar huid was nog steeds bleek, ondanks de zon, maar toen ze zich omdraaide en naar hem keek, verscheen er een lichte blos op haar wangen.

'Hallo,' zei ze en nam een slokje.

'Hallo,' zei Hugh en stapte voorzichtig de kamer in.

'Er is gin en wijn en whisky...' Chloe gebaarde naar het bijzettafeltje. Ze nam nog een slok, slenterde naar de open haard en draaide zich om. 'Waar is Amanda?'

Die vraag, vond Hugh, klonk meer als een opmerking. Een soort samenvatting van de situatie.

'Ze is boven bij de kinderen,' zei Hugh en zweeg. Hij wilde niet aan Amanda denken. 'Waar is Philip?' was zijn wedervraag.

'Ik heb geen idee,' zei Chloe. Haar ogen flitsten even. 'We houden elkaar niet voortdurend in de gaten.'

Heel langzaam, om tijd te rekken, maakte Hugh een gin-tonic klaar. Hij liet twee ijsblokjes in het zware glas vallen en keek hoe de andere elementen eromheen borrelden en fonkelden.

'Leuke muziek,' zei hij en draaide zich om.

'Ja,' zei Chloe. 'Het is een oude platenspeler voor 78-toerenplaten. Jenna heeft hem ontdekt.'

'Typisch Gerard om zoiets eigenaardigs te hebben,' zei Hugh met een flauwe glimlach. Hij hief zijn glas. 'Nou... proost.'

'Proost,' praatte Chloe hem een beetje spottend na. 'Op je heel goede gezondheid.'

Ze dronken in stilte terwijl ze elkaar over de rand van hun glas aankeken en naar een jazzmelodie uit de jaren dertig luisterden die lustig voortkraakte.

'Je ziet er heel goed uit,' zei Hugh na een tijdje. 'Leuke jurk. Heb je –'

Met een schok hield hij zich in. Net op tijd.

Maar te laat. Er verscheen al een mengeling van ongeloof en minachting op Chloe's gezicht.

'Ja, Hugh,' zei ze, langzaam alsof ze ieder woord zorgvuldig overwoog. 'Toevallig heb ik deze jurk zelf gemaakt.'

Er viel een pijnlijke stilte tussen hen. In de hoek was de muziek afgelopen en in plaats daarvan hoorden ze het gesis en geruis van de plaat die bleef ronddraaien.

'Oké!' Jenna's opgewekte stem onderbrak de stilte en zowel Hugh als Chloe keek met een ruk op. 'O, wat is er met de muziek gebeurd?'

'Die is afgelopen,' zei Hugh. Hij keek naar Chloe, maar ze had haar gezicht afgewend.

'Nou, dan begin je toch opnieuw!' zei Jenna. 'Het is een fluitje van een cent!'

Ze liep naar de platenspeler, zette haar blad neer en wond ferm het apparaat op. Het liedje werd nieuw leven ingeblazen en begon opnieuw, nog sneller dan toen Hugh de kamer was binnengestapt.

'Je hebt gelijk,' zei Hugh. 'Het is een fluitje van een cent.' Hij keek weer naar Chloe en ditmaal ving ze zijn blik op. Een paar tellen lang leek er iets straks en fonkelend tussen hen te hangen, als een spinnenweb; toen wendde ze zich af en werd het verbroken.

Tegen de tijd dat ze aan tafel gingen, had Philip al drie whisky's op en een vierde ingeschonken. Hij had Chloe praktisch genegeerd toen hij de eetkamer binnenkwam, had naar de anderen geknikt en was onderuitgezakt in zijn stoel gaan zitten terwijl dezelfde gedachten maar door zijn hoofd bleven tollen.

Waarom kon ze hem nu niet eens met rust laten? Waarom moest ze zo'n toestand maken om één telefoontje? Als ze niets had gezegd, zou hij in staat zijn geweest zijn angst in bedwang te houden. Hij zou zijn innerlijke schijn van kalmte, zijn getrainde evenwicht hebben kunnen bewaren. Maar haar gevraag en gezeur hadden het modderige oppervlak van zijn gedachten verstoord en wolken van angst doen opstijgen. Nu bleven ze hangen en weigerden, net als vervuiling, om weer naar de bodem te zakken. En smoorden alle nieuwe, frisse gedachten, zodat alleen de oude rottende zorgen in het schuim bleven ronddrijven.

Een overname noemden ze het. Nou, hij was er inderdaad door overgenomen. Zijn gedachten, zijn leven, zijn gezin. Philip nam nog een flinke slok whisky alsof hij hoopte zich te kunnen zuiveren met alcohol, en herhaalde in zichzelf de zin die diende als zijn mantra. Ze hielden vijftig procent van de filialen open. Vijftig procent. Het had in de pers gestaan. Het had in het memo gestaan dat op dezelfde dag als de aankondiging van de overname rond was gegaan. Een onomwonden belofte te midden van alle blabla, alle eufemistische uitlatingen over rendabiliteit, over synergie, over vooruitdenken.

Ze hadden beloofd, zwart op wit, om vijftig procent van de filialen open te houden. Wat logisch gesproken betekende dat hij een gelijke kans had. Meer dan gelijk, want zijn filiaal liep goed. Zijn team werkte goed, hij had verdorie een prijs gewonnen. Aan de hand van wat voor verknipte regels dat ingehuurde team van bedrijfsbloedzuigers ook werkte – wat voor ongevoelig idee ze ook van de bank hadden – waarom zouden ze in vredesnaam een van de beste de nek omdraaien?

Voor hij er iets aan kon doen, kwam er een vertrouwd, geniepig sprankje hoop bij hem op. Misschien zou het allemaal goed komen. In het Mackenzie-rapport zou de aanbeveling staan om het filiaal in East Roywich aan te houden. Hij zou eruit gepikt worden en promotie maken. Bij die gedachte kwam er voorzichtig een zweempje opluchting onder de hoek van zijn terneergeslagenheid vandaan. Hij had een beeld van zichzelf zoals hij er dan uit zou zien. Een zelfverzekerde man, veilig in zijn loopbaan, die op die maanden van bezorgdheid met een wat spottend, bijna geamuseerd medelijden terugkeek.

'Het is een tijdlang spannend geweest,' zou hij tegen zijn vrienden zeggen terwijl hij hun nonchalant en ongedwongen een glas aanreikte. 'Niet weten welke kant het uit zou gaan. Maar nu...' Dan zou hij zorgeloos zijn schouders ophalen – een simpel gebaar dat aangaf hoe goed het leven voor hem uitgepakt had. En dan zou hij zijn arm om Chloe slaan en ze zou vol trots naar hem opkijken, zoals ze vroeger altijd deed. Zoals ze al lang niet meer gedaan had.

Philip werd beslopen door een schrijnend verlangen en hij deed zijn ogen dicht, zich even overgevend aan het beeld. Hij wilde die toekomstige, succesvolle zelf zijn; hij wilde de ogen van zijn gezin stralend en met liefde en bewondering naar hem zien opkijken. Hij wilde een van de winnaars zijn. Niet een van de groep verworpenen, de mislukkelingen van middelbare leeftijd die te langzaam waren om de technologische wereld bij de benen.

'Je kunt je omscholen,' bleef Chloe maar tegen hem zeggen, met dat onophoudelijke, vermoeiende optimisme. 'Je kunt je omscholen tot IT'er.'

Maar bij die zin alleen al liepen de koude rillingen over zijn rug. Want wat hield dat tegenwoordig in, 'omscholen tot IT'er'? Het hield in dat je een mislukkeling was. Het hield in dat je niet in staat was om jezelf te verheffen tot de rangen waar anderen voor jou op knoppen drukten. Het hield in dat je voorbestemd was om je hele leven lang op knoppen te blijven drukken.

'Hij is gek op computers. Maar ja, dat zijn ze volgens mij allemaal.' Chloe's stem drong tot zijn gedachten door en hij schrok even. Had ze het over hem? Hij keek met een ruk op, maar ze had haar gezicht van hem afgewend en keek naar Amanda die tegenover haar zat. Ze had het, realiseerde Philip zich, natuurlijk over Sam.

'Hij lijkt me een heel aardige jongen,' zei Amanda. 'Heel goed met zijn kleine broertje – sorry, hoe heet hij ook alweer?' Ze leek maar half en half bij het gesprek betrokken. Maar ja, dacht Philip, dat was de helft meer dan hij.

'Nat,' zei Chloe na een korte stilte. 'Ja. Sam is lief voor hem. Het is echt een geweldige jongen.'

'Hoe oud is hij?'

'Zestien,' zei Chloe. 'Bijna volwassen.'

Ze wierp een blik op Hugh en keek toen naar haar glas. Haar

ogen zagen eigenaardig helder, alsof er een of andere sterke emotie naar boven was gekomen en Philip vroeg zich af wat er was. Een plotselinge golf van genegenheid voor Sam of het besef dat haar zoon bijna volwassen was. Misschien was ze nog over haar toeren over hun ruzie eerder op de avond. Of misschien kwam het door de drank. Hij pakte zijn eigen glas, nam nog een slok en pakte daarna de wijn. Als hij toch dronken werd, kon hij net zo goed straalbezopen worden.

Chloe begon zich een beetje licht in het hoofd te voelen. Jenna was nog steeds niet met het eten gekomen en ze voelde het effect van alcohol op een lege maag. Naast haar hing Philip met een somber gezicht onderuitgezakt in zijn stoel wijn achterover te slaan. Hij had niets tegen haar gezegd, had niet eens naar haar gekeken. Ze had het gevoel dat hun ruzie duidelijk zichtbaar tussen hen in hing. En wat de situatie met Hugh betrof – die begon surrealistisch te worden. Nu zat ze tegenover hem aan tafel met zijn vrouw over Sam te praten. Toen Amanda haar vroeg hoe oud Sam was, had ze ineens een flashback van de eerste en enige keer dat Hugh hem had gezien. Sam was toen negen maanden. Negen maanden. Bij de gedachte moest ze bijna huilen.

'Dus hij... heeft al examen gedaan?' vroeg Amanda. 'Of komt dat binnenkort?'

'Hij heeft het net gedaan,' zei Chloe, die haar gedachten terug naar het heden leidde en zichzelf dwong om rustig te ademen. 'Gelukkig wel.'

'In hoeveel vakken?' vroeg Amanda beleefd, alsof ze vragen van een standaardlijst opsomde, en Chloe onderdrukte de neiging om te gillen: *Wat kan jou dat schelen?*

'Elf,' zei Chloe.

'Slimme jongen,' zei Amanda en keek naar Hugh. 'Ik hoop dat onze meisjes zo slim blijken te zijn.'

'Waar is hij goed in?' vroeg Hugh en schraapte zijn keel. 'Wat vindt hij leuk?' Het was de eerste keer dat hij iets zei en Chloe voelde tintelingen in haar gezicht.

'Wat de meeste jongens van die leeftijd leuk vinden,' zei ze. 'Voetbal, cricket...'

'O, cricket!' zei Amanda terwijl ze haar ogen ten hemel sloeg. 'Hugh klaagt altijd dat de meisjes geen cricket met hem willen spelen.'

'O,' zei Chloe en nam een slokje wijn.

'En wat wil hij later gaan doen?' vroeg Amanda, alsof ze overging naar een volgende categorie van de vragenlijst.

'Ik heb geen idee,' zei Chloe met een flauwe glimlach. 'Iets interessants, hoop ik. Ik zou het vreselijk vinden als hij kwam vast te zitten in een baan die hij niet leuk vindt.'

'Er zijn tegenwoordig zoveel keuzemogelijkheden,' zei Amanda. 'Het moet wel heel moeilijk zijn om te beslissen.'

'Nou ja, er is geen haast bij,' zei Chloe. 'Hij kan een heleboel dingen uitproberen voor hij definitief kiest. Blijkbaar zitten werkgevers daar tegenwoordig niet meer mee.' Ze was zich ervan bewust dat Philip, links van haar, van zijn glas opkeek. Ze keek even naar hem en zag tot haar afschuw dat hij dronken was. Hij was dronken en hij wilde iets zeggen.

'Wat interessant,' zei Amanda, die klonk alsof ze zich stierlijk verveelde. 'En denk je dat –'

'Zo, Chloe,' viel Philip haar in de rede. Hij zweeg even en ze hield haar adem in. 'Jij weet dus hoe werkgevers denken, hè? Je bent al net zo'n expert op het gebied van werk als op ieder ander terrein.'

'Helemaal niet,' zei Chloe, die zich dwong om rustig te blijven. 'Ik denk alleen –'

'Misschien kun je hun gedachten ook lezen,' zei Philip. 'Jullie moeten weten dat Chloe telepathisch begaafd is,' voegde hij er tegen de anderen aan toe. 'Wat je ook denkt – zij weet ervan. Dus jullie zijn gewaarschuwd!'

Hij zweeg en nam nog een slok wijn. Hugh en Amanda staarden resoluut naar hun borden.

'Philip...' zei Amanda hulpeloos, 'misschien moet je wat eten. Of koffie dr –'

Ze zweeg toen de deur openging en Jenna met een aardewerken schaal binnenkwam.

'Hoi!' zei ze. 'Sorry dat het even duurde!' Ze liep naar de tafel toe, zich kennelijk niet bewust van de spanning die in de lucht hing. 'Nou. Aangezien we in Spanje zitten en zo, heb ik er een beetje Mexicaans thema van gemaakt. Iedereen houdt toch van Mexicaans, hè?'

'Lekker,' zei Amanda na een korte stilte.

'Heerlijk,' mompelde Chloe.

'Dit is dan de rijst...' Jenna zette de schaal neer, tilde het deksel op en onthulde een wirwar van geel en rood, als een felgekleurd abstract schilderij. 'Het is aardbeien met banaan,' voegde ze eraan toe. 'Ik heb het een keer in een kookprogramma gezien.' Ze grinnikte. 'Geintje! Ik heb het een beetje opgeleukt met kleurstoffen, dat is alles.' Ze keek stralend de tafel rond naar de verblufte gezichten. 'Het maakt het net wat interessanter, vinden jullie niet? Nou, tast toe!'

Er viel een stilte; toen pakte Hugh de lepel en gaf hem aan Chloe.

'Dank je,' zei ze. 'Philip, zal ik voor je opscheppen?'

Philip keek haar een ogenblik zwijgend aan en schoof toen zijn stoel achteruit. 'Weet je wat?' zei hij. 'Ik denk dat ik naar buiten ga. Een wandelingetje maken.' Hij hief zijn hand. 'Het heeft niets met jou te maken, hoor, Jenna. Maar ik heb op het moment gewoon niet zo'n trek.'

'Geeft niet, hoor!' zei Jenna. 'Het is jullie vakantie!'

'Eet smakelijk,' zei Philip en liep de kamer uit zonder zelfs maar naar Chloe te kijken.

Toen hij weg was, hing er een gespannen stilte. Chloe hield haar ogen neergeslagen en voelde dat een felrode blos van gêne haar wangen kleurde. Ze wist dat Philip het moeilijk had. Ze hadden het allebei moeilijk. Maar de bedoeling van deze vakantie was dat ze het allemaal achter zich zouden laten. Kon hij niet een béétje zijn best doen?'

'Nou, wat de rest betreft – tast toe!' zei Jenna. Ze keek naar Chloe. 'Is die rijst niet te gek?'

'De rijst is... fantastisch,' zei Chloe zwakjes.

'Geweldig, hè?' zei Jenna die op weg naar de deur ging. 'Wacht maar tot jullie de chili zien!'

Het bleef stil tot de deur achter haar dichtging. Chloe keek onmiddellijk op.

'Ik kan me niet genoeg verontschuldigen voor Philips gedrag,' zei ze.

'Ach, het geeft niet,' zei Amanda beleefd.

'Hij eh... hij staat de laatste tijd erg onder druk. Wij allebei.'

'O, maak je geen zorgen!' zei Amanda. 'Die dingen overkomen ons allemaal. Ieder huwelijk kent zijn ups en downs –'

'We zijn niet getrouwd,' zei Chloe, scherper dan haar bedoeling was.

'O,' zei Amanda en wierp een blik op Hugh. 'Sorry, ik had gewoon aangenomen –'

'Philip gelooft niet in het huwelijk,' zei Chloe. 'En ik –' Ze brak haar zin af en wreef zwijgend over haar gezicht. Het bleef stil.

'Natuurlijk trouwen een heleboel mensen tegenwoordig niet meer,' zei Amanda alsof ze een kenner was. 'Een vriendin van mij is haar verbintenis via een heidens ritueel aangegaan. Boven op een klif. Het was gewoonweg adembenemend. Japon van Galliano.' Het was even stil. 'Natuurlijk zijn ze een jaar later uit elkaar gegaan, maar ik geloof in alle eerlijkheid niet dat een bruiloft enig verschil zou hebben gemaakt...'

'Amanda, neem eens wat roze rijst,' zei Hugh en schoof de schaal naar haar toe.

'We zijn elkaar net zo toegedaan als ieder willekeurig getrouwd stel,' zei Chloe met een lichte spanning in haar stem. 'Nog wel meer.'

'Jullie hebben een kind samen,' zei Hugh.

'We hebben twee kinderen samen,' zei Chloe en keek op. 'Twee kinderen.' Ze keek hem recht in de ogen en er leek iets stils over de tafel te kruipen.

'Deze rijst is wel heel bijzonder!' zei Amanda en snoof argwanend. 'Denken jullie dat het te eten is?'

'Vooruit, schep op!' klonk Jenna's stem uit de deuropening. Ze kwam met grote stappen naar de tafel gelopen, met nog een aardewerken schaal in haar handen. 'Hier is nog guacamole voor erbij.'

Ze zette de schaal neer en iedereen keek zwijgend naar de felgroene massa. Het deed Chloe denken aan een walgelijk cadeau dat Nat ooit in zijn schoen had gekregen en dat Slime heette.

'Het ziet er heerlijk uit,' zei Hugh ten slotte. 'Erg... groen.'

'Ik weet het,' zei Jenna. 'Ik vond de avocado er in zijn eentje een beetje bleek uitzien. Een beetje saai, eerlijk gezegd.' Ze keek voldaan naar de tafel. 'Oké. Nu alleen de chili nog.'

Ze liep naar de deur en bleef verbaasd staan. 'Octavia, schat, wat doe je hier beneden?'

De anderen keken allemaal op. Octavia kwam voorzichtig de kamer binnengelopen in haar katoenen pyjamaatje en met een pluchen olifant onder haar arm.

'Mama,' zei ze. 'Beatrice huilt. Ze zegt dat je moet komen.'

'O God,' zei Amanda die overeind kwam.

'Schat, ga zitten,' zei Hugh. 'Ik ga wel.'

'Nee!' zei Octavia. 'Ze wil máma.'

'Zal ik naar boven gaan?' vroeg Jenna. 'Zal ik haar proberen rustig te krijgen?'

'Laat maar,' zei Amanda met een lichte zucht. 'Ik kan beter zelf gaan. Sorry dat ik je in de steek moet laten,' zei ze tegen Chloe. 'Het is niet echt sociaal.'

'O!' zei Chloe. 'Dat geeft niet!' Ze was zich bewust van Hughs hoofd dat naar haar toe draaide en er verscheen een lichte blos op haar wangen. 'Ik bedoel,' vervolgde ze zonder naar hem te kijken, 'ik weet hoe het is als je kinderen ziek zijn.'

'Zal ik wat eten op een bord voor u doen?' vroeg Jenna.

'Nee, laat maar,' zei Amanda. 'Ik maak later wel iets voor mezelf klaar. Kom, Octavia.' Ze stond op, legde haar servet op tafel en ging op weg naar de deur terwijl ze het kind bij de hand pakte.

'Nou, het ziet ernaar uit dat we maar met zijn tweetjes zijn,' zei Hugh tegen Chloe.

'Ja,' zei Chloe na een korte stilte. 'Inderdaad.' Ze nam een slokje wijn en toen nog een.

'Nou ja,' zei Jenna. 'Des te meer is er voor jullie tweeën! Goed, ik ga eens even kijken hoe het met de chili is.'

Ze ging de kamer uit en deed de deur achter zich dicht. Chloe haalde diep adem met de bedoeling om iets luchtigs en oppervlakkigs en onpersoonlijks te zeggen. Maar ineens kon ze geen woord meer uitbrengen; de zinnen vervlogen zodra ze haar tong bereikten. Toen ze Hugh aankeek, zag ze dat hij ook geen woord kon uitbrengen. De hele kamer leek tijdelijk roerloos geworden alsof het een stilleven was. De door kaarsen verlichte tafel, de fonkelende glazen, zij tweeën, gebiologeerd.

Chloe dwong zichzelf om de betovering te verbreken en nam nog een slok wijn, waarna haar glas leeg was. Zonder iets te zeggen pakte Hugh de fles en schonk nog eens in.

'Dank je,' mompelde Chloe.

'Geen dank.'

Er volgde een nieuwe, onwerkelijke stilte.

'Ik denk dat ik maar wat guacamole neem.' Chloe pakte de schaal en schepte een hoopje van de groene substantie op haar bord.

'Je ziet er mooi uit,' zei Hugh zachtjes.

Er ging een golf van emoties door Chloe heen voor ze ze kon tegenhouden.

'Dank je,' zei ze zonder op te kijken en schepte nog een hoopje op haar bord. 'Jij bent altijd een ster geweest in onoprechtheid.'

'Ik ben niet –' wierp Hugh kwaad tegen en hield zich toen in. 'Chloe – ik wil praten. Over...' Hij zweeg even. 'Over wat ik heb gedaan.'

Het was stil. Chloe schepte heel doelbewust een derde hoopje groene smurrie op haar bord.

'Ik wil dat je weet waarom ik toen zo heb gedaan,' zei Hugh. 'En… en hoe moeilijk die beslissing was…'

'Was het moeilijk?' zei Chloe toonloos. 'Ach, arme ziel.' Hugh kromp ineen.

'Ik was toen een ander mens,' zei hij. 'Ik was jong.'

'Ik was ook jong.' Ze wilde nog een vierde keer opscheppen, maar bedacht zich en legde de lepel neer.

'Ik had geen idee van het leven, van mensen –'

'Het punt is, Hugh,' viel Chloe hem in de rede, 'dat het me niet interesseert.' Ze keek op en keek hem recht in de ogen. 'Het kan me echt niet boeien… wat jij dacht of waarom je hebt gedaan wat je hebt gedaan. Zoals je al zegt, het is heel lang geleden.' Ze nam een slokje wijn en schoof de schaal met guacamole naar hem toe. 'Hier, neem een hapje slijm.'

'Chloe, luister naar me,' zei Hugh terwijl hij zich dringend voorover boog. 'Als ik alleen maar kon uitleggen hoe ik me voelde, hoe ik in paniek raakte –'

'Wat wil je, Hugh?' snauwde Chloe in een opflakkering van woede. 'Wat wil je? Vergeving? Absolutie?'

'Ik weet het niet,' zei Hugh verdedigend. 'Misschien wil ik alleen maar… met je praten.'

'Waarom?'

Hugh zei niets. Hij pakte een vork, bestudeerde die een ogenblik grondig en sloeg toen zijn ogen op.

'Misschien wil ik je opnieuw leren kennen. En dat je mij opnieuw leert kennen. De mens die ik nu ben.' Chloe keek hem aan en schudde vol ongeloof haar hoofd.

'Jij,' zei ze, 'begeeft je op gevaarlijk terrein.'

'Dat weet ik.' Hugh nam een slok wijn en bleef haar strak aankijken.

Chloe pakte haar glas en deed hetzelfde, terwijl ze haar best deed om zich te beheersen. Maar het gesprek greep haar meer aan dan ze had kunnen voorspellen. Onder haar rustige uiterlijk voelde ze de oude pijn terugkeren, de oude rauwe kwetsbaarheid. Ze wilde tegen Hugh gillen, hem verwonden, hem een stukje van de pijn teruggeven die hij haar gedaan had.

'Chloe.' Ze hief haar hoofd en zag Hugh ernstig naar haar kijken. 'Het spijt me. Het spijt me... zo erg.'

De woorden sloegen bij Chloe in als een bom. Tot haar afschuw voelde ze dat het ineens warm om haar ogen werd.

'Ik heb spijt van alles wat ik gedaan heb,' vervolgde Hugh. 'Kon ik maar gewoon... ik weet het niet, teruggaan in de tijd...'

'Nee!' Chloe's stem schoot uit als een verdedigingsschop. Ze haalde diep adem en schudde haar hoofd. 'Hou... hou gewoon op. Spijt zegt helemaal niets. Het heeft geen zin om spijt van iets te hebben tenzij je er iets aan kunt doen. En dat kun je niet. We kunnen niet terug in de tijd. We kunnen niet veranderen wat er gebeurd is.'

Ze stopte, zich bewust van het feit dat ze rood aangelopen was en een beetje hijgde. Ze wierp Hugh een blik toe; hij keek haar aan met een hongerig gezicht alsof hij wachtte tot ze weer iets zou zeggen.

'We kunnen niet terug in de tijd,' zei ze, rustiger nu. 'We kunnen niet veranderen wat er gebeurd is.' Ze schoof haar stoel achteruit en keek Hugh koel aan. 'En dat zou ik niet willen ook.'

Ze gooide haar servet op tafel en liep met grote stappen de kamer uit. Terwijl ze de kamer uitliep, zag ze Jenna aankomen met een grote ovale schaal in haar handen.

'Neem me niet kwalijk,' zei ze abrupt en liep langs haar.

Toen Jenna de kamer binnenkwam, zat Hugh met niets ziende blik naar de tafel te staren.

'Zo,' zei ze. 'Allemaal klaar om je tong eraf te laten branden?' Ze zette de schaal neer en grinnikte. 'Geintje! Het is niet zo heet, hoor. Ik heb het redelijk rustig aan gedaan met de pepers. Er staat trouwens ook nog tabasco in de keuken voor het geval het te flauw is.

Het hangt er allemaal vanaf wat je lekker vindt...' Ze pakte een opscheplepel.

'Hoeveel denkt u dat Chloe wil?'

'Eerlijk gezegd,' zei Hugh, die opkeek alsof het hem heel veel moeite kostte. 'Eerlijk gezegd denk ik niet dat Chloe terugkomt.'

'O,' zei Jenna die haar hand op het handvat van het deksel liet rusten. 'Oké. Dus alleen u?'

Hugh keek zwijgend de tafel rond. Toen keek hij op.

'Weet je wat, Jenna, ik denk dat ik ook maar oversla. Het is vast heel erg lekker...' hij gebaarde naar de schaal '...maar ik heb gewoon niet zo'n trek.'

'Juist,' zei Jenna. Ze bleef even naar de schaal staren terwijl haar lepel erboven bleef hangen. 'Nou,' zei ze ten slotte. 'Dan zal het morgen wel opgegeten worden.'

'Het spijt me,' zei Hugh en stond op. 'Ik weet dat je een hoop moeite hebt gedaan...'

'O, dat is geen probleem!' zei Jenna monter. 'Het is jullie vakantie – als jullie niet willen eten, dan willen jullie niet eten.'

'Bedankt dat je het zo opvat,' zei Hugh. Hij wierp haar een nogal verbeten glimlachje toe en liep de kamer uit.

Toen de deur dicht was, verdween Jenna's glimlach. Ze keek zwijgend naar de zorgvuldig gedekte tafel, het onaangeroerde eten, de verfrommelde, neergegooide servetten.

'Nou, geweldig,' zei ze hardop. 'Dit is echt geweldig. Dit is verdomme... fantastisch.'

Ze liet zich in een stoel zakken en staarde een paar minuten somber voor zich uit. Toen haalde ze het deksel van de schaal met chili. De woorden FIJNE VAKANTIE, MENSEN! gevormd van erwtjes met maïskorrels lachten haar spottend toe.

7

Toen Chloe wakker werd, was het doodstil. Ze bleef een tijdje in bed liggen en staarde naar het plafond om de flarden gedachten en dromen die in haar hoofd rondzweefden de kans te geven zich los te maken en langzaam terug te zakken op de plaats waar ze thuishoorden. Stukjes herinneringen, restjes emotie, halfgedachte wensen, alles zakte langzaam op zijn plaats als zilveren balletjes in een spelletje. Pas toen ze zeker wist dat ze niet los zouden raken als ze haar hoofd bewoog, durfde ze rechtop te gaan zitten en haar blik door de lege kamer te laten dwalen.

Het licht kwam binnengesijpeld door de houten jaloezieën en vormde strepen op de tegelvloer. Terwijl ze naar het patroon staarde, zag ze een wit papiertje midden in de kamer liggen, vermoedelijk met de bedoeling dat zij het zou vinden. Een briefje van Philip, dacht ze onverschillig, en vroeg zich af of ze het wilde lezen. Ze nam aan dat hij een deel van de nacht naast haar had gelegen, maar dat wist ze niet zeker. Nadat ze de avond tevoren van de eettafel vandaan was gelopen, was ze rechtstreeks naar hun slaapkamer gegaan. Toen hij leeg bleek te zijn, was ze lekker lang in bad gegaan en had een aantal hoofdstukken gelezen van een boek waarvan ze zich van het plot op dit moment geen enkele bijzonderheid kon herinneren. Na een tijdje had ze het licht uitgedaan en met haar ogen open in het donker gelegen. Op een gegeven moment, waarschijnlijk eerder dan ze dacht, was ze in slaap gevallen.

Er kwam even een stille woede naar boven toen ze zich de frustratie herinnerde die ze voelde omdat er geen Philip was om mee te praten. Ze had met bonkend hart zitten wachten en argumenten zitten bedenken terwijl ze bij ieder geluid van voetstappen opkeek. Maar Philip was niet gekomen. Hoe langer ze wachtte, hoe vaster ze zich voornam om hem niet te gaan zoeken. Als hij niet bij haar wilde zijn – goed dan, dat was zijn beslissing. Als hij dronken wilde worden en ruzie wilde zoeken, dan was dat ook zijn beslissing.

Onverwacht energiek stapte ze uit bed, raapte het briefje op en las het.

Liefste Chloe,

Je verdient een dagje zonder me. Ik ben met de jongens naar de kust. Een fijne dag en we gaan vanavond praten. Het spijt me.

Philip

Chloe keek een ogenblik naar het vertrouwde handschrift en verfrommelde toen het briefje in haar hand. Het had een gevoel van echtelijke genegenheid moeten oproepen, een meesmuilend hoofdschudden en vergeving. Maar ze voelde niets van dat alles. Het enige wat ze kon voelen was ergernis.

Ze deed de jaloezieën open en keek op de tuin neer. De bloembedden zagen er van bovenaf onberispelijk uit, het zwembad was een fonkelend blauw en de ligstoelen stonden uitnodigend te wachten. Maar Chloe wist dat ze het niet wilde. Ze had er helemaal geen zin in. Haar blik dwaalde omhoog, naar de verte, en ze had ineens zin om eropuit te trekken. Om weg te zijn uit het huis, weg van zijn bewoners, zijn spanningen en wrijvingen en claustrofobische zorgen. Ze wilde zichzelf zijn, anoniem, in dit vreemde, ruige landschap.

Ze trok vlug een oude katoenen jurk en een paar sandalen aan. Ze smeerde haar huid in met zonnebrandcrème, pakte een zonnehoed en schonk het water vanuit de kan op haar nachtkastje in een mineraalwaterflesje dat ze in haar mand stopte.

Terwijl ze de trap afliep, was het nog stil in huis, zonder een teken van leven. Ze voelde zich net Alice die door een sprookjesland met zijn eigen regels liep. Als ik maar kans zie de poort uit te komen zonder met iemand te praten, dacht ze bijgelovig. Als ik kans zie die poort uit te komen… dan komt alles goed.

Ze deed de zware voordeur achter zich dicht en begon de overschaduwde oprijlaan af te lopen naar de hoofdpoort. Haar hoofd begon vrij te raken van gedachten en ze was zich van niets anders bewust dan haar voetstappen, de een na de ander, als een hypnotisch getik.

'Hé! Chloe!'

Chloe keek geschrokken op en tuurde met bonkend hart om zich heen, zoekend naar waar de stem vandaan kwam. Maar ze zag niemand. Hield haar eigen hoofd haar voor de gek? Was ze gek aan het worden?

'Hiero!'

Chloe zag Jenna's gezicht boven een heg uitsteken en voelde opluchting vermengd met ergernis.

'We waren net verstoppertje aan het spelen,' vervolgde Jenna. 'Hè, Octavia?' Ze grinnikte naar een onzichtbare Octavia en keek toen nieuwsgierig naar Chloe's hoed en mand. 'Ga je weg?'

'Ja,' zei Chloe schoorvoetend.

'O, oké. Waar ga je heen?'

'Dat weet ik nog niet,' zei Chloe. Ze forceerde een vriendelijke glimlach en voor Jenna nog meer kon vragen, stak ze haar hand op en liep verder de oprijlaan af.

De weg was stil en verlaten en lag te trillen in de verschroeiende hitte. Chloe stak de weg over; ze ging langs de kant te lopen waar ze stoffige aarde deed opstuiven, zonder zich druk te maken over waar ze naar op weg was. Ze kwam bij een bocht in de weg en bleef even staan. Ze keek eerst naar de weg die voor haar uit kronkelde en toen naar de berghelling die links van haar steil naar beneden liep. Ze aarzelde maar een ogenblik. Ze stapte over de vangrail en begon de helling van de berg af te lopen en vervolgens te rennen. Terwijl ze vaart maakte, voelde ze hoe ze steeds harder over de droge, zanderige aarde begon te glijden tot ze bijna helemaal haar evenwicht verloor. Bij een kleine rotspunt bleef ze enigszins hijgend een paar minuten staan. Toen ze achterom naar de weg keek, zag ze tot haar schrik en blijdschap hoe ver ze in zo'n korte tijd gekomen was. Ze had nu al een gevoel van ontsnapping, van bevrijding. Ze was eruit, ze was vrij.

Ze ging op een enorm wit rotsblok zitten en keek om zich heen naar het droge, stille landschap. De droge aarde was geschroeid door de zon; verschrompelde bosjes groeiden in de schaduw van droge, stakerige bomen. In de verte hoorde ze de belletjes van geiten die meegenomen werden om te grazen en terwijl ze om zich heen keek naar de schaarse begroeiing, vroeg ze zich af wat ze in vredesnaam zouden eten.

Het getingel stierf weg en ze zat weer in de stilte terwijl ze de zon op haar hoofd liet branden. In een opwelling pakte ze een steen en gooide hem zo hard mogelijk de berg af. Ze gooide er nog een en nog een, en voelde haar schouder bijna uit de kom schieten. Bij elke steen die van de berg rolde en uit het zicht verdween, voelde ze een vreemde, heftige bevrijding. Ze wilde er nog een pakken, maar hield zich toen in. Drie was genoeg.

Ze bleef nog wat langer zitten, nam zo nu en dan een slok uit haar flesje en liet haar gedachten de vrije loop. Liet zich deel van het landschap worden. Een hagedisje rende over het rotsblok waarop zij zat en rende weer terug. De derde keer stak hij het rotsblok over en nam een kortere route over haar hand – en het maakte haar ineens blij dat ze zo gemakkelijk geaccepteerd werd.

Uiteindelijk stond ze op, rekte zich uit en ging weer lopen; ze nam met opzet het moeilijke pad, stelde zich expres voor uitdagingen. De zon brandde op haar hoofd – het was nog heter dan gisteren, dacht ze. Algauw begonnen haar benen pijn te doen en haar armen te zweten. Maar ze bleef doorgaan en nam steeds snellere stappen alsof ze haar eigen record wilde verbeteren. Ze voelde zich bijna opgejaagd, alsof ze zo ver mogelijk weg moest. Over de bergen, naar een andere wereld. Ze was zich nauwelijks bewust van haar omgeving, nauwelijks bewust van iets anders dan het ritme van haar voetstappen, het in en uit gaan van haar adem, het zweet op haar gezicht. Maar toen ze zomaar opkeek om de vlucht van een vlinder te volgen, bleef ze geschrokken staan.

Rechts van haar was uit het niets een groepje spierwitte huizen opgedoken, gesierd door een klokkentoren. Natuurlijk het dorpje waar ze op de heenweg langsgereden waren, besefte ze. Hoe heette het ook alweer? San nog iets. San Luís. Enkele minuten lang was Chloe te aangeslagen om te kunnen bewegen. Ze was helemaal niet van plan geweest om naar San Luís te gaan, ze had in de bergen willen opgaan. Maar nu voelde ze zich begluurd. Iemand achter die donkere gleuven van ramen zou haar gadeslaan, zou zich afvragen waarom die krankzinnige vrouw daar beneden op de berghelling aan het lopen was. Zou de plaatselijke dokter er misschien bijhalen.

Een motor reed brullend voorbij op de weg boven haar; ze schrok en voelde zich onnozel. Ze deed een paar stappen naar voren om haar ritme te hervinden, maar bleef weer staan. Er tolden nieuwe gedachten door haar hoofd. De zon stond hoog aan de hemel, het moest al een uur of twaalf zijn. Er was vast een restaurant in San Luís. Een koel glas wijn, misschien een bordje chorizo. Gemarineerde champignons. Garnalen met veel knoflook. Plotseling rammelde ze van de honger. Het drong ineens tot haar door dat ze de avond tevoren niet gegeten had en dat ze die ochtend niet ontbeten had. Ze zocht haastig in haar mand naar haar portemonnee en klom toen naar boven, in de richting van het dorp.

Amanda was het grootste deel van de nacht op geweest met Beatrice. Toen Hugh de volgende ochtend hun slaapkamer uit sloop, lagen ze met zijn tweeën diep in slaap in bed met een verfrommeld laken over hen heen. Hij nam snel een kop koffie in de keuken en liep toen naar het zwembad. Daar was niemand, op Jenna en Octavia na die in het ondiepe aan het rondspetteren waren.

'Goeiemorgen, meneer Stratton,' zei Jenna opgewekt. 'Alles goed met Beatrice?'

'Ze slaapt,' zei Hugh. 'En Amanda ook.' Hij ging op een ligstoel zitten en keek om zich heen. 'Waar is iedereen eigenlijk?'

'Ze zijn allemaal weg,' zei Jenna. 'Philip is met Sam en Nat naar de kust.'

'Chloe niet?'

'Nee. Ze is gaan wandelen.'

'O.' Hugh zweeg. Hij pakte een van Amanda's tijdschriften die er nog lag van de avond ervoor en bladerde het met een uitdrukking van intense belangstelling op zijn gezicht door. Hij hield op met bladeren bij een reportage over glassculpturen en las de eerste drie regels. 'Heb je gezien welke kant ze op ging?' vroeg hij nonchalant.

'Nee, sorry,' zei Jenna.

'Oké.'

De zon leek steeds heter op Hughs hoofd te branden. Hij bleef een ogenblik stil zitten, verlamd door besluiteloosheid. Toen legde hij het blad neer. Eindelijk keek hij op.

'Ik denk dat ik de voorraad maar eens ga aanvullen,' zei hij. 'Ik neem de auto mee. Jij hebt hem toch niet nodig, hè?'

'God nee!' lachte Jenna. 'Als we een auto nodig hebben, maken we er een. Wat jij, Octavia?'

'Prima.'

Hugh bleef nog even staan, knikte naar Jenna en liep zo langzaam als hij maar kon opbrengen om de auto heen. Toen hij het portier opendeed, hoorde hij Octavia schreeuwen: 'Dag, papa! Da-ag!' Een beetje misselijk stapte hij in en startte.

Toen hij bij de weg kwam, bleef hij even staan. Zo heel hard kon je niet lopen. Als ze niet de ene kant opgegaan was, dan was ze de andere kant opgegaan. Hij keek van de ene kant naar de andere en kwam tot de conclusie dat Chloe, omdat ze nu eenmaal Chloe was, de weg omhoog zou hebben genomen.

Terwijl hij de poort uitreed, schreeuwde een jongen die zijn geiten de berg op leidde iets naar hem. Met een lichte frons controleerde Hugh alle dashboardlampjes. Hij keek in de achteruitkijkspiegel: de jongen gilde nog steeds. Hugh haalde zijn schouders op, gaf gas en schakelde door. De auto reed brullend de berg op en hij zat voorovergebogen, het landschap af turend, op zoek naar Chloe.

Chloe liep door de keienstraatjes van San Luís, met het gevoel alsof ze een sprookje binnengestapt was. Aan weerszijden van haar verrezen de huizen in absolute witheid, die onderbroken werd door pannendaken en smeedijzeren balkonnetjes, door zware, beslagen deuren en kleurige bloemen in bakken. Het dorp lag bijna verticaal tegen de steile berghelling en terwijl ze een stille straat doorliep naar het dorpsplein, voelde ze dat haar benen pijn begonnen te doen.

Chloe stopte om op adem te komen en keek om zich heen. De straat was verlaten op een magere hond na die aan de stoep snuffelde; het hele dorp zou verlaten kunnen zijn geweest als ze afging op de mensen die ze was tegengekomen. Maar ze kon ze wel horen. Stemmen hoog boven haar riepen naar elkaar en in de verte hoorde ze vaag het gedreun van muziek. Ze haalde diep adem, streek haar haar uit haar gezicht en wandelde verder over de kinderkopjes, voorbij de ene gesloten deur na de andere. Toen ze de hoek omging, kwamen er twee oude vrouwen in bloemetjesjurken voorbij en ze glimlachte aarzelend naar hen. De muziek werd nu luider; ze kwam vast in de buurt van het centrum of wat het dorp ook had.

Een geluid trok haar aandacht en ze draaide zich om; het volgende moment, zonder enige waarschuwing, kwam er een brommer op haar af geraasd. De twee tieners die erop zaten riepen iets naar haar terwijl ze voorbijvlogen. Ze kon het met geen mogelijkheid horen, laat staan verstaan, maar ze knikte terug en liep verder, naar de muziek die met iedere stap luider werd.

Ze liep een kleine overschaduwde passage door, sloeg nog een hoek om en bleef versteld staan. Ze was op het hoofdplein van het dorp uitgekomen. De klokkentoren die ze vanaf de berghelling had gezien torende aan de overkant boven haar uit; midden op de kinderkopjes stond een grote stenen leeuwenkop van waaruit water in een rijk versierd stenen bassin stroomde. Aan een kant van het plein kwam een straat vol winkels uit, met uitstallingen van fel gekleurde borden, enorme hammen en vijgenbomen in potten. Ze bleef heel stil staan en keek om zich heen, een beetje duizelig van haar steile klim. Ze betrapte zich erop dat ze idioot genoeg dacht: *Hier is een stadje. Hier is een kerk. Hier is de klokkentoren. En hier zijn alle mensen.*

Vanuit de dorre stilte van de berghelling, vanuit de gedempte kalmte van de dorpsstraatjes, was ze een sfeer van geluid, van kleur, van bedrijvigheid binnengetreden. Ze rook knoflook en vlees dat lag te roosteren; ze hoorde stemmen die naar elkaar riepen en die tegen de witte muren weerkaatsten. Een groepje oude mannen zat aan een tafeltje voor een klein café, een vrouw met een baby in haar armen schreeuwde naar een man die over een balkonleuning gebogen stond. Terwijl ze stilletjes naar het tafereel voor zich stond te kijken, kwamen twee jongemannen naar de leeuwenkopfontein toegelopen, trokken hun overhemd uit en begonnen hun gezicht en borst te wassen terwijl ze elkaar toespraken in korte explosies van Spaans. De een keek op, zag Chloe naar hem kijken en knipoogde. Ze voelde hoe ze bloosde en wendde zich snel af; ze deed net of ze een druk beschilderde tegel in de gevel van een huis bestudeerde.

Er dwaalden een paar toeristen doelloos rond; ze waren te herkennen aan hun bleke huid, honkbalpetjes en camera's. Een roodharige man met sportschoenen keek naar een briefje op de deur van de klokkentoren met een gids in zijn hand, terwijl zijn vrouw een beetje afzijdig stond en buitengewoon verveeld voor zich uit staarde. Na een tijdje keerde de man zich af en begon in de richting van Chloe te lopen, met zijn neus nog in de gids.

'Blijkbaar is de beste plek om te eten,' hoorde ze hem zeggen, 'Escalona. Ongeveer een half uur hiervandaan. Of we kunnen hier eten...'

Ga weg, dacht Chloe. *Ga alsjeblieft weg.*

'Nee, laten we maar gaan,' zei de vrouw ten slotte. 'Waarom niet.' Haar blik dwaalde ongeïnteresseerd over het plein. 'Er is hier toch niet veel te doen. Waar staat de auto?'

Terwijl het Britse stel van het plein slenterde, begon Chloe voorzichtig over de kinderkopjes naar de winkelstraat te lopen. Ze liep langs de fontein waar de twee mannen die zich hadden staan wassen nu in de zon zaten om hun lichaam op te laten drogen. De man die had geknipoogd, glimlachte en riep iets – waarschijnlijk een of andere seksistische opmerking waar ze in Engeland woest om zou zijn geworden. Maar in het Spaans klonk alles romantisch; wat ze zeiden had poëzie kunnen zijn geweest. Zonder dat het echt haar bedoeling was, merkte ze hoe ze op de aandacht van de mannen begon te reageren. Ze ging wat langzamer lopen en voelde hoe haar heupen vloeiender begonnen te bewegen onder haar jurk, op het ritme van de muziek die ze nog steeds in de verte vanuit een of andere onzichtbare bron kon horen.

Terwijl ze door de winkelstraat liep, kwam haar een Spaanse vrouw in een strapless jurk met een brood in haar hand voorbij. Haar huid was bruin en glad, het donkerrood van haar jurk zat strak om de rondingen van haar lichaam en haar benen bewogen zich zelfverzekerd over de kinderkopjes. Chloe keek geboeid naar de vrouw: naar de houding van haar hoofd, de kin die zelfverzekerd omhoog stak. Ze zag eruit, vond Chloe, alsof ze van zichzelf genoot.

De vrouw verdween in een winkel waarvan de etalage vol felgekleurde jurken, rokken met stroken en decoratieve schoenen hing. Chloe zette een paar nieuwsgierige stappen in de richting van de winkel, maar bleef geschokt staan toen ze een glimp van zichzelf in de etalageruit opving. Ze schrok van wat ze zag. Een vrouw van onbestemde leeftijd, in een verschoten katoenen jurk, met verstandige sandalen aan haar voeten. Ze droeg kleren die in Engeland een beschaafde goede smaak vertegenwoordigden. Natuurlijke stoffen, rustige kleuren, vloeiende lijnen. Hier, in deze omgeving, zagen ze er nogal hobbezakkerig uit.

Terwijl Chloe zichzelf bekeek, verlangde ze naar kleur. Naar felheid. Naar de houding en het zelfvertrouwen en de schoonheid die Spaanse vrouwen van nature leken te bezitten. Ze duwde de deur open en knipperde een paar keer met haar ogen om aan het licht te wennen. De vrouw in de rode jurk kwam naar Chloe toegelopen en glimlachte. Chloe glimlachte beleefd terug en pakte een blauwe katoenen jurk die vlakbij hing. Ze keek er enkele ogenblikken naar en ving toen de blik van de vrouw op.

'Heel leuk,' zei ze.

'Hij is leuk, ja.' De vrouw praatte zangerig met een heel vaag Spaans accent, als glas dat gegraveerd werd. 'Hij is leuk. Maar je kunt beter iets... Hmmm, eens kijken.'

Ze bekeek Chloe een ogenblik zwijgend en Chloe keek terug, met een lichte tinteling van verwachting. Als coupeuse was ze het gewend om anderen nauwkeurig te bekijken, om anderen te kleden, om anderen mooi te maken. Vandaag de dag had ze amper tijd om zichzelf objectief te bestuderen, om zichzelf te zien zoals anderen haar zagen.

'Iets als dit.' De vrouw liep naar de andere kant van de winkel en haalde een knalpaarse jurk tevoorschijn. 'Of dit.' Ze haalde dezelfde jurk in het zwart tevoorschijn en hield hem op.

'O. Nou... ik weet het niet,' zei Chloe glimlachend om haar teleurstelling te verbergen. Ze had gehoopt op een of andere magische ontdekking, een of ander paspoort naar mediterrane elegantie. Maar deze jurken waren absoluut niet haar stijl. Ze waren kort, van stretchstof, in halterlijn en met een laag uitgesneden rug. 'Misschien zijn ze een beetje te jeugdig voor me...'

'Jeugdig?' riep de vrouw uit. 'Je bent jong! Hoe oud ben je, dertig?' Chloe lachte.

'Nou, ietsje ouder. Maar belangrijker is dat ik moeder van een tiener ben.' De vrouw schudde glimlachend haar hoofd.

'Je ziet eruit als een meisje. Wil je je als een oma kleden voor het niet anders meer kan?'

'Ik kleed me niet als een...' begon Chloe en haar stem stierf weg toen ze haar spiegelbeeld in de ruit van de deur zag, haar vormloze, saaie silhouet. De vrouw schudde met de hangers, alsof ze haar aarzeling voelde.

'Pas ze eens. Pas de zwarte eens.'

De paskamer was een klein hokje met een gordijn ervoor zonder spiegel. Terwijl ze zich in de nauwsluitende stretchjurk worstelde, voelde Chloe zich warm en opgelaten. Het was zo'n perfecte dag geweest – waarom moest ze hem nou weer bederven met een duik in een tweedehandskledingwinkel? Ze kwam met een bedenkelijk gezicht uit het hokje en draaide zich om naar de vrouw.

'Ik denk echt niet...' begon ze en zweeg. De vrouw hield een hoge spiegel voor en Chloe staarde vol ongeloof naar haar eigen spiegelbeeld.

'Ziet er goed uit, hè?' zei de vrouw voldaan. 'Is sexy.'

Chloe keek met bonkend hart naar zichzelf en kon geen woord uitbrengen. Ze keek naar een vrouw van vijfentwintig. Een vrouw van vijfentwintig met lange benen en een gladde goudkleurige rug, die de eenvoudigste, meest sexy jurk droeg die ze ooit van haar leven had gedragen. Ze pakte instinctief haar haar en hield het omhoog in een knot.

'Precies.' De Spaanse vrouw knikte goedkeurend. 'We doen een bloem in je haar. En misschien moet je een sjaal hebben voor 's avonds... Heel chic.' Ze keek Chloe aan in de spiegel en wierp haar een vrouwen-onder-elkaar glimlach toe. 'Zie je wel... misschien ben je toch niet zo oud als je dacht.'

Chloe glimlachte zwijgend terug. Ze voelde een idiote lichtheid in zich opkomen, ze kon in ieder moment in een giechel uitbarsten.

De vrouw haalde een zijden lelie uit een mand, liep naar voren, pakte het haar uit Chloe's hand, maakte er een wrong van en zette het vast. Ze keek nadenkend naar Chloe's spiegelbeeld en stak haar hand uit naar een rek met zonnebrillen.

'Dit maakt het compleet.' Ze zette een zonnebril met een schildpadmontuur op Chloe's neus. 'Nu ben je echt een filmster.'

Chloe keek vol ongeloof naar zichzelf. Een mysterieus blond meisje keek koel naar haar terug.

'Dit ben ik niet,' zei ze en begon te lachen. 'Dit ben ik niet!'

'Je bent het wel,' zei de Spaanse vrouw. Ze glimlachte naar Chloe en voegde er met een overdreven Amerikaans accent aan toe: 'Geloof het maar, *baby*.'

Een kwartier later liep Chloe de winkel uit met de strakke zwarte jurk, de zonnebril en een nieuw paar elegante sandalen met smalle bandjes. Ze had met een creditkaart voor het zaakje betaald, zonder zelfs maar de moeite te doen om uit te rekenen hoeveel ze uitgegeven had. De vrouw had aangeboden haar oude kleren in een tasje te doen, maar Chloe had haar hoofd geschud en zonder wroeging toegekeken hoe ze in de vuilnisbak verdwenen.

Terwijl ze over straat liep, werd ze zich ineens bewust van haar lichaam dat aan de zon blootgesteld werd, aan de blikken van de mannen om haar heen. Haar gang werd uitdagender en ze begon zachtjes te neuriën. Ze was deels aan het toneelspelen – maar slechts deels. Een ander deel van haar reageerde ook op de frustraties van de afgelopen dagen en snakte oprecht naar de bewonderende blikken van vreemde mannen. Ze liep langs drie jonge Spanjaarden die op een stoepje zaten en wierp hen bij wijze van experiment een zwoele blik toe. Toen ze begonnen te fluiten, voelde ze zich triomfantelijk; ze genoot zo van zichzelf dat ze in lachen kon uitbarsten. Ze voelde zich jonger dan ze in jaren had gedaan, en vol vitaliteit. Bruisend van mogelijkheden. In haar achterhoofd zeurde de gedachte dat ze een man en twee zoons had – maar ergens in de verte, als vanaf de overkant van een in mist gehulde zee. Het enige wat ertoe deed was dit moment, het nu.

De muziek die ze al hoorde sinds haar aankomst op het plein werd steeds luider en toen ze naar een restaurant op de hoek af liep, realiseerde ze zich dat ze de bron had gevonden. Ze liep het koele, donkere, bijna verlaten restaurant binnen en het opzwepende ritme wekte in haar lichaam een verwachtingsvol gevoel. Ze wilde dansen, of dronken worden. Ze wilde volledig losgaan.

Uiterlijk kalm ging ze aan de zware houten tafel aan het raam zitten en bestelde een glas rode wijn. De eerste slok was het lekkerste wat ze ooit had geproefd. Ze at een olijf en deed haar ogen dicht terwijl ze luisterde naar het getokkel van gitaren en het Spaanse gebabbel aan de andere kant van het vertrek. Ze nam nog een slokje van haar wijn en nog een. Ze liet de alcohol haar in zijn greep nemen, haar langzaam van haar trossen bevrijden. De ene langzame slok na de andere, van de kant af raken en wegdrijven.

Toen ze het glas bijna leeg had, deed ze haar ogen open en keek om zich heen naar de barkeeper om nog een glas te bestellen. En terwijl ze dat deed, ging er een vreselijke schok door haar heen.

In een hoek van het restaurant zat Hugh Stratton haar stilletjes gade te slaan. Hij had een glas cognac voor zich en een schaaltje olijven en een krant, en zijn ogen waren op haar gericht.

Chloe's hart begon te bonken. Ze nam nog een slokje wijn om haar kalmte te hervinden, maar haar vingers om het glas beefden en haar lippen trilden.

Het is het onverwachte, zei ze bij zichzelf. Je verwachtte gewoon niet hem te zien. Je verwachtte helemaal niemand te zien die je kende.

Maar diep in haar binnenste begon iets de kop op te steken. Iets begon wakker te worden en zich uit te rekken en om zich heen te kijken. Ze wierp nog een snelle blik in zijn richting en hij keek nog steeds naar haar, zijn donkere ogen brandden in de hare alsof hij haar gedachten kon lezen. Alsof hij alles wist. Hij nam rustig een slokje cognac en zette zijn glas neer, zonder zijn blik van haar af te wenden. Chloe keek terug, bijna verlamd van angst, van verlangen.

De muziek stopte en een paar mensen in het restaurant applaudisseerden. Chloe noch Hugh verroerde zich. Een ober kwam Chloe's glas ophalen; ze zag hem niet.

Na een tijdje kwam Hugh overeind. Hij vouwde zijn krant op, liet hem op de tafel vallen en liep langzaam om de bar naar Chloe's tafeltje toe.

'Hallo,' zei hij ernstig en stak zijn hand uit. 'Mag ik mezelf voorstellen? Mijn naam is Hugh Stratton.'

Chloe keek naar hem op en haar hart ging steeds harder tekeer, als van een konijntje. 'Hallo,' zei ze ten slotte met schorre stem. Ze pakte langzaam zijn hand en terwijl zijn vingers de hare omsloten, begon haar lichaam helemaal te tintelen. 'Mijn naam is Chloe. Ga... zitten.'

8

Philip zat aan een cafétafeltje in Puerto Banus veel te dure cappuccino te drinken en naar het goedgeklede publiek te kijken dat door de zonovergoten straat flaneerde. Sommigen keken in chique etalages, anderen vergaapten zich aan de jachten die rij na rij in de jachthaven lagen. Een griezelig lage rode Ferrari reed tussen de voetgangers door, niet ongeduldig, maar op een rustige, ontspannen manier, alsof de auto zelf van het uitzicht genoot.

Hij had hier niet heen willen gaan; hij had de bergen in willen rijden en een paar Andalusische dorpjes die in zijn gids stonden verkennen. Hij had zich voorgesteld dat hij op een schaduwrijke binnenplaats zou zitten, onder een olijfboom, waar hij de Spaanse geuren en beelden en taal zou opsnuiven. Maar de jongens wilden naar de kust. Met name Sam had geëist om eens iets van leven te zien na de verveling van de villa. Dus zaten ze hier, onder de verschroeiende zon, omringd door glitter en glamour en allerlei Europese talen. De jongens hadden hun glas leeg en slenterden naar de jachten; hij wist dat ze nu ieder moment zouden vragen of ze een van de spelletjeshallen binnen mochten.

Een vrouw liep langs in een walm van parfum en Philip trok een gezicht. Hij wou dat Chloe bij hem was. Ze zou samen met hem mensen hebben gekeken; ze zou een schopje tegen zijn voet hebben gegeven om die man daar aan te wijzen met die dikke buik en het toupet en de met diamanten afgezette Rolex. Ze zou geglimlacht hebben en hij zou geglimlacht hebben en ze zouden niets gezegd hebben.

Philip voelde automatisch weer aan het kleine pakje in zijn zak. Hij had een cadeautje voor Chloe gekocht in een van de winkels die de jongens en hij binnengeslenterd waren. Een dun gouden kettinkje met een druppel als een traan eraan. Hij was niet van plan geweest iets te kopen – maar hij had het gezien en onmiddellijk aan Chloe's slanke hals, haar fraai gevormde botten, haar romige huid gedacht.

Philip deed zijn ogen dicht en masseerde zijn voorhoofd. Hij wilde boete doen, hij wilde alles weer goedmaken. Door de onzekerheid van zijn baan werden ze verschillende richtingen uit gedreven, stonden ze onder grote druk. Hij had nooit mogen zeggen wat hij de avond ervoor had gezegd. Hij had niet naar haar moeten uitvallen, hij had niet dronken mogen worden. Tegelijkertijd meende hij wel een deel van wat hij had gezegd. Hij ging anders met problemen om dan zij. Hij was niet zo doortastend als Chloe. Dat waren maar weinig mensen.

De eerste keer dat hij haar ontmoette, was ze hem onmiddellijk opgevallen tussen de anderen. Hij had erin toegestemd om tijdelijk een avondcursus voor een vriend over te nemen en was tot de ontdekking gekomen dat hij een volkomen nieuwe lichting studenten moest verwelkomen.

'Ik ben niet jullie vaste leraar,' had hij aangekondigd, 'maar de eerstvolgende paar weken ga ik jullie kennis laten maken met dit fascinerende – en onderschatte – onderwerp.' Hij had geglimlacht en er was een waarderend gegniffel door het lokaal gegaan. De enige die niet geglimlacht had was een meisje dat bijna vooraan zat met blond haar en heldere blauwe ogen. Ze had haar hand opgestoken en hij had naar haar geknikt, blij een excuus te hebben om naar haar te kijken.

'Maar u weet toch wel waarover u het heeft, hè?' Ze keek hem, nogal fel, recht in de ogen. 'Ik moet een kinderoppas betalen om naar deze cursus te kunnen komen. Ik wil niet een of andere invaller die me niet kan leren wat ik moet weten.'

Philip had haar recht aangekeken, onder de indruk van haar pit.

'Ik zal u geruststellen,' had hij gezegd. 'Ik ben afgestudeerd als accountant en ik werk nu vier jaar voor een bank. Het enige waar ik goed in ben is boekhouden. Maar als u liever op uw vaste leraar wacht of een andere cursus wilt volgen...'

'Nee,' was het meisje hem op koele toon in de rede gevallen. 'Het is goed. Laten we maar beginnen.'

Na die woordenwisseling had hij het moeilijk gevonden om zijn ogen van haar af te houden. Onder het mom van het zoeken naar een voorbeeld om in de les te gebruiken had hij haar gevraagd waarom ze wilde leren boekhouden en had te horen gekregen dat ze kleermaakster was die haar eigen bedrijfje vanuit huis wilde opzetten. Later, tijdens de koffiepauze, kwam hij erachter dat ze alleenstaand was en dat ze een graad – een betere graad dan hij – van het Courtauld Institute had.

'Je zou ergens een goedbetaalde baan kunnen krijgen,' had hij voorzichtig gezegd. 'Zodat je je een kindermeisje zou kunnen veroorloven of kinderopvang...'

'Ja, waarschijnlijk wel,' had ze schouderophalend geantwoord. 'Maar wat zou dat voor zin hebben?'

'Daar zit wat in,' had hij gezegd en had een slok koffie genomen terwijl hij zich afvroeg hoe snel hij haar mee uit kon vragen.

Uiteindelijk had hij tot de laatste les gewacht om voor te stellen op een avond samen een pizza te gaan eten. Ze had hem een tijdje peinzend aangekeken en toen geknikt. Philip had een geamuseerde uitdrukking over zijn gezicht voelen glijden.

'Weet je het wel zeker?' had hij schertsend gevraagd.

'Ja,' zei Chloe serieus. 'Dat is het nu juist. Ik moet wel.'

Sam had vanaf het prille begin deel uitgemaakt van hun relatie. In de pizzeria had ze een beetje uitdagend foto's van haar zoontje tevoorschijn gehaald en hij had hem oprechter bewonderd dan hij van zichzelf had verwacht. Toen hij tegen het einde van de maaltijd had gevraagd of ze nog een afspraak met hem wilde maken, had ze geknikt en gezegd: 'Zondag.' Ze had een beetje gebloosd. 'In het park. Dan neem ik Sam mee.' En haar blauwe ogen hadden hem strak aangekeken, hem tartend het er niet mee eens te zijn.

Een paar maanden later – tegen die tijd woonde hij praktisch bij haar en maakten ze plannen voor een vakantie samen – had hij haar plagerig herinnerd aan haar gretigheid om Sam aan hem voor te stellen. Hij merkte tot zijn verbazing dat hij een gevoelige snaar raakte.

'Ik wilde je niet met hem overvallen,' zei ze stijfjes en wendde haar gezicht af. 'Ik wilde niet dat je zou denken dat hij een soort... geheim was.'

'Nou, je hebt er goed aan gedaan,' had hij gezegd en was snel naar haar toegegaan om haar in zijn armen te nemen. 'Bij alle tweede afspraakjes zouden jonge kinderen betrokken moeten zijn als onderdeel van het variété.' Hij had met een uitgestreken gezicht zijn schouders opgehaald. 'Eerlijk gezegd kun jij tamelijk saai zijn in je eentje.'

'Hou je mond,' zei ze half lachend. 'Gek.'

Eerlijk gezegd was Philip bijna net zo snel verliefd op Sam geworden als op Chloe. Wie zou niet verliefd worden op zo'n vriendelijke, energieke, opgewekte driejarige? Een driejarige die naar het zondagmiddagvoetbal kwam en brulde van opwinding iedere keer dat jij de bal had, die midden in de winter om een ijsje vroeg, die zich iedere keer liefdevol aan je been vastklampte als je wegging? De eerste keer dat hij Philip 'papa' noemde, was Philip doodstil blijven staan en had hij naar Chloe gekeken. Maar ze wilde hem niet aankijken, wilde geen antwoord voor hem geven. Haar gezicht had strak gestaan, ademloos, wachtend.

'Papa?' had Sam opnieuw gezegd.

'Ja?' had Philip zichzelf tegen Sam horen zeggen, zijn stem een tikje hoger van emotie. 'Wat is er, Sam?'

'Kijk.' Sam had naar een of ander naamloos ding in de verte gewezen en Philip had net gedaan of hij zijn uitgestoken vinger volgde. Maar zijn ogen waren op Chloe gericht, op het roze dat langzaam over haar wangen kroop. Ze had hem aangekeken en hij had vragend zijn wenkbrauwen opgetrokken. En ze had heel langzaam geknikt.

Ze praatten zelden over Sams echte vader. Ze praatten zelden over het verleden, punt. Er moesten andere vriendjes zijn geweest, maar daar hadden ze nooit over gepraat. Het enige wat hij wist was dat Chloe een hoop verdriet in haar leven had gehad. Ze had een keer tegen hem gezegd dat ze met hem opnieuw wilde beginnen – de lei schoonvegen. Hij had er niets tegenin gebracht. Alles wat hij maar kon doen om haar te helpen, zou hij doen.

Een bekend, schor gelach onderbrak zijn gedachten en hij keek op. Eerst kon hij zijn zoons niet zien, maar toen Sam weer lachte, zag hij hen. Hij schrok. Tot zijn stomme verbazing waren ze diep in gesprek met een vrouw van een jaar of veertig. Ze droeg een strak wit pak, had gebleekt blond haar, droeg een goudkleurig tasje aan een ketting en zag eruit alsof ze bij een van de grotere, glimmende jachten hoorde.

Terwijl Philip toekeek, grijnsde Sam, trok zijn T-shirt op en wees naar het logo op de tailleband van zijn surfbroek. Philip kwam haastig overeind en stak de weg over.

'Het spijt me,' zei hij terwijl hij op de vrouw af liep. 'Mijn zoons hebben u lastiggevallen.'

'Helemaal niet,' zei de vrouw met een Scandinavisch accent. 'Ze zijn juist charmant geweest. Heel leuk.' Ze glimlachte naar Philip.

'Nou, ik ben blij het te horen,' zei Philip onbeholpen. 'Maar we moeten hoognodig gaan, dus –'

'Ik bood Agnethe net iets te drinken aan,' zei Sam onverschrokken. 'Zullen we er met zijn allen één nemen?'

'Sam!' riep Philip half geschrokken, half geamuseerd uit. 'Ik denk echt niet…' Hij keek naar Agnethe in de verwachting dat ze hem met een weigering zou bijvallen, een afwijzing waar hij dankbaar gebruik van zou maken om de jongens mee te tronen. Maar er speelde een glimlach om haar mond en toen hij naar haar keek, trok ze uitnodigend haar wenkbrauwen op. Philip voelde dat hij een beetje bloosde. 'We moeten echt gaan,' zei hij kortaf. 'Kom, jongens.'

'Dag, Aggie,' zei Nat toen ze wegliepen en Philip keek hem met een wanhopig gezicht aan. 'Ze zei dat ik haar Aggie mocht noemen,' wierp Nat verdedigend tegen. 'Ik kon haar naam niet goed uitspreken.'

'Agnethe,' zei Sam genietend. 'Agnethe de engel. Ik heb met haar geflirt.'

'Nou, dat hoop ik toch niet.'

'Nou, wel waar. Ja, hè, Nat? Ze had er best zin in,' voegde hij er voldaan aan toe.

'Sam!' zei Philip.

'Hij flirtte echt met haar,' bevestigde Nat. Zijn blik dwaalde naar een plastic uithangbord vlakbij en hij begon langzamer te lopen. 'Pap?'

'Wat?' Philip keek op zijn zoon neer en vroeg zich af of Nat op een dag ook vreemde vrouwen die vijfentwintig jaar ouder waren dan hij zou benaderen en vragen of ze iets wilden drinken. Op de een of andere manier kon hij het zich niet voorstellen.

'Mag ik een zak friet?'

'Oké,' zei Philip. 'Ieder een zak friet.' Hij voelde aan het pakje in zijn zak. 'En dan gaan we terug naar mam.'

Chloe zat tegenover Hugh, met bonkend hart en amper in staat om adem te halen. Ze voelde zich bijna duizelig van de zon op haar gezicht, van de drie glazen wijn die ze gedronken had, van het gevoel van zijn ogen als stille vragen op haar gericht. Iedere keer dat zijn hand langs de hare streek, maakte haar hart een sprongetje. Diep binnenin zich voelde ze een meer elementair, primitief ritme. Een eb en vloed van verlangen dat met de seconde sterker werd.

Ze hadden nauwelijks drie opmerkingen gewisseld sinds Hugh was gaan zitten. In de stilte die tussen hen in hing was een woordenloze, zwijgende dialoog gegroeid die geleidelijk steeds intiemer, steeds intenser was geworden. Ieder gebaar, iedere blik had betekenis. En er bestond geen enkele twijfel over wat die was.

Hugh had wat eten besteld. Het lag onaangeroerd tussen hen in.

Het restaurant stroomde vol met mensen en buiten op de binnenplaats was een groep gitaristen begonnen een nieuw opzwepend ritme te spelen. De lucht was bedwelmend tegen Chloe's huid: een cocktail van warmte en licht en sensueel getokkel waarop haar lichaam mee wilde bewegen. Wanneer ze haar ogen dichtdeed, rook ze een geurige mix van knoflook, tijm en rozemarijn. En van tegenover haar een heel lichte zweem van Hughs aftershave. Na al die jaren had zijn huid nog dezelfde droge, muskusachtige geur.

Bij de gedachte ging er een scheut van verlangen door haar heen, zo krachtig dat ze ervan schrok. Ze nam een slokje wijn en nog een, en toen ze opkeek, zag ze dat hij naar haar keek. Hun blikken grepen in elkaar in een gebaar van erkenning. Chloe probeerde te slikken en merkte dat het niet lukte. Hugh schonk stilletjes haar glas bij. Een ober haalde het onaangeroerde eten weg; ze keken geen van beiden op.

'Het is lastig om te praten,' zei Hugh na een tijdje. 'Met de muziek en de...' Zijn stem stierf weg en hij staarde fronsend naar de tafel alsof hij een wiskundig probleem aan het oplossen was. Toen keek hij op. 'Ik zou kunnen vragen of ze iets hebben dat... meer privé is.'

Het was stil. Toen knikte Chloe heel langzaam.

Terwijl de auto terug de bergen inreed, zakte Sams stemming tot het nulpunt. Hij had genoten van het geslenter over de boulevard die ochtend, van het kijken naar de rijke, hippe vrouwen en het begeren van de auto's van hun echtgenoten. Nu was het terug naar het zwembad en de zielige keus aan kabelzenders.

'Gaan we naar San Luís?' vroeg hij toen ze voorbij het bord reden. 'Om te zien hoe het is?'

'Nee, niet nu. Ik wil terug naar de villa.'

'Maar het is zo saai.'

'Als je het saai vindt, Sam,' zei Philip, 'dan kan ik er gemakkelijk voor zorgen dat je iets te doen krijgt.'

Sam trok een gezicht en liet zich met een plof achterovervallen.

Ze naderden het ijzeren hek dat van de weg naar de stoffige akker leidde en hij wierp een lusteloze blik uit het raam. Tot zijn verbazing zag hij door het ijzeren traliewerk Jenna's gezicht. Ze wierp haar hoofd achterover en lachte en... rookte? En er was nog een hoofd bij haar. Ze was met mensen.

Allemachtig, dacht Sam, terwijl hij weer achteroverleunde. Er is iets gaande. Er is iets leuks gaande. En ik ga er verdorie aan meedoen. Terwijl Philip de auto op de oprijlaan zette, keek hij op zijn horloge en toen naar Nat.

'Ik geloof dat *The Simpsons* zijn, op Channel 9,' zei hij terloops. 'Een dubbele aflevering.'

'Cool!' zei Nat.

'Televisie?' vroeg Philip ongelovig.

'*The Simpsons,* pap,' zei Nat die met zijn ogen naar Sam rolde en snel uitstapte.

Sam stapte ook uit, maar liep Nat niet achterna het huis in. Hij bukte zich nonchalant om de veters van een van zijn sportschoenen opnieuw te strikken en keek hoe Nat in het huis verdween. Een ogenblik later liep Philip weg, langs het huis naar het zwembad, en Sam kwam overeind. Hij bekeek zichzelf even in de autoruit, draaide zich om en liep naar de akker.

Hij zag ze onmiddellijk. Jenna en die Spaanse knul die naar het hek had gespogen zaten op de grond en deelden een sigaret. En bij hen – Sams hart begon harder te kloppen – een meisje. Een Spaans meisje van een jaar of zestien, gekleed in een strakke spijkerbroek en een zwart T-shirt.

Toen hij dichterbij kwam, voelde hij zich een beetje onzeker. Beide Spanjaarden keken een beetje geringschattend naar hem. Wat had ze hun over hem verteld?

'Hoi,' zei Jenna toen hij binnen gehoorsafstand was. 'Waar ben je geweest?'

'Puerto Banus.'

Jenna haalde haar schouders op om aan te geven dat dit haar niets zei.

'Hier,' zei ze. 'Neem maar een trekje.' Toen ze hem de sigaret aangaf, zag hij tot zijn verbazing dat het een joint was.

'Mag je…' Hij schraapte zijn keel. 'Is dat niet net zoiets als drinken onder het werk?'

'Ik ben niet aan het werk.' Jenna klonk laatdunkend. 'Ik heb een vrije middag en wat ik doe is mijn zaak. Oké?' Haar ogen fonkelden dreigend naar hem en hij slikte.

'Ja natuurlijk.'

Ze keek hem aan en begon toen te glimlachen.

'Hé, vergeet het maar. Ik weet dat je me nooit zou verlinken. Toch, Sam?' Ze ging met een teder gebaar met haar vinger over zijn borst. 'Mmm, wat een lekker lijf.' Ze gebaarde naar de joint. 'Toe maar, neem maar een trekje.'

Sam nam een trekje, en dankte de hemel dat hij al eens wiet gerookt had en zodoende niet helemaal als een watje overkwam, zoals sommige knullen op school. Jenna keek aandachtig toe, alsof ze iets anders zocht waarom ze hem zou kunnen uitlachen – en wierp hem toen een scheef lachje toe.

'We moeten gaan,' zei het Spaanse meisje dat opstond en op het grote mannenhorloge keek dat ze droeg. Sam keek ontsteld op.

'Waarom?' zei hij. 'Blijf toch!'

'Sorry.' Het meisje haalde haar schouders op. 'Doei, Jenna.'

'Doei,' zei de jongen.

'Tot kijk,' zei Jenna.

Sam keek hen na terwijl ze naar het hek liepen en toen de weg op schoten.

'Wie waren dat?' vroeg hij na een korte stilte.

'Zij?' zei Jenna. 'Ze heten Ana en José,' zei ze. 'Ze wonen even verderop. Hun moeder maakt hier schoon.'

'Juist,' zei Sam. 'Waarom waren ze –'

'We hadden een kleine... transactie af te handelen,' zei Jenna en wierp hem een lome glimlach toe.

'O.' Sam trok nijdig aan de joint en staarde naar de droge aarde. Waarom was hij niet eerder gekomen? Dit was zo verdomde oneerlijk.

'Ik heb een heleboel van hen gehoord,' zei Jenna die haar gelakte teennagels zat te bestuderen. 'Héél interessante dingen.'

'O ja?' vroeg Sam en keek op. 'Over het nachtleven?'

'Nee,' zei Jenna, die naar hem keek alsof hij gek was. 'Over onze gastheer, Gerard Hoe-heet-ie. En deze heel ingewikkelde toestand waarin we ons bevinden.' Ze nam de joint van hem over, nam een trek en keek hem onderwijl genietend aan. 'Jij dacht dat het een foutje was, hè, dat onze twee gezinnen hier tegelijkertijd aankwamen.'

Sam keek haar waakzaam aan.

'Nou – ja,' zei hij. 'Het wás ook een foutje.'

Jenna blies een rookwolk uit en schudde haar hoofd.

'O nee. Het was geen foutje. Gerard heeft het gepland.'

'Wat bedoel je met, hij heeft het geplánd?'

'Ik bedoel,' zei Jenna alsof ze het tegen een heel suf iemand had, 'dat hij jullie erin geluisd heeft. Hij heeft de twee gezinnen expres dezelfde week uitgenodigd en toen net gedaan of het een ongelukje was.'

Sam keek haar aan. Liep ze hem nu weer op te fokken om hem vervolgens volkomen te vernederen?

'Hoe weet je dat?' vroeg hij argwanend.

'Gerard heeft tegen hun moeder gezegd dat hij deze week acht mensen in de villa verwachtte. Dat ze een heleboel eten moest inslaan.'

'Nou en? Dat bewijst helemaal niks.'

'Kom op, zeg, Sam, denk eens even na. Acht is niet één enkel gezin, het is twee gezinnen. De hele toestand is duidelijk vooropgezet.' Jenna grinnikte. 'Het is een practical joke. En een goeie ook, als je het mij vraagt.' Sam keek haar woedend aan.

'Nee, helemaal niet!' zei hij. 'Om iemands vakantie te verpesten, gewoon voor de lol... Het is ziek! Ik kan me niet voorstellen dat hij zoiets zou doen.' Hij keek naar de weg, maar Ana en José waren verdwenen. 'Ze lopen de boel gewoon op te fokken. Ze hebben duidelijk een hekel aan Gerard.'

'Ze haten hem,' beaamde Jenna. 'Blijkbaar liep er een voetpad over dit land dat Gerard afsloot toen hij het huis kocht. Iedereen hier haat hem.'

'Nou, zie je wel.'

'Maar dat verandert niets aan de feiten.' Jenna's ogen fonkelden. 'Gerard wist dat jullie tegelijk zouden aankomen en hij deed net alsof hij dat niet wist. Wat zit er achter?' Ze nam een lange trek van de joint. 'O, en blijkbaar komt hij hier zelf ook heen.'

'Hij komt híerheen?' Sam keek haar vol ongeloof aan en ze haalde haar schouders op.

'Dat zei Ana.'

Sam trok een gezicht. 'Volgens mij is het allemaal gelul. Waarom zou hij dat doen?'

'Wie weet?' zei Jenna. 'Hij heeft vast het idee dat er iets gaat gebeuren.' Ze grinnikte gemeen. 'Misschien denkt hij dat jullie ruzie gaan maken.' Sam schudde zijn hoofd.

'Dat slaat nergens op. Ik bedoel, we zijn vreemden voor elkaar. Onze families kennen elkaar niet eens.'

De kamer was helemaal bovenin, ruim en licht met eenvoudig houten meubilair en een ouderwets hoog bed. Er zat geen badkamer bij en toen de eigenaar van het restaurant de sleutel overhandigde, legde hij uit dat dit de reden was dat de kamer niet populair was bij de toeristen. Maar misschien dat hij voor señor...

'Hij is prima,' was Hugh de man in de rede gevallen. 'Dank u wel.'

Ze waren zwijgend de smalle, krakende trap opgegaan, weg van de geluiden van het restaurant, weg van de rest van de wereld. Toen de deur achter hen dichtsloeg, voelde Chloe diep van binnen een trilling, als het gerommel van de donder in de verte. Als de aarde die scheurde op een of andere verre, onbekende plek.

De gitaarmuziek van beneden trilde door de vloer heen, door haar voetzolen in haar aderen. De mensen beneden, in de echte wereld, waren nog steeds aan het lachen en eten en praten. Terwijl Hugh en zij onder de balken in de bleke stilte een klein eindje uit elkaar stonden, zonder naar elkaar te kijken, wachtend.

Hugh stak langzaam zijn hand uit en legde hem op haar schouder, en Chloe voelde hoe ze bijna stikte van emotie. Ze deed haar ogen dicht en beet op haar lip om het niet uit te schreeuwen. Maar ze verroerde zich niet. Zolang ze het kon verdragen, verroerde ze zich niet.

Na een tijdje keerde ze zich naar hem toe. Hugh legde zijn andere hand om haar middel en langzaam begonnen ze heen en weer te wiegen, op het ritme van de muziek, steeds dichter naar elkaar toe tot ze elkaar bijna aanraakten. Hugh draaide zijn hoofd en streek licht met zijn lippen langs de hare, en een nieuwe golf van begeerte overspoelde haar. Ze maakte zich van hem los; zichzelf kwellend door het uit te stellen, genietend van de wetenschap van wat er zou komen.

Op de binnenplaats beneden kwam de gitaarmuziek ten einde en er volgde een stilte. Een ogenblik lang bewogen ze geen van beiden; de stilte leek om Chloe's hoofd te zingen. Toen raakte Hughs mond de hare weer, resoluter, hartstochtelijker. En ditmaal kon ze niet anders dan reageren. Toen de muziek beneden weer begon, was ze verloren; ze verkende en herontdekte, beroerde en herinnerde en verlangde. Uiteindelijk riep ze zijn naam uit, snikte en kwam neer als een veer die langzaam op de grond dwarrelt.

9

Het was alsof ze een eeuwigheid roerloos in de stilte lagen. Half wakker, half slapend. Verstrengeld in een gedeelde warmte terwijl het om hen heen langzaam koeler werd. Toen Chloe met haar ogen knipperde, zich bewoog en om zich heen keek, zag ze dat de kamer, tegelijk met al het andere, veranderd was. Het felle witte licht was zachter geworden. Lange gouden schaduwen strekten zich uit over de vloer. Buiten waren de gitaren opgehouden en een paar Spaanse meisjes dekten de tafeltjes voor het diner en kletsten met elkaar.

Een ogenblik lang voelde ze zich te zwaar om in beweging te komen. Ze voelde zich sloom en lui en onwillig. Ergens aan de horizon van haar bewustzijn was de wetenschap dat er een wereld buiten deze kamer was, een bestaan dat ze niet wilde bevatten of erkennen. Enkele minuten lang bleef ze roerloos naar het plafond staren, zwevend in een niet-werkelijkheid.

Toen, met de wilskracht die haar door het leven gevoerd had, kwam ze overeind. Zonder naar Hugh te kijken stond ze op en liep langzaam naar de plek waar haar jurk op de vloer gegooid was. Haar nieuwe strakke zwarte jurk. Toen ze hem opraapte, wist ze dat ze hem niet meer wilde aantrekken, dat het openlijk uitdagende ervan haar nu zou storen. Maar ze had geen keus, ze had niets anders om aan te trekken.

'Chloe.' Hughs stem klonk tegen haar achterhoofd. 'Chloe, wat ben je aan het doen?'

Ze draaide zich om naar het bed met de jurk in haar handen, keek hem een ogenblik zwijgend aan en zei toen: 'Ik ben me aan het aankleden.'

'Nee,' zei Hugh. Zijn donker wordende ogen keken haar aan. 'Nog niet.' Chloe sloot haar ogen even.

'We moeten gaan. Ik moet gaan.' Ze raapte haar ondergoed op, keek er een ogenblik naar en ging toen op de rand van het bed zitten. Hugh kwam naar voren en legde zijn hand op haar schouder.

'Ga niet weg,' zei hij. 'Doe niet weer je verdwijntruc. Dit keer niet.'

'Wat bedoel je daarmee?' zei Chloe geprikkeld. 'Wat voor verdwijntruc?'

'Je verdween altijd.' Hugh boog zich voorover en gaf haar een kus in haar hals. 'Je kleedde je altijd in het donker aan. Je verdween in de nacht. Ik wist niet eens waarheen.' Hij ging met zijn hand over haar borst en maakte zachtjes een kringetje om haar tepel. 'Wat ik het allerliefste wilde was de hele nacht met je slapen. Maar je ging altijd weg. Je was altijd ineens verdwenen.'

Chloe keerde zich langzaam naar hem toe.

'*Ik* was altijd ineens verdwenen,' zei ze en lachte ongelovig. 'Dat is een goeie, Hugh.' Ze maakte zich van hem los en stond op. '*Ik* was altijd ineens verdwenen.'

Haar woorden doorkliefden de warme lucht als een uitdaging. Als de eerste incisie. Ineens leek de lucht tussen hen bedompt, alsof iemand aan een touwtje had getrokken en een raam had dichtgedaan. Chloe wendde haar gezicht van Hughs strakke blik af, vond haar schoenen en zette ze naast elkaar op de vloer, klaar om er in te stappen, klaar om weg te lopen. Ze keek ernaar en voelde de emoties achter haar ogen prikken. Vijftien jaar aan emoties die als warme handen tegen haar wangen en mond drukten, die haar dreigden te verscheuren.

'Ik zou wel een sigaret willen,' zei ze abrupt. 'Die heb je zeker niet.' Ze keerde zich naar Hugh en zag dat hij met een vreemd uitdrukkingloos gezicht naar haar keek.

'Er gaat geen dag voorbij dat ik niet betreur wat ik gedaan heb, Chloe,' zei hij zachtjes. 'Geen dag.'

'Of een borrel,' zei Chloe. Ze slikte moeizaam terwijl ze haar best deed haar zelfbeheersing te bewaren. 'Een borrel zou ook goed zijn.'

'Ik was nog jong,' zei Hugh. 'Ik was niet degene die ik nu ben. Ik wist niets van kinderen of gezinnen of wat ook. Ik wist helemaal niets.' Hij stopte alsof hij probeerde na te denken. 'Toen ik Sam op dat kleed zag zitten – toen ik besefte wat je geprobeerd had me te vertellen – raakte ik in paniek.' Hij keek haar aan, zijn ogen vol van een harde eerlijkheid. 'Ik was twintig, Chloe. Twíntig. Maar vier jaar ouder dan Sam nu is. Ik dacht dat een baby in mijn leven... ik weet het niet. Alles zou bederven. In de weg zou staan bij...' Zijn stem stierf weg.

'Het bereiken van succes,' vulde Chloe aan. 'Je fantastische carrière. Nou, je had waarschijnlijk wel gelijk. Dat zou het waarschijnlijk ook hebben gedaan.' Ze schonk hem een ironisch glimlachje. 'Je hebt het helemaal goed gespeeld, Hugh. Voor jezelf.'

'Nee,' zei Hugh. 'Ik heb het niet goed gespeeld.' Hij keek haar nuchter aan. 'Ik heb het niet goed gespeeld.'

Er viel een gespannen stilte. Chloe's maag kromp ineen van angst. Voor een boodschap vanuit haar innerlijk die haar in een richting trok waar ze niet eens naar mocht kijken, die haar naar een glibberige tunnel sleurde die snel naar beneden afboog en naar een volkomen andere plek voerde.

'Ik moet gaan,' zei ze terwijl ze zich omdraaide en naar haar sandalen tastte. Het leer drukte pijnlijk in haar voeten toen ze ze aantrok, maar ze vertrok geen spier. Ze had die scherpte nodig, ze moest geknepen worden om naar de realiteit terug te keren.

'En als je dat nou niet deed?' zei Hugh. 'Als we hier nu eens de hele nacht bleven?' Hij stond op en liep naar haar toe, met zijn ogen strak op haar gericht. 'Als we nu eens voor het eerst van ons leven vannacht bij elkaar zouden slapen, Chloe? Wat zou er dan gebeuren? Zou de aarde splijten?'

Chloe voelde een steek in haar borst, een verlangen dat haar dreigde te overweldigen.

'Hou op,' zei ze. 'We kunnen niet...' Ze wreef over haar gezicht. 'We moeten gaan. We moeten terug naar –'

'Ik hou van je,' zei Hugh.

Ze bleef een ogenblik roerloos staan.

'Je houdt niet van me,' zei ze ten slotte en wendde haar gezicht af. Haar stem voelde verstikt en zwaar aan, haar gezicht warm.

'Ik hou van je, Chloe.' Hij streek de verdwaalde lokken van haar voorhoofd. 'Ik hou van je. En ik wil de hele nacht met jou naast me slapen. Ik wil wakker worden terwijl ik jou in mijn armen houd.'

'Dat kan niet,' zei Chloe met zachte, hese stem. 'We hebben geen keus.'

'We hebben wel een keus.' Hugh hief zachtjes haar kin tot ze hem recht in de ogen keek. 'Chloe – we zouden opnieuw kunnen beginnen.'

Chloe keek hem lange tijd aan, zonder een woord te kunnen uitbrengen. Toen wendde ze zich zwijgend af en begon zich met trillende handen aan te kleden.

Philip zat op een ligstoel bij het zwembad een beetje te drinken, in het water te staren en zich af te vragen waar iedereen uithing. De hele villa leek uitgestorven. Chloe was nergens te bekennen, Sam was zonder iets te zeggen ervandoor gegaan, Nat, nam hij aan, zat ergens aan een televisie gekluisterd. En wat het andere gezin betrof, dat was helemaal spoorloos.

Hij nam een zorgeloze slok bier en ging lekker liggen. Dit was het deel van de dag waar hij op vakantie het meest van hield. De late middag, wanneer de brandende zon tot een warme gloed afnam en het water schakeringen blauw en goud weerspiegelde. Wanneer de mensen weer tot leven kwamen nadat ze de hele dag voor pampus in de zon hadden gelegen. Wanneer het energieniveau steeg en er glazen werden ingeschonken en de gedachten zich genoeglijk richtten op de avond die voor hen lag.

Het was een goede dag geweest, vond hij. Hij was er weer eens aan herinnerd hoezeer hij van het gezelschap van de jongens genoot, hoe leuk en onderhoudend ze konden zijn. En het was voor hem goed geweest om eens even bij Chloe uit de buurt te zijn geweest. Hij had het gevoel alsof zijn problemen en pietluttige irritaties door de zeewind waren verdreven. Afstand had hem het perspectief gegeven dat hij nodig had. Vanavond zouden ze opnieuw beginnen. Misschien zelfs uit eten gaan.

Een geluid onderbrak zijn dwalende gedachten en toen hij opkeek, zag hij Amanda naar het zwembad toekomen. Ze had een stapel papieren en een mobiele telefoon bij zich en er lag een afgetobde uitdrukking op haar gezicht.

'Hallo,' zei ze kortaf en ging zitten.

'Hoi,' zei Philip. Even was het stil en toen keek hij op: 'Heb je een leuke dag gehad?'

'Eerlijk gezegd niet,' zei Amanda. 'Ik heb een vreselijke dag gehad. Beatrice is niet lekker en Jenna was vanmiddag verdwenen op het moment dat ik haar het hardst nodig had... En ik verkeer in een complete crisis met mijn verfvrouw.'

'Wat voor vrouw?' vroeg Philip met een vage glimlach.

'Mijn vrouw van de verfeffecten,' zei Amanda en keek hem strak en humorloos aan. 'In het huis. We laten een hoop aan het huis doen terwijl we weg zijn.'

'Ah,' zei Philip en nam een slok bier. 'Juist.'

'Ik heb haar vanochtend gebeld om te vragen hoe de zaken ervoor staan. Ik noemde de logeerkamer tussen neus en lippen door en zij begon over turkoois. Turkoois!' Amanda deed haar ogen dicht alsof de gedachte haar te veel was. 'Terwijl ik het specifiek over heel licht aquamarijn heb gehad.' Ze deed haar ogen open en keek naar Philip. 'Nu heb ik dus geen idee meer wát ze op onze muren zal kwakken. Het kan wel iedere kleur zijn. Ik heb haar de hele middag gefaxt, maar ze heeft niet de moeite genomen om antwoord te geven...'

'Het komt heus wel goed,' zei Philip. Hij dacht even na. 'Ik neem aan dat ze wel de juiste kleur gebruikt, maar hem alleen anders omschrijft.'

Amanda keek hem argwanend aan.

'Vind jij turkoois en aquamarijn dezelfde kleuren?'

'Nou,' zei Philip. 'Ze lijken heel erg op elkaar, toch? Voor... een leek.'

'Misschien wel.' Amanda zuchtte diep. 'Misschien heb je gelijk. Maar niet eens de moeite doen om mijn faxen te beantwoorden. Ik bedoel, dat is gewoon onbeleefd. Terwijl ik degene ben die ervoor betaalt, ik ben de klant...'

'Ik wist niet eens dat hier een fax was,' zei Philip in een poging om van onderwerp te veranderen. 'Deze villa heeft echt alles, hè?'

'Hij staat in die werkkamer die in de hal uitkomt,' zei Amanda. 'Er is een kantoortje ingericht.' Ze sloeg haar ogen ten hemel. 'Het verbaast me zelfs dat Hugh het nog niet opgeëist heeft.' Ze ging achteroverliggen op haar ligstoel en was een ogenblik stil. Toen zuchtte ze luidruchtig. 'God, ik ben uitgeput. Beatrice is de halve nacht wakker geweest. Ze wilde gewoon niet alleen gelaten worden. En ik heb de hele middag aan de telefoon gehangen –'

'Gaat het nu weer?' Philip kwam overeind. 'Ik bedoel, zal ik een dokter bellen of zo?'

'O nee,' zei Amanda met een flauwe glimlach. 'Dank je. Ze is gisteren een beetje te veel in de zon geweest. En vandaag was het nog warmer...'

'Blijkbaar was het vierendertig graden,' zei Philip. 'Ze noemen het een hittegolf. Al zou het hier in de bergen koeler moeten zijn...' Hij stak zijn arm omhoog in de warme, zware lucht.

'Nou, het was vandaag bloedheet,' zei Amanda. 'Ik heb de kinderen naar binnen moeten sturen.' Ze haalde een hand door haar haar. 'Godzijdank is er airconditioning. Anders zou ik Beatrice nooit meer in slaap hebben gekregen.'

'Nat was ook altijd een probleem op vakantie,' zei Philip meelevend. 'Hij kon maar nooit aan een nieuwe plek wennen.'

Hij keek naar Amanda en zag dat ze haar ogen dicht had. 'Misschien neemt Hugh het vanavond over,' zei hij. 'Zodat jij kunt uitrusten.'

'Hugh?' Amanda deed een oog open. 'Kom op, zeg. Hugh komt niet eens in de búúrt van de kinderen.'

'Echt waar?' Philip trok zijn wenkbrauwen op. 'Helemaal niet?'

'Hij is een echte workaholic. Hij komt nooit voor achten thuis. Ik ben het equivalent van een alleenstaande moeder.' Op de grond naast haar begon haar mobiele telefoon te piepen. 'O, verdomme,' zei Amanda terwijl ze overeind kwam. 'Wat willen ze nou weer?'

'Dan negeer je hem toch?' opperde Philip, maar Amanda nam al op.

'Hoi,' zei ze. 'Ja. Ja.' Het was even stil. 'Ja, dat is allemaal leuk en aardig, maar wat bedóelt ze met terracotta? Ja, ik zou haar even willen spreken als het niet te veel moeite is.'

Het was stil en ze rolde met haar ogen naar Philip.

'Kleurenproblemen?' zei Philip.

'Nou, echt waar, hoor, als ik geweten had dat het zoveel trammelant zou geven, zou ik het bij behang gehouden hebben. Dan zíe je tenminste wat je... hallo, Penny? Nou, het kan me niet schelen of ze naar huis gaat. Ik wil haar spreken!' Ze legde haar hand over het mondstuk. 'God, die mensen! Volslagen hopeloos. Ik bedoel, moet je mij zien. Wat voor vakantie heb ik nu?' Haar aandacht ging abrupt terug naar de telefoon. 'Hallo, Penny? Ja, ik wacht wel even. O, trouwens,' zei Amanda tegen Philip, 'er was vandaag een telefoontje voor je. Toen je weg was.'

Het duurde een paar seconden voor het tot Philip doordrong wat ze zei.

'Een telefoontje voor me?' echode hij dommig.

'Ik heb in de werkkamer opgenomen. Chris nog iets?' Er verscheen een lichte rimpel in Amanda's voorhoofd. 'Ik kan me de achternaam niet herinneren. Hij zei dat er nieuws was. Ik heb een nummer genoteerd... Hoi, Marguerite! Met Amanda Stratton. Zeg, ik wilde het eens even met je over die kleuren hebben.'

Philip keek strak voor zich uit en zijn hart ging tekeer. Zijn luchtige stemming verdween. In één klap leek al het perspectief dat hij in de loop van de dag had opgebouwd tot nul gereduceerd. Er was geen afstand meer, geen buffer, geen bescherming. Alleen maar gierende zenuwen.

Hij haalde diep adem en keek naar Amanda die, zich van geen kwaad bewust, in de telefoon praatte.

'Goed,' zei hij en probeerde een luchtige toon op te zetten, een goede show op te voeren voor het lege zwembad. 'Fijn dat je het me hebt laten weten. Ik eh... ga hem meteen maar even terugbellen.'

Toen Philip de villa binnenliep, maakte het gouden licht van buiten abrupt plaats voor een kille schemering. Hij deed de deur open naar het kleine werkkamertje – een kamer waar hij nooit eerder was geweest – en werd begroet door het ontnuchterende beeld van Gerards gezicht dat in alle mogelijke versies door de hele kamer afgebeeld hing. Het was te zien op een groot portret boven het bureau, op foto's die op een bijzettafeltje gerangschikt stonden, op een poster van een wijnfestival en het verluchtte verscheidene wijncolumns. Philip bleef staan bij een foto van Gerard naast een of andere beroemde kok terwijl hij een glas wijn naar de camera hief.

'Zelfvoldane lul,' zei hij hardop. Hij keek enkele ogenblikken naar de foto en liep toen naar de telefoon. Op weg erheen liep hij langs de fax en zag een paar vellen papier die bedekt waren met Amanda's handschrift, naar hij aannam.

NEEM ME NIET KWALIJK begon er een. HEEFT IEMAND ZOJUIST DE HOORN OP DE HAAK GESMETEN? DENK ERAAN DAT JE IN MIJN HUIS BENT EN MIJN MUREN SCHILDERT.

Ondanks zijn zenuwen merkte Philip dat hij flauw glimlachte. Hij ging achter het bureau zitten, haalde een paar keer diep adem en pakte de telefoon. Hij toetste Chris' privénummer uit zijn hoofd in en nadat de telefoon een paar keer was overgegaan, werd er opgenomen.

'Hoi, Chris,' zei hij en deed zijn best om ontspannen te klinken. 'Met Philip.'

'Philip. Hoi, fijn dat je belt.' Philip stelde zich zijn adjunct-directeur voor die met een biertje in zijn hand in zijn keuken stond. 'Moet je luisteren, ik wilde je niet aan het schrikken maken. Ik dacht alleen dat je wel het laatste nieuws zou willen horen, aangezien je me gevraagd had je op de hoogte te houden.'

'Jazeker,' zei Philip die zich enigszins opgelucht voelde. 'En – wat is het nieuws?'

'Blijkbaar zijn de aanbevelingen van Mackenzie binnen,' zei Chris.

'Juist,' zei Philip terwijl hij de angst die door zijn lichaam stroomde probeerde in te dammen. Iedereen had het al zo lang over die kloteaanbevelingen dat ze de afmetingen van een of ander mythisch monster hadden aangenomen. Medusa, de Minotaurus, de aanbevelingen van Mackenzie. Na drie gemiste deadlines geloofde hij al bijna niet meer dat ze ooit nog zouden komen.

'En – weten we al wat erin staat?'

'Nee,' zei Chris. 'We hebben geen flauw idee. En de vent die erover gaat is tot volgende week met vakantie.'

'O, lekker,' zei Philip. Hij keek naar een foto van Gerard die de hand van een of ander onbelangrijk lid van het koninklijk huis kuste en wendde zijn blik weer af. 'Dus we wachten nog steeds.'

'Daar ziet het wel naar uit, ja. Maar ik neem aan dat we één stadium dichter bij de ontknoping zitten.'

'Tja,' zei Philip. Hij realiseerde zich ineens dat zijn hand waarin hij de hoorn hield zweette. 'Nou, bedankt dat je me op de hoogte hebt gebracht, Chris. Weten de anderen het ook?'

'O ja, iedereen weet het,' zei Chris. 'Er hangt hier best een opgewekte stemming. Angela heeft vijfhonderd handtekeningen op haar petitie.'

Philip glimlachte. PBL mocht hen dan wel willen lozen, maar ze zouden zich niet zomaar gewonnen geven. Chris was bijna nog verontwaardigder over de hele gang van zaken dan hij. Hij was degene die aan de petitie had gedacht, hij was het die klanten aangespoord had om naar PBL te schrijven om hun steun aan het filiaal te betuigen.

'Mooi zo!' zei Philip. 'Nou, hou vol.'

'Dat zullen we zeker,' zei Chris. 'En ik hoop dat je van de rest van de vakantie zult genieten. Je weet nu in ieder geval dat er niets zal gebeuren terwijl je weg bent.'

'Daar zit wat in,' zei Philip. 'Bedankt, Chris.'

'Tot kijk, Philip. Veel plezier.'

Philip legde de telefoon neer en staarde stilletjes naar het dure hout van Gerards bureau. Het was verdomme een marteling. Langzaam maar zeker op weg naar een beslissing die niets betekende voor die klootzakken van PBL. Die alles betekende voor hem, voor zijn personeel, voor hun gezinnen.

Zijn aandacht werd getrokken door het geluid van een auto en hij keek op. Hij zag door het raam dat Hughs MPV voorreed. Even was er niets, toen ging het portier aan de passagierskant open en Chloe stapte uit. Een ogenblik later stapte Hugh aan de andere kant uit en zei iets tegen haar. Ze mompelde iets terug en ze liepen met zijn tweeën naar de deur.

Philip stond snel op en liep naar de deur van de werkkamer. God verhoede dat Chloe hem weer aan de telefoon met Engeland zou betrappen.

'Hoi!' zei hij opgewekt terwijl hij de hal in stapte. 'Wat hebben jullie uitgespookt?'

Chloe, die net binnen stond, schrok. Ze zag er stralend uit, vond Philip. Een dagje alleen, weg van de spanningen rond het gezin, had haar duidelijk goed gedaan.

'Philip!' zei ze. 'Je... je laat me schrikken.' Ze streek met een trillende hand haar haar uit haar gezicht. 'Wanneer ben je teruggekomen?'

'Ik ben al een tijdje terug,' zei Philip. 'We zijn naar Puerto Banus geweest. We hebben de jachten bewonderd. Waar ben jij geweest?'

'San Luís,' zei Chloe na een korte stilte. 'Het is heel schilderachtig.'

'Ik kwam Chloe tegen die op een terrasje zat,' zei Hugh vlot. 'Ze was er helemaal heen gelopen. Waanzin!'

'Ik wilde gewoon mijn benen strekken,' zei Chloe en schraapte haar keel. 'Het was niet echt mijn bedoeling om naar San Luís te lopen. Maar daar kwam ik terecht. En... en Hugh stond erop om me een lift te geven.'

'Dat zou ik toch denken!' zei Philip. 'Je zou het vandaag rustig aan doen, weet je nog?'

'Dat weet ik,' zei Chloe. 'Maar ik had gewoon... ik had gewoon zin om een eind te lopen, oké?'

Ze klonk plotseling verdedigend en korzelig en Philip haalde zijn schouders op.

'Prima,' zei hij. 'Willen jullie wat drinken?'

Terwijl Philip naar de keuken liep, keken Chloe en Hugh elkaar aan.

'Ik kan niet geloven dat hij het niet in de gaten heeft,' zei ze zo zachtjes dat ze nauwelijks verstaanbaar was. 'Ik kan niet geloven dat hij –' Ze brak haar zin af en zei toen langzaam: 'We zijn al dertien jaar bij elkaar. Je zou toch aannemen dat hij iets merkt...'

'Het klinkt bijna alsof je wílt dat hij erachter komt,' zei Hugh.

'Doe niet zo stom,' zei Chloe op scherpe toon. 'Ik eh... ik ben alleen verbaasd, dat is alles.'

'Nou, ik zou er maar niet aan blijven denken,' zei Hugh. 'Denk maar nergens aan. Behalve aan ons.' Hij stak zijn hand naar haar uit en Chloe keerde zich met een ruk van hem af.

'Hou op!' Haar ogen vlogen langs de trap. 'Ben je helemaal gek?' Ze deed een paar stappen de hal in, bij hem vandaan. 'Tot eh... tot straks.'

'Wanneer?' vroeg Hugh onmiddellijk. 'Vannacht?'

Chloe draaide zich om en keek hem aan. Ze zag hoe zijn ogen intens op haar gericht waren, hoe bloedserieus hij keek – en voelde haar maag even ineenkrimpen.

'Ik weet het niet,' zei ze. 'Ik weet het niet, Hugh.'

En ze liep snel weg naar het marmeren trappenhuis, zonder achterom te kijken.

10

Voor het borreluurtje had Jenna een wijnproeverij bij het zwembad georganiseerd. Ze had een smeedijzeren tafel naar de waterkant gesleept en vijf flessen wijn op een rijtje gezet, waarop ze papiertjes met A tot en met E over de etiketten had geplakt. Er stonden keurig gerangschikte glazen, er lagen blocnotes met pennen en er stond een mandje met brood.

Chloe kwam naar het zwembad toegelopen, waar de anderen zich al verzameld hadden en naar Jenna zaten te luisteren. Haar voetstappen waren stil op het gras, maar Hugh keek op, alsof hij haar voelde aankomen. Philip volgde zijn blik en toen Amanda ook, zodat ze allemaal naar haar keken als een welkomstcomité. Als een jury die op het punt stond met een uitspraak te komen. Onwillekeurig haperde Chloe's tred een beetje. Ze wilde het liefst terug naar binnen hollen. Naar een vliegtuig, ergens anders naartoe.

'Hé, Chloe,' zei Jenna die glimlachend opkeek. 'Heb je zin om wijn te proeven? Ik dacht, aangezien we in het huis van een wijnkenner zijn en zo...'

'Hallo, lieveling,' zei Philip en gebaarde naar de wijntafel. 'Is dat geen imposante uitstalling?'

'Prachtig,' zei Chloe die zichzelf dwong om haar stem in bedwang te houden. 'Sorry dat ik zo laat ben.'

'Nou ja, je bent er nu,' zei Hugh. 'Dat is het belangrijkste.'

'Ja,' zei Chloe na een korte stilte. 'Ja, dat zal wel.' Ze wierp een snelle blik op Hugh en toen ze zijn donkere ogen zag, kromp haar maag even ineen. Drie uur geleden, betrapte ze zich op de gedachte. Nog maar drie uur geleden. Zijn armen, zijn mond.

Ze werd overspoeld door een golf van verlangen, zo heftig dat ze het bijna uitschreeuwde. Ze wendde vlug haar gezicht af, haalde diep adem en dwong zichzelf om die gedachtegang uit te bannen. Ze zou rustig en geconcentreerd blijven, zei ze bij zichzelf. Ze zou zich normaal gedragen, ook al gierden de zenuwen door haar lijf. Met voldoende zelfbeheersing zag ze net kans om wat er die middag gebeurd was te verdringen. Het volledig uit haar gedachten te verdringen. 'Enne... wat gaan we nu doen?' vroeg ze op zo neutraal mogelijke toon.

'Ik had zo gedacht dat we iedere wijn een cijfer geven en er commentaar bij schrijven,' zei Jenna. 'We gooien de uitkomsten door elkaar en roepen een algehele winnaar uit. Het brood is bedoeld om het gehemelte schoon te maken en ervoor te zorgen dat we niet te zat worden.' Ze grinnikte. 'Het brood is niet verplicht, moet ik eraan toevoegen.'

'Juist,' zei Chloe. 'Dat klinkt duidelijk genoeg.' Ze wierp Philip een blik toe en hij trok op een komische manier zijn wenkbrauwen naar haar op.

'Allemaal bekend met het wijnjargon?' vroeg hij. 'Niet minder dan zes bijvoeglijke naamwoorden per fles toegestaan.'

'Komen de wijnen uit een bepaalde streek?' vroeg Amanda licht fronsend. 'Of zijn ze van een bepaalde druif?'

'Wie zal het zeggen?' zei Jenna. 'Ik heb gewoon de eerste vijf gepakt die ik tegenkwam.' Ze nam een slok en wankelde enigszins. 'O jee,' proestte ze terwijl ze haar mondvol wijn wegwerkte. 'Deze kan ik niet eens onder woorden brengen.' Ze schudde haar hoofd. Er volgde een beduusde stilte toen ze het hele glas in een keer leegdronk, opkeek en haar mond afveegde. 'Weet je? Ik weet niet eens waar ik moet beginnen.'

'Laat me eens proeven,' zei Amanda op deskundige toon. 'Het

kan ook best lastig zijn om de verschillende smaken te onderscheiden als je nog maar net begint.' Ze schonk een kleine hoeveelheid wijn in een glas, liet het in het rond draaien en snoof diep. 'Mmm. Sterk bouquet. Een tamelijk rijpe wijn, zou ik zeggen.' Ze nam een slokje en deed haar ogen dicht terwijl de anderen zwijgend toekeken. 'Een uitdagende wijn,' verkondigde ze ten slotte. 'Diep en fruitig, zwarte bessen... een zweempje leer... Is dat het soort beschrijving dat je zocht, Jenna?'

Jenna haalde haar schouders op.

'Eerlijk gezegd, mevrouw Stratton, was het woord waar ik naar zocht "rotzooi". Ik bedoel, heel erg slecht. Maar u weet het beter dan ik.'

Er gleed een flits van woede over Amanda's gezicht en ze zette haar glas neer.

'Misschien moet je eens even bij de meisjes gaan kijken, Jenna,' zei ze op kille toon. 'Misschien roepen ze wel en wij kunnen hen hier niet horen.'

'Goed, hoor,' zei Jenna. 'Hebben jullie nog zin in zoutjes, nu ik toch terugga?'

'Het hangt ervan af wat voor kleur ze hebben,' mompelde Amanda.

'Eh... nou en of,' zei Hugh. 'Zoutjes is een heel goed idee.'

Terwijl Jenna verdween, sloeg Amanda haar armen over elkaar en keek van de een naar de ander.

'Hebben jullie dat gehoord?' zei ze. 'Is dat een betamelijke manier voor een kindermeisje om tegen haar werkgeefster te praten?'

'Nou,' zei Philip diplomatiek. 'Ik denk dat het ervan afhangt...' Hij pakte de fles wijn, schonk drie glazen vol en gaf er twee aan Hugh en Chloe. 'Proost.'

'Ik vroeg haar wat ze vanmiddag had gedaan,' zei Amanda. 'Je weet wel, gewoon uit vriendelijkheid. Ze zei dat ze de middag had doorgebracht met "chillen en dope roken. Geintje."' Philip moest lachen en Amanda wierp hem een boze blik toe. 'Ja, maar eerlijk gezegd begin ik al die geintjes een beetje beu te worden. De eerste keer was het misschien grappig...' Ze streek met beide handen door haar haar en liet haar nek afkoelen. 'God, wat is het warm.'

'Ze bedoelt het goed,' zei Philip zwakjes.

'We bedoelen het allemaal goed,' wierp Amanda tegen terwijl ze haar haar losliet. 'Iedereen kan het goed bedoelen. Dat is niet hetzelfde als het goed dóen.' Ze liet haar blik vol weerzin over de rij flessen dwalen. 'Ik heb genoeg van deze klucht. Ik ga iets met ijs halen. Wil iemand iets uit de keuken?'

Zonder op antwoord te wachten stak ze klikklakkend het terras over en passeerde daarbij Sam. Hij kwam met grote passen in de richting van het zwembad gelopen, met Nat in zijn kielzog, allebei met dezelfde stoere loop.

'Hé, mam, pap,' riep hij. 'Moeten jullie horen!'

'Wat nu weer?' zei Philip terwijl hij met zijn ogen naar Chloe rolde. Hij nam een slok wijn en trok een gezicht. 'Weet je, ik moet zeggen dat ik vind dat Jenna gelijk heeft. Dit is niet te drinken.'

Chloe keek hem wezenloos aan en glimlachte toen afwezig naar hem terug terwijl ze haar best deed om de groeiende spanning binnenin haar te verbergen. Dit scenario van een borrel bij het zwembad was inderdaad nogal een klucht. Eerlijk gezegd wilde eigenlijk niemand wijnproeven. Niemand was in de stemming voor een gezellig gesprek. Zij zeker niet. Ze voelde zich met de minuut opgefokter worden. Ze kon Hugh niet negeren: iedere keer dat ze opkeek, stond hij naar haar te kijken. Ze kon er niet aan ontkomen, kon die blik niet laten afketsen. Ze wist dat ze ongewone blossen op haar wangen had, dat haar handen trilden om de steel van het glas. Philip moest het raden. Dat móest wel. Ze nam een slok van haar wijn zonder hem echt te proeven.

'Hé, wijnproeven,' zei Sam toen hij vlak bij hen was. 'Cool.' Hij pakte goedkeurend een glas.

'Wijnproeven. Cool,' echode Nat. Hij wilde een glas pakken, keek naar Chloe, bloosde en trok zijn hand terug.

'Ik heb jullie iets belangrijks te vertellen,' zei Sam. 'Jullie allemaal.' Hij keek om zich heen met een verwachtingsvolle fonkeling in zijn ogen – en fronste toen zijn wenkbrauwen over het gebrek aan reactie. 'Hé, Jenna heeft het jullie toch niet verteld, hè? Ze had beloofd dat ze het niet zou doen.'

'Wat zou ze ons verteld hebben?' vroeg Philip.

'Oké. Dan heeft ze het niet gedaan.' Sam schudde zijn hoofd. 'Jullie raden nooit wat we ontdekt hebben. In geen miljoen jaar.'

'In geen miljoen jaar,' zei Nat.

'Nou?' zei Philip. 'Wat is het dan?'

'Laat me eerst even mijn wijn proeven,' zei Sam. Hij nam een flinke teug en keek van de een naar de ander. '*Zut alors!*' zei hij met een overdreven Frans accent. '*Quel vin merveilleux!* Château Coca-Cola stelt nooit teleur, vindt u niet?' Nat giechelde en Sam nam nog een grotere slok. 'Ideaal bij *le burger, les frites...*'

'Sam –'

'Oké, ik zal het vertellen,' gaf Sam zich gewonnen. Hij nam nog een slok en keek om zich heen. 'Dit is doorgestoken kaart. Gerard heeft dit expres gedaan.'

Hij maakte een breed armgebaar waarmee hij ook Chloe en Hugh omvatte, en Chloe verstijfde enigszins.

'Wat?' zei ze op scherpere toon dan haar bedoeling was. 'Wat bedoel je?'

'Het was geen vergissing dat we hier allemaal tegelijk aankwamen.' Sam keek voldaan om zich heen, alsof hij op de een of andere manier in het gelijk was gesteld. 'Het is vooropgezet. Gerard wíst dat er een heleboel mensen zouden komen. Blijkbaar heeft hij tegen de werkster gezegd dat ze genoeg eten voor acht personen moest inslaan.'

Er volgde een stilte. Chloe keek met bonkend hart naar Sam.

'Ja, en?' zei Philip sceptisch.

'Hij wist het dus! Hij wist de hele tijd al dat we voor dezelfde week hierheen zouden vliegen.' Sam dronk zijn wijnglas leeg en maakte een smakkend geluid. 'Hij zit nu waarschijnlijk in Londen, ons allemaal uit te lachen.'

'Vraagje,' zei Philip vriendelijk. 'Waarom zou hij zoiets doen?'

'Hoe moet ik dat nou weten?' Sam haalde zijn schouders op. 'Als grapje. Voor de lol. Blijkbaar komt hij hierheen.'

'Komt hij hierheen?' vroeg Hugh vol ongeloof.

'Sam, het is een volwassen man over wie we het hebben,' zei Philip. 'Zijn idee van een grapje kan enigszins verschillen van het jouwe.' Sam keek hem verontwaardigd aan.

'Geloof je me niet? Mam, jíj gelooft me toch wel?'

Chloe deed haar mond open om iets te zeggen en merkte dat het niet lukte. Haar gedachten gingen te snel. Terug in de tijd, herinneringen aan gesprekken, herinneringen aan losse opmerkingen hier en daar. Gerards fonkelende ogen die haar vanaf de andere kant van de kamer gadesloegen. Zijn sneren aan Philips adres. Hoe hij haar een keer terloops had gevraagd of ze wel eens overwoog om vreemd te gaan. Hoe hij een keer op een zomeravond een glas gekoelde sherry voor haar had ingeschonken en had gezegd dat ze een minnaar moest nemen. Ze had gelachen. Ze hadden allemaal gelachen.

'De kinderen van de werkster waren hier! Ze weten er alles van!'

'Sam, is het bij je opgekomen dat ze zich wel eens zouden kunnen vervelen?' zei Philip. 'Dat ze misschien dingen verzinnen?'

'Maar het klopt allemaal!' Sam verhief gefrustreerd zijn stem. 'Ik bedoel, waarom zouden we hier anders allemaal tegelijk zijn?'

'We zijn hier met zijn allen door een vergissing!' zei Philip. 'Allemachtig, wat zijn jullie jongelui achterdochtig!' Hij wendde zich glimlachend tot Chloe. 'Kun jij dit geloven?'

'Nee,' zei Chloe met een stem die niet als de hare klonk. 'Het is te gek voor woorden.'

'Nou, laten we hem dan opbellen,' zei Sam koppig. 'Vraag hem of het waar is. Confronteer hem ermee.'

'Sam,' zei Philip op scherpe toon. 'Gerard is buitengewoon vriendelijk geweest om ons in deze villa te laten verblijven. Als je echt dacht dat we hem gaan bellen en hem ervan beschuldigen dat hij een of andere misselijke grap met ons uithaalt...'

'Maar dat is nu net wat hij gedaan heeft! Ze zeiden dat hij wíst dat hier acht mensen zouden zijn –'

'En je hebt die mensen zelf gesproken?'

'Nee,' zei Sam na een korte stilte. 'Maar Jenna zei...'

'O, Jenna heeft het gezegd. Juist.' Philip zuchtte. 'Sam, denk je niet dat dit ook weer een grapje van Jenna is?' Sam keek Philip enkele ogenblikken zwijgend aan. Toen schudde hij koppig zijn hoofd.

'Nee. Ik geloof dat het waar is.'

'De waarheid ligt op tafel,' zei Nat op gedragen toon. Iedereen keek naar hem en hij bloosde.

'Precies!' zei Sam. 'Nat heeft gelijk. Er is iets niet pluis.'

'Jullie hebben het allebei mis,' zei Philip gedecideerd, 'en ik begin die samenzweringstheorie een beetje beu te worden. Er ís geen complot, er zíjn geen buitenaardse wezens en graancirkels worden, vrees ik, gemaakt door mensen die niets beters te doen hebben. Kom, Nat.' Hij zette zijn wijnglas neer. 'Als je het Jenna lief vraagt, maakt ze misschien wel iets te eten voor je klaar. En Sam – of je blijft bij de volwassenen en je gedráágt je volwassen of je gaat met Nat mee naar binnen om een video te kijken.'

Het was even stil. Toen zette Sam met een mokkend gezicht zijn wijnglas neer en volgde Philip en Nat naar de villa.

Toen ze weg waren, was het stil. Chloe keek naar Hugh. Ze voelde zich aan de grond genageld, verlamd door dit besef dat nu zo voor de hand liggend leek dat ze bijna niet kon geloven dat ze er niet zelf achtergekomen was. Hugh glimlachte naar haar alsof hij geen idee had wat er aan de hand was. Ze kon hem wel slaan omdat hij zo traag van begrip was.

'Weet je wat dit is?' zei ze ten slotte.

'Wat?' zei Hugh.

'Snap je niet wat er gebeurd is?'
'Nee.' Hugh haalde zijn schouders op. 'Wat is er dan gebeurd?'
Met een scheut van frustratie deed Chloe even haar ogen dicht.
'Hij heeft ons erin geluisd,' zei ze en deed ze weer open. 'Gerard heeft ons tweeën in de val gelokt. Daar draait dit allemaal om. De hele vakantie is alleen maar een middel om ons te... te...' Ze brak haar zin af en Hugh lachte.
'Chloe, rustig. Je klinkt al net als Sam.'
'Nou, waarom zijn we hier anders? We hadden moeten weten dat het geen toeval was.' Chloe schudde haar hoofd. 'Dit soort dingen gebeurt niet zomaar. Er is altijd een reden.'
'Dingen gebeuren wél zomaar!' wierp Hugh onmiddellijk tegen. 'Natuurlijk wel. Ik zal je vertellen dat er in deze wereld veel meer toevalligheden dan samenzweringen zijn. Philip heeft gelijk. Er bestaat niet ergens een enorm complot. De meeste dingen gebeuren door een mengeling van toeval en menselijke fouten.' Hij kwam met een ontspannen gezicht naar haar toe. 'Chloe, Gerard weet waarschijnlijk niet eens dat we elkaar al eerder kenden.'
'Wel waar!' Chloe haalde diep adem en probeerde kalm te blijven. 'Hij was er verdorie bij toen we elkaar ontmoetten!'
'En jij acht hem ertoe in staat om een hele vakantie te organiseren om ons weer met elkaar in contact te brengen?'
'Och, dat weet ik niet.' Chloe zweeg enkele ogenblikken. 'Ja.' Ze keek op. 'Jawel. Het is wel echt iets voor hem.' Ze deed een paar stappen bij Hugh vandaan om haar gedachten op een rijtje te zetten. 'Ik weet hoe Gerards hoofd werkt,' zei ze langzaam. 'Hij vindt het heerlijk om te stoken. Hij is dol op pijnlijke situaties. Ik heb het hem bij andere mensen zien uithalen. Ik heb samen met hem andere mensen uitgelachen. Ik had alleen... ik had alleen nooit gedacht dat ik een van zijn doelwitten zou zijn.' Ze keek naar Hugh. 'Hij heeft jou waarschijnlijk weer ontmoet en zich herinnerd dat wij iets met elkaar hadden gehad en bedacht hoe leuk het zou zijn om een grap met ons uit te halen. Hij heeft nooit met Philip overweg ge-

kund, dat is geen geheim...' Chloe brak haar zin af en deed haar ogen dicht. 'Sam heeft gelijk, hij wrijft zich nu waarschijnlijk in de handen van leedvermaak...'

'Luister, Chloe, dat weet je allemaal niet.' Hugh kwam naar voren en legde zijn hand op haar schouder, en zij draaide zich met een ruk bij hem vandaan.

'Laat dat.' Ze huiverde even en stak haar handen in de zakken van haar linnen jasje terwijl ze naar het zwembad staarde. 'Ik voel me zo... smerig,' zei ze zachtjes. 'Zo afschuwelijk voorspelbaar.'

'O, godallemachtig!' riep Hugh uit. 'Zo'n ramp is het nou toch ook weer niet! Ook al heeft Gerard ons erin laten tuinen –'

'Natuurlijk is het een ramp!' snauwde Chloe hem toe. 'Hij heeft ons lekker in de val gelokt... en wij zijn er met open ogen ingetrapt. Als een stel...' Ze slikte de rest van de zin in. In de verte klonk geschreeuw in het Spaans en kort daarop startte een motor die in de bergen verdween. 'En we deden er niet lang over, hè?' voegde Chloe eraan toe zonder om te kijken. 'We namen niet bepaald een afwachtende houding aan.'

'Misschien was het geen val,' zei Hugh na een korte stilte. 'Misschien is Gerard niet zo kwaadaardig als je denkt. Stel dat hij ons tot op zekere hoogte in de val heeft gelokt – nou, misschien heeft hij het wel gedaan om ons een kans te geven.' Hij raakte haar nek aan en er ging een nauwelijks merkbare rilling door haar heen. 'Misschien wilde Gerard dat we elkaar weer zouden krijgen.'

Er volgde een lange stilte.

'Het kan niet,' mompelde Chloe terwijl ze in de donker wordende kleuren van het zwembad keek. 'Hugh, het kan niet.'

'Jawel.' Hij boog zich voorover om haar in haar nek te kussen en ze deed een ogenblik haar ogen dicht, niet in staat de tot leven gewekte gevoelens die door haar lichaam stroomden te weerstaan. Toen maakte ze zich van hem los.

'Chloe,' zei Hugh toen ze bij hem vandaan begon te lopen. 'Waar ga je heen?' Chloe draaide zich met een ruk om en keek hem aan, haar gezicht rood van emotie. Toen draaide ze zich weer om en liep terug naar de villa zonder antwoord te geven.

De werkkamer was leeg. Chloe liep meteen naar binnen, deed de deur dicht en ging achter het bureau zitten. Overal waar ze keek, zag ze Gerards gezicht, glad en gepolijst en zelfvoldaan. In de cocon van zijn veilige wereldje, waar een goede wijn belangrijker was dan een mens, waar relaties voer voor roddels waren en meer niet. Ze had gedacht dat hij om haar gaf. Ze had gedacht dat hun vriendschap meer had dan pure amusementswaarde. Hoe had ze hem zo faliekant verkeerd kunnen beoordelen?

'Hoe kon je?' zei ze hardop. 'Hoe kon je me dit aandoen? Ik dacht dat we vrienden waren.' Ze voelde dat ze geëmotioneerd werd; haar ogen begonnen te prikken. 'Hoe kon je hem op deze manier terug in mijn leven brengen?' Ze keek naar een foto van Gerard die weinig aannemelijk op een groot zwart paard zat. 'Het is niet eerlijk, Gerard. Ik heb mijn best gedaan. Ik ben verdergegaan met mijn leven, ik ben gelukkig geweest, ik heb er iets van gemaakt. Maar dit...' Ze slikte moeizaam. 'Dit is te veel. Dit is niet eerlijk. Ik ben niet sterk genoeg.' Ze duwde haar vuist tegen haar voorhoofd en staarde naar het patroon van het bureaublad. 'Ik ben niet sterk genoeg,' fluisterde ze nogmaals.

Ze deed haar ogen dicht en masseerde haar slapen terwijl ze probeerde de dingen in het juiste licht te zien. Terwijl ze probeerde de innerlijke kracht en overtuiging terug te krijgen waarop ze altijd vertrouwd had. Maar de wil was verdwenen, de energie was weg. Ze voelde zich zo zacht en meegaand als een blad.

De telefoon ging en ze schrok. Ze nam op en hield de hoorn voorzichtig tegen haar oor.

'Eh... *Hola*?' zei ze. 'Hallo?'

'O, hallo,' zei een kordate vrouwenstem. 'Zou ik misschien een boodschap voor Amanda Stratton mogen achterlaten?'

'O,' zei Chloe. 'Ja. Ik kan haar ook gaan halen...'

'Nee,' zei de stem gehaast. 'Nee, doe dat maar niet. Wilt u alleen tegen haar zeggen dat Penny heeft gebeld dat het graniet vaststaat op de snelweg en of ze wil dat we verdergaan met de oranjerie?'

'Juist,' zei Chloe terwijl ze naar de woorden keek die ze opgeschreven had. Ze zeiden haar helemaal niets. 'Graniet, oranjerie.'

'Ze begrijpt wel wat ik bedoel. Hartelijk dank.' De stem verdween en Chloe was weer alleen. Ze staarde naar de telefoon, donkergroen en elegant. In een opwelling toetste ze Gerards nummer in.

'Hallo. Gerard kan tot zijn spijt op dit moment niet aan de telefoon komen...'

Toen Chloe zijn zelfgenoegzame zijige stem hoorde, op honderden kilometers afstand in Londen, voelde ze zich misselijk. Natuurlijk had Gerard haar erin geluisd; hij had hen allemaal erin geluisd. Ze hadden kunnen weten dat er iets verdachts aan zat. Waarom had hij hun anders ineens de villa aangeboden die hij al jaren had zonder het er ooit over gehad te hebben? Waarom was die uitnodiging zomaar uit de lucht komen vallen? Ze legde de hoorn op de haak voor Gerard uitgesproken was en haar hand trilde een beetje.

'Philip heeft al die tijd gelijk gehad wat jou betreft,' zei ze tegen Gerards stralende, ingelijste gezicht. 'Je bent een ijdele, egoïstische... klootzak. En ik...' Ze slikte. 'Ik weet niet wat ik moet doen.'

De zin weerklonk zo duidelijk in haar hoofd dat ze niet zeker wist of ze hem hardop had gezegd. *Ik weet niet wat ik moet doen.*

Ze bleef enkele ogenblikken volkomen stil zitten terwijl de woorden wegstierven en haar gedachten langzaam tot rust kwamen. Toen, als van grote afstand, hoorde ze voetstappen. Voetstappen, zo realiseerde ze zich wat laat, die in de richting van de werkkamer kwamen. Haar blik ging paniekerig door het vertrek op zoek naar een plek om zich te verstoppen. Maar het was al te laat. Degene die binnenkwam zou haar hier aantreffen, als een weekdier in een schelp. Ze bleef roerloos zitten van angst, met bonkend hart en haar handen klam in haar schoot.

Toen de deur openging en Philip binnenstapte, keek ze hem sprakeloos van angst aan. Wat wist hij? Wat had hij geraden? Ze voelde zich ongewapend, niet in staat om te liegen. Als hij haar recht voor zijn raap vroeg of ze met Hugh naar bed was geweest, zou ze niets anders kunnen antwoorden dan ja.

'Ik vroeg me af waar je uithing,' zei hij op luchtige toon. Hij liep naar het raam en leunde tegen de vensterbank. 'Ik dacht dat je de wijn nog achterover aan het slaan was!'

'Ik... ik heb een beetje hoofdpijn,' zei Chloe na een korte stilte. 'Ik wilde hier gewoon even in mijn eentje gaan zitten.'

'Ik vond je al niet helemaal jezelf,' zei Philip bezorgd. 'Zal ik iets voor je halen?'

'Nee,' zei Chloe. 'Nee, dank je. Het komt wel goed.'

Het was even stil. Chloe staarde naar de vloer en zag een rood torretje voorzichtig over de plavuizen scharrelen. Waar was het van plan heen te gaan? vroeg ze zich af en wilde half lachen, half huilen. Had het een plan? Besefte het wel hoe ver het verwijderd was van zijn eigen kleine wereld?

'Ik wilde je dit geven,' zei Philip. Hij voelde in zijn zak en haalde er een papieren zakje uit. 'Gewoon een souvenirtje.'

Hij gaf haar het zakje en Chloe maakte het met trillende vingers open. Toen ze het sierlijke gouden kettinkje tevoorschijn haalde, voelde ze idiote tranen in haar ogen springen. Ze wond het langzaam rond haar vingers, niet in staat het om te doen of op te kijken en Philip in de ogen te kijken.

'Ik heb het vanmiddag gekocht,' zei Philip. 'Ik wilde gewoon... ik weet het niet. Goedmaken. Ik weet dat ik de afgelopen paar weken een vervelende ouwe zeur ben geweest. En deze vakantie is ook niet bepaald volgens plan verlopen. Ik weet dat je tijd voor ons tweeën wilde.'

'Ja,' zei Chloe. 'Ik wilde dat we met zijn tweeën...' Ze stopte omdat ze niet verder kon.

'Chloe...' Philip fronste zijn wenkbrauwen. 'Je bent toch niet overstuur van wat Sam heeft gezegd, hè? Je gelooft toch niet echt dat Gerard ons erin geluisd heeft?'

'Ik weet het niet,' zei Chloe die zich weer beklemd begon te voelen. 'Geloof jij niet dat hij het heeft gedaan? Ik dacht dat je Gerard niet mocht.' Philip keek haar enkele ogenblikken uitdrukkingloos aan alsof hij zijn gedachten op een rijtje zette.

'Gerard is niet mijn favoriete persoon,' zei hij ten slotte. 'Maar het idee dat hij zoiets als dit in scène gezet zou hebben... Chloe, je snapt toch ook wel dat dat belachelijk is! Sams fantasie is met hem op de loop gegaan.'

Chloe keerde langzaam haar gezicht naar hem toe.

'Denk je dat echt?'

'Natuurlijk denk ik dat! Gerard is toch je vriend? Vertrouw je hem niet?'

'Ik weet het niet,' zei Chloe die het gouden kettinkje nog strakker om haar vingers wond. 'Ik weet niet of ik hem vertrouw. Ik weet het gewoon niet meer.'

Philip keek haar bezorgd aan.

'Schat, waarom ga je niet lekker liggen?' zei hij. 'Zo te zien kun je het wel gebruiken. Misschien heb je vandaag te veel zon gehad.'

'Ja,' zei Chloe en deed haar ogen even dicht. 'Dat zal het zijn. Te veel zon.' Ze stond op, liep naar de deur en kwam weer terug. 'Dank je voor dit,' zei ze terwijl ze naar het goud keek dat met haar vingers verstrengeld was.

'Ik hoop dat je het mooi vindt,' zei Philip met een licht schouderophalen. 'Het was maar een gedachte.' Chloe knikte zwijgend. Ze voelde Philips ogen over haar glijden, voelde zijn onbeholpen bezorgdheid. Kon hij niet raden wat er met haar aan de hand was? Kon hij het niet zien?

'Is dat een nieuwe jurk?' zei Philip opeens. 'Hij is leuk. Anders.'

Chloe's kin ging met een ruk omhoog, alsof ze een klap in haar gezicht had gekregen.

'Ja,' fluisterde ze. 'Het... het is een nieuwe jurk.' Ze draaide zich met een ruk om en liep naar de trap.

Philip keek haar enkele ogenblikken na, in dubio of hij haar achterna zou gaan. Maar iets in de kromming van haar schouders waarschuwde hem dat hij haar met rust moest laten. Ze zou een tijd in bad gaan liggen, een beetje lezen en vervolgens in slaap vallen, dacht hij. De rust zou haar vast goeddoen.

Toen Chloe bij de trap kwam, draaide hij zich om en liep de voordeur uit. Het was warm toen hij naar buiten stapte en de hemel was diep indigoblauw. Kleine zwaluwen scheerden door de lucht, eerst als silhouet tegen de hemel en vervolgens tegen het harde wit van het huis. Ergens in de verte hoorde hij het gejammer van een kat.

Hij liep naar het zwembad terwijl hij de warme, geurige lucht opsnoof. Toen hij in de buurt van het zwembad kwam, dacht hij dat er niemand meer was, dat de hele wijnproeverij afgelast was. Hij voelde een lichte schok toen hij Hugh zag zitten, in zijn eentje aan de smeedijzeren tafel met een wijnglas in zijn hand.

Hugh keek op en zag Philip, waarop hij leek te verstarren. Hij keek hem met een waakzame blik in zijn ogen aan en Philip keek verwonderd terug. Toen, alsof hij zich iets herinnerde, ontspande Hugh zich.

'Neem wat te drinken,' zei hij met enigszins dubbele tong en klopte op de stoel naast zich. 'Kom wat drinken. Iedereen is 'm gesmeerd en er staan nog vijf flessen van het spul om op te drinken.'

Een uur later waren flessen B en C leeg en hadden ze een begin gemaakt met fles D. Hugh schonk voor allebei in en snoof met gesloten ogen aan zijn glas. 'Mmmm. Een elegant bouquet dat doet denken aan... oude schoensmeer en kattenpis.' Hij nam een slok. 'Ja, lekker.'

'Proost,' antwoordde Philip terwijl hij zijn glas hief en een teug nam. Hij was heel snel heel dronken geworden, dacht hij met afstandelijke interesse. Misschien was Spaanse wijn sterker. Of misschien had het te maken met het feit dat hij niets meer had gegeten sinds een half bord friet in Puerto Banus. Hij nam nog een slok en staarde voor zich uit in de donker wordende, fonkelende kleuren van het zwembad. Er hing een vreemde sfeer in de lucht, vond hij, een spanning die hij niet goed kon plaatsen. Misschien kwam het door de geforceerde aard van de situatie, vreemden die zich in een positie van onverwachte intimiteit geplaatst voelden. Misschien kwam het door de warmte die maar niet leek af te nemen, ook al was de avond gevallen. Of misschien verbeeldde hij zich dingen, net als Sam.

'Dat hele wijnproefgedoe,' zei Hugh ineens terwijl hij opkeek. 'Dat is toch verdorie pismakkelijk?' Hij gebaarde vaag met zijn wijnglas. 'Het enige wat je nodig hebt is een doos met wijn en hoe heet zo'n ding. Lexicon.'

'En smaakpapillen,' zei Philip na een korte stilte. Hugh schudde zijn hoofd.

'Niet vereist. Gerard heeft er in ieder geval geen. Dit spul is bedroevend.'

Beide mannen zwegen en dronken hun glas leeg. Hugh schonk ze weer vol en goot er een beetje naast. Hij nam een flinke slok wijn, leunde achterover in zijn stoel en keek Philip met enigszins bloeddoorlopen ogen aan.

'En, wat denk jij van dit alles?' vroeg hij. 'Denk je dat Gerard het expres gedaan heeft?'

Philip staarde enkele ogenblikken in zijn glas.

'Ik weet het niet,' zei hij na een tijdje. 'Ik denk wel dat het mogelijk is. Gerard heeft een tamelijk verwrongen gevoel voor humor.' Hij keek Hugh recht aan. 'Hij zou dit wel ongelooflijk komisch vinden. We dachten allemaal dat we de villa voor onszelf kregen. En dan blijken we hem ineens te moeten delen. En we kunnen met geen mogelijkheid klagen omdat het een vriendelijk aanbod was.'

'Denk je dat dat het gewoon is?' vroeg Hugh. 'Een practical joke?'

'Ik denk van wel...' zei Philip. 'Ik bedoel, wat zou het anders kunnen zijn?'

'Niks,' zei Hugh na een korte stilte en wendde zijn gezicht af. 'Ik weet het niet.'

Het was een tijdje stil. Een vogel landde bij hen in de buurt, keek hen even aan en vloog weer weg.

'Maar uiteindelijk... blijkt het niet zo'n ramp te zijn,' zei Philip. 'Toch? Ik bedoel, het huis is groot genoeg – en we schijnen het allemaal redelijk met elkaar te kunnen vinden...'

'Ja,' zei Hugh zonder zijn hoofd te bewegen. 'Ja, inderdaad.'

'Als Gerard ons zou kunnen zien, zou hij zelfs wel eens zwaar teleurgesteld kunnen zijn,' zei Philip lachend. 'Hij hoopte waarschijnlijk dat we elkaar naar de keel zouden vliegen. Hij hoopte vast op bloedvergieten.'

Hugh zweeg enkele ogenblikken alsof hij worstelde met een probleem. Toen keek hij op.

'Maar jullie? Wilden jullie er niet juist tussenuit om wat privacy te hebben?'

'Nou... eigenlijk wel,' zei Philip. 'Maar je kunt niet altijd krijgen wat je wilt, hè? Zo is het leven nu eenmaal.' Hij nam een slokje wijn en toen hij opkeek, zag hij Hugh naar hem kijken. 'Wat is er?'

'Niets,' zei Hugh. 'Het is alleen dat je... Chloe iets soortgelijks tegen me zei. Iets over dat je niet altijd kunt krijgen wat je wilt.'

'Tja... ik denk dat we vaak hetzelfde denken,' zei Philip met een lachje. 'Dat krijg je als je te lang bij elkaar bent.' Hugh keek met een ruk op.

'Vind je –' Hij stopte.

'Wat?'

'Vind je echt dat jullie al te lang bij elkaar zijn?' Hij keek Philip strak aan alsof hij oprechte belangstelling voor het antwoord had en Philip had ineens een flashback van Amanda die op haar ligstoel lag en sip praatte over de gescheiden levens die Hugh en zij leidden.

'Nee,' zei hij met een lachje. 'Natuurlijk niet. We hebben wel problemen... maar we maken er wat van. Dat is het enige wat je kunt doen, neem ik aan.' Hij strekte zijn benen en staarde naar de inktzwarte hemel.

'Wat doe jij?' vroeg Hugh terwijl hij wijn in Philips halfvolle glas schonk. 'Voor werk, bedoel ik.' Philip lachte.

'Dat is tegen de regels. Ik mag deze vakantie niet over mijn werk praten,' zei Philip. Hugh klakte geërgerd met zijn tong.

'Dat is waar ook. Sorry, ik was het vergeten.'

'Dat geeft niet,' zei Philip. 'Ik zal het je vertellen.' Hij staarde lange tijd in zijn wijnglas, keek op en zei op vertrouwelijke toon: 'Ik ben piloot.'

'Echt waar?' Hugh trok een verrast gezicht. 'Voor welke luchtvaartmaatschappij –?' begon hij voor hij Philips gezicht zag en grijnzend zijn zin afbrak. 'Piloot,' zei hij en nam een slok wijn. 'Heel goed. Ik ben... ruimtevaartdeskundige.'

'Ruimtevaartdeskundige,' zei Philip. 'Klinkt goed. Verdient het ook een beetje?'

'Niet slecht,' zei Hugh. Hij stak zijn vinger bezwerend in de lucht. 'Wat je goed moet onthouden is – dat de wereld altijd raketten nodig zal hebben.'

'En vliegtuigen.'

'En vliegtuigen,' beaamde Hugh. Hij hief zijn glas naar Philip. 'Goed, op het besturen van vliegtuigen.'

'En op...' Philip zweeg even. 'Wat doen ruimtevaartdeskundigen eigenlijk de hele dag?'

'Dat is topgeheim,' zei Hugh terwijl hij met een duidelijk aanzienlijke inspanning tegen de zijkant van zijn neus tikte. 'Ik zou het je wel kunnen vertellen... maar dan zou ik je moeten doodschieten.'

'Dat zit er wel in,' zei Philip knikkend. Hij nam een slok wijn en voelde zijn hoofd duizelig naar opzij zakken. Hij had het gevoel alsof hij uren langzaam aan het opstijgen was geweest – en nu ineens over de rand van een waterval in het kolkende water was gestort. Als hij niet snel, heel snel iets te eten nam... Zijn gedachten dwaalden af en hij nam nog een slok om zich te concentreren.

Hij pakte fles D en schonk de droesem in Hughs glas.

'We zouden nog een fles kunnen openmaken...' zei hij met dikke tong. 'Of we kunnen ermee ophouden terwijl we aan de winnende hand zijn.'

Het was stil. Hugh scheen de twee opties tegen elkaar af te wegen. Hij keek met een gespannen, bloeddoorlopen blik op.

'Ik hou van je vrouw.'

Het was even stil. Philip keek Hugh enkele ogenblikken vol verwarring aan alsof hij zich iets heel belangrijks probeerde te herinneren. Toen glimlachte hij gelukzalig.

'Iedereen houdt van Chloe,' zei hij. 'Ze is een engel.'

'Ja,' zei Hugh een beetje terughoudend. 'Ja, dat is ze zeker. Een engel.'

'Op de engel,' zei Philip die zijn glas zwaaiend omhoog stak.

'De engel,' zei Hugh hem na een korte stilte na. Hij hief zijn eigen glas en ze namen allebei een flinke slok.

'Ze is natuurlijk niet echt mijn vrouw,' voegde Philip eraan toe terwijl hij achteroverleunde en zijn ogen dichtdeed.

Er volgde een lange stilte waarin ze roerloos bleven zitten.

'Nee,' zei Hugh langzaam. 'Nee, natuurlijk niet.' Hij leunde ook achterover in zijn stoel en samen vervielen ze in een stilte die alleen verbroken werd door het gekabbel van het water.

11

De volgende ochtend werd Chloe met een schok en bonkend hart wakker. Ze schoot overeind alsof ze te laat was voor een vergadering, de verontschuldigingen al klaar op haar lippen. 'Het spijt me...' zei ze zelfs al, voor ze zich realiseerde dat ze zich in een lege kamer bevond. Er was niemand die naar haar luisterde.

Ze keek een paar stille seconden naar de andere kant van het bed en liet zich toen langzaam in de kussens zakken. Philip was niet bij haar in bed gestapt. Wat betekende dat...?

Hij wist alles. Hij zat in een vliegtuig op weg naar Engeland. Alles was voorbij.

Of hij wist niets. Hij had er gewoon één te veel genomen en was voor de televisie in slaap gevallen.

Beide mogelijkheden leken net zo voor de hand liggend. Beide leken net zo buiten haar invloedssfeer te liggen. Terwijl ze alleen in die lichte, stille kamer lag, nog half ondergedompeld in de verwarring van dromen, voelde ze zich enigszins murw. Losgeslagen van de echte wereld. Was gisteren echt gebeurd? Haar gedachten waren een draaikolk van beelden en herinneringen. De ritmische muziek. De zon. De zachte rode wijn. Haar ogen die in die van Hugh keken. Haar hoofd dat langzaam knikte.

Ze was een ander mens geweest, een paar uur lang was ze een volkomen ander mens geweest.

Ze duwde snel het dekbed van zich af en stapte uit bed. Er hing een hoge spiegel aan de tegenoverliggende muur en heel langzaam liep ze naar haar spiegelbeeld toe. Haar gezicht was door de zon licht goudbruin gekleurd, haar haar was opgelicht door de zon, van een afstandje zag ze er weer uit als de blonde vreemdeling. De blonde vijfentwintigjarige die gisteren in een strakke zwarte jurk over straat liep. Die alleen aan een cafétafeltje was gaan zitten en op de uitnodiging van een vreemde man was ingegaan. Die aan niets anders had gedacht dan aan zichzelf en haar onmiddellijke behoeften.

Maar toen ze dichter bij de spiegel kwam, verdween de onscherpte, de dubbelzinnigheid; haar eigen gelaatstrekken vielen op hun plaats. De allure van het onbekende was verdwenen. Ze was geen blonde vreemdeling. Ze was geen geheimzinnige vijfentwintigjarige. Ze was zichzelf, Chloe Harding. Het was Chloe Harding die zich in het zwart had gekleed. Het was Chloe Harding die ontrouw was geweest.

Ze had nooit gedacht dat ze tot zoiets in staat zou zijn, ze had gedacht dat ze erboven stond. Ze had gedacht dat ze sterker was. Maar ze was net als al die anderen voor de bijl gegaan. Er was een val uitgezet en ze was er met open ogen ingelopen, zo zwak en onnozel als een tiener. Terwijl ze naar zichzelf keek, borrelde er woede in haar op – en haat voor Gerard die de hele situatie had bedacht. Die haar achilleshiel had gezien en zijn best had gedaan om hem te doorboren. Hoe lang was hij deze ontmoeting al aan het plannen geweest? vroeg ze zich af. Hoe lang had hij zich al lopen verkneukelen? Achteraf leek ieder gesprek tussen hen van de afgelopen maanden een dubbele bodem te hebben gehad, een betekenisvolle dubbelzinnigheid. Gerard had geweten dat ze zich gewonnen zou geven. Hij kende haar beter dan ze zichzelf kende. Een gevoel van vernedering overspoelde haar en ze wendde zich af.

Ze liep naar de plek waar haar kleren lagen, zich amper bewust van wat ze aan het doen was terwijl ze haar best deed om alle gedachten uit haar hoofd te bannen. Maar toen ze zich over de uitgetrokken zwarte jurk boog om haar borstel te pakken, ving ze de vage geur op van het exotische, muskusachtige parfum dat de vrouw in de kledingzaak over haar heen gespoten had toen ze wegging. De geur van gisteren, de geur van Hugh en haar.

De geur trof haar als geen enkele andere sensatie ooit had gedaan. Ze werd overmand door verlangen; ze voelde zich beverig en niet onder controle. Ze zocht steun bij de ladekast en deed haar ogen dicht terwijl ze zich probeerde te concentreren, probeerde bij haar positieven te komen. Maar het verlangen, de behoefte was te sterk. Ze zag alleen maar zichzelf voor zich in die kamer in San Luís. Terwijl ze bij het raam zat met een glas in haar hand. Hugh tussen de verkreukte lakens achter haar, die haar met zijn ogen wenkte om terug naar bed te komen. Zij tweeën in een geheime wereld, weg van alles.

Hij had haar gevraagd om de hele nacht bij hem te blijven, om in zijn armen wakker te worden. Ze had geweigerd. En nu had ze de hele nacht in haar eentje doorgebracht. Ze voelde zich versuft bij de gedachte aan wat ze afgewezen had.

Ze bleef een paar seconden roerloos staan en dwong zich toen om diep adem te halen terwijl ze met een trillende hand haar haar achteroverstreek. Ze liep bij de jurk, de geur, vandaan en trok een badpak en toen een zonnejurk aan. Ze kamde haar haar en liep de kamer uit.

Toen ze langs de jongenskamer liep, wierp ze een blik naar binnen. Ze waren allebei nog diep in slaap; Nat hield een gameboy stevig in zijn hand geklemd. Ze keek een ogenblik zwijgend naar hen. Slapend zag Sam er weer uit als een kind. Zijn gezicht was glad en onschuldig; zijn armen lagen uitgespreid op zijn kussen. Hij had hier en daar wat plukjes vage blonde stoppels op zijn kin die oplichtten in de ochtendzon. Maar ze deden haar niet denken aan haar zoon als man. Ze deden haar denken aan de donzige haartjes die zijn lichaam hadden bedekt toen hij een baby was, die glansden in het zonlicht als hij buiten op een deken lag. Naast hem had Nat de dekens van zich af geschopt. Zijn verschoten Pokémon-pyjama was uit model geraakt door het vele wassen; hij had met een balpen op zijn hand een boodschap geschreven. *Ik heb drie beurten te goed van Sam.*

Haar twee zoons. Terwijl ze in de zonnige stilte naar hen keek, moest Chloe ineens denken aan het verhaal van de kleine zeemeermin die de zee verliet voor haar geliefde, die haar oude leven de rug toekeerde en haar verliefde hart volgde. En die voor de rest van haar leven op twee stekende pijnen liep.

Chloe deed haar ogen dicht en zocht steun bij de deurpost. Toen ze haar ogen weer opendeed, was dat met een nieuw voornemen. Ze voelde weer een ijzeren vastberadenheid; ze voelde weer ruggengraat. Ze ging verder, de gang door, haar tred steeds zekerder; haar standpunt duidelijk.

Buiten stond de zon alweer als een koperen ploert aan een blauwe hemel; de hitte die in de lucht hing leek naar een hoger niveau getild en was bijna dreigend in zijn kracht. Chloe voelde zich er een ogenblik fysiek door bedreigd. Wat hadden ze zich toch in hun hoofd gehaald, vroeg ze zich zinloos af, door naar dit vreemde, droge berglandschap te gaan en zich bloot te stellen aan dergelijke hevige, schadelijke krachten? Waarom hadden ze zich niet tevredengesteld met de veilige omgeving van thuis?

Even wilde ze zich omdraaien en weglopen, de koele veiligheid van de villa in. Maar ze wist dat ze zich niet mocht verstoppen. Niet voor de zon. Niet voor hem. Ze was hier nu en ze moest eenvoudigweg onder ogen zien wat er op haar pad kwam.

Met hernieuwde vastberadenheid bleef ze door de hitte naar het zwembad lopen. Ze zou haar jurk uittrekken en in het water duiken, zei ze bij zichzelf. En zodra het koele water haar oren inliep en zich boven haar hoofd sloot, zou de waanzin van gisteren verdwijnen. Ze zou weer de oude worden.

Ze liep gedecideerd naar het zwembad, te druk met haar eigen voornemens om aandacht te schenken aan haar omgeving. Toen ze dichterbij kwam, bleef ze met bonkend hart en vol ongeloof staan. Hugh en Philip lagen tegenover haar onderuitgezakt in stoelen in de schaduw van een parasol. Er stond een aantal lege wijnflessen voor hen en ze waren allebei diep in slaap.

Terwijl ze naar hen keek, begonnen haar geordende gedachten uit elkaar te vallen. Ze probeerde te slikken en merkte dat het niet lukte. In gedachten had ze de mannen volkomen van elkaar gescheiden. Philip woonde in het ene leven – haar leven. Hugh woonde in het leven van een vreemde. Maar hier waren ze samen, vlees en bloed en huid, in- en uitademend, bijna tegelijk. Samen slapend.

Terwijl ze keek, deed Hugh zijn ogen open en ving haar blik op. Chloe raakte even in paniek, alsof ze op diefstal betrapt werd.

'Chloe,' zei hij op onduidelijke toon, en ze werd opnieuw overmand door angst.

'Ik...' zei ze hulpeloos. 'Nee.' Ze draaide zich om en liep snel weg terwijl haar hart tekeerging.

Ze liep het houten trapje naar het veld af en holde bijna door het hete, droge gras. Achter het veld stond de citroenboomgaard. Ze glipte tussen de bomen door alsof ze op de vlucht was, zonder te weten waar ze heen ging of wat ze wilde. Eindelijk bleef ze staan. Ze leunde tegen een citroenboom en snoof de vage, frisse citroengeur op.

'Chloe.'

Ze keek verschrikt op. Hugh was haar gevolgd. Hij keek haar met bloeddoorlopen ogen aan, zijn kin onder de stoppels, zijn overhemd gekreukt. Toen ze hem aankeek, verscheen er een stralende glimlach op zijn gezicht. 'Goeiemorgen, mijn liefste,' fluisterde hij en boog zijn gezicht naar het hare toe.

'Nee!' zei ze en keerde zich van hem af. 'Hugh, hou op.' Ze probeerde wanhopig haar gedachten op een rijtje te krijgen.

'Ik hou van je.'

Zodra hij de woorden uitgebracht had, voelde ze haar lichaam reageren. Haar hart ging sneller kloppen en er verscheen een verraderlijke blos op haar wangen.

'Nee,' zei ze terwijl ze zich afwendde. 'Nee, nietwaar. Luister, Hugh.' Ze zweeg even terwijl ze zich vermande om zich weer naar hem toe te keren en hem aan te kijken. 'We... we hebben een fout gemaakt. Een vreselijke fout.'

'Dat moet je niet zeggen,' zei Hugh.

'Wij allebei. Kijk naar de feiten. We zijn op vakantie, het was warm, we hadden allebei iets gedronken...'

'Kijk naar dit feit, Chloe. Ik hou van je. Ik heb altijd van je gehouden.'

Een tinteling begon bij Chloe's voeten en kroop langzaam omhoog langs haar benen, onder haar jurk, verborgen.

'Het is te laat,' zei ze en balde haar handen die langs haar zij hingen tot vuisten. 'Het is te laat om dat te zeggen.'

'Het is niet te laat,' zei Hugh. Hij kwam naar voren en legde zijn handen op haar schouders; ze voelde zijn adem warm op haar gezicht. 'Chloe, we zijn net... verloren geliefden. We zijn elkaar kwijtgeraakt – en nu hebben we elkaar weer gevonden. We zouden het moeten vieren. We zouden... het vetgemeste kalf moeten slachten.'

'Ja, we hebben elkaar misschien weer gevonden,' wierp Chloe ineens geëmotioneerd tegen. 'En wat hebben we gevonden? Jij bent getrouwd, ik ben getrouwd...'

'Jij bent niet getrouwd,' zei Hugh.

'Zo goed als.'

'Het is niet zo goed als,' zei Hugh. 'Jij bent niet getrouwd.'

Chloe keek hem aan en haar hart ging tekeer.

'Hugh, hou op.'

'Ik had met je moeten trouwen,' zei Hugh met intens fonkelende ogen. 'Toen we allebei twintig waren. We hadden samen moeten zijn. We hadden een gezinnetje moeten vormen. Jij, ik, Sam... Het was voorbestemd, Chloe. Ik was alleen te stom om het in te zien.'

'Hugh, hou op.'

'Chloe...' Hij stopte en keek haar aan alsof hij haar gezicht in zijn geheugen wilde prenten. 'Chloe, wil je met me trouwen?'

Chloe keek hem in de intense stilte aan en maakte toen een geluid dat het midden hield tussen een lach en een snik.

'Je doet bespottelijk.'

'Ik doe niet bespottelijk. Ik meen het, Chloe. Trouw met me. Hoe oud zijn we nu? In de dertig, verdorie. We hebben nog een heel leven voor ons.'

'Hugh –'

'Andere mensen doen het ook. Waarom wij niet? Alleen vanwege een vergissing, jaren geleden – ontzeggen we ons jaren van geluk?'

'Het zouden geen jaren van geluk worden,' zei Chloe. 'Het zou geen geluk worden.'

'Hoe weet je dat?' Hugh keek haar aan en er ging een schok door haar heen. Even leek het alsof er een ander mogelijk toekomstig leven als een lichtstraal tussen hen in hing. Een verleidelijke reeks beelden, als een film of een glossy tijdschrift. Ze was weer een kind dat zich afvroeg wat ze zou worden als ze groot was; even was ze gefixeerd op de mogelijkheden. Toen raapte ze al haar innerlijke reserves bij elkaar en dwong zichzelf om haar blik af te wenden en naar de wortels van een citroenboom te kijken. Om het beeld in haar hoofd te prenten. Echte wortels en echte aarde.

'Het was een misstap,' zei ze en keek op. 'Wat er gisteren is gebeurd, was gewoon een moment van zwakte. Het spijt me, Hugh, maar meer was het niet.'

Er volgde een stilte. Hugh haalde zijn handen van haar schouders en deed een paar stappen bij haar vandaan. Zijn gezicht had een gesloten uitdrukking. Chloe keek een beetje bezorgd naar hem.

'Een moment van zwakte,' herhaalde Hugh ten slotte terwijl hij zich omdraaide. 'Dat houdt in dat het je wel een beetje moeite kost om bij Philip te blijven.'

'Dat bedoelde ik niet.' Ze voelde zich oprecht verontwaardigd. 'Ik hou van Philip.'

'Misschien hou je wel van hem,' zei Hugh. Hij keek haar recht in de ogen. 'Maar dat wil nog niet zeggen dat je gelukkig met hem bent.'

'Wel waar,' zei Chloe. 'Ik ben nu al dertien jaar gelukkig met hem.'

'Ik heb jullie deze vakantie samen gezien,' zei Hugh en schudde zijn hoofd laatdunkend. 'Jullie zijn geen gelukkig stel.'

'Nou, dat komt misschien omdat we de laatste tijd onder zware druk staan,' zei Chloe op haar teentjes getrapt. 'Als je het echt wilt weten, Philip loopt ernstig gevaar ontslagen te worden. Goed? Verklaart dat dingen voor je? We zitten al drie maanden te wachten op bericht of hij nog een baan heeft of niet. En ja, we hebben er allebei behoorlijk last van. Maar dat wil niet zeggen dat we geen gelukkig stel zijn. Een gelukkig gezin.' Ze stopte met een verhit gezicht en keek hem met een felle blik in de ogen aan.

'Sorry,' zei Hugh onbeholpen. 'Ik wist niet hoe de situatie was...'

'Daar gaat het om, Hugh,' zei Chloe. 'Je ként mijn situatie helemaal niet. Hoe kan het ook? Het is vijftien jaar geleden! Je kent mij niet, je kent mijn gezin niet. Je hebt een idee van wat ik ben... maar meer niet.' Haar stem verzachtte toen ze Hughs gezicht zag. 'En ik ken jou niet. Ik weet niets van je huwelijk met Amanda. Ik zou er niet over piekeren om een opmerking te maken over of je gelukkig bent of niet. Dat is jouw gezinsleven.'

'Mijn gezinsleven,' herhaalde Hugh ten slotte en wierp haar een vreemd lachje toe. 'Wil je horen over mijn gezinsleven? Wil je horen over mijn huwelijk met Amanda?'

'Nee,' zei Chloe. 'Helemaal niet.'

'Probeer je twee mensen voor te stellen die in de loop van een dag amper twee woorden met elkaar wisselen,' zei Hugh, haar negerend. 'Probeer je een vader voor te stellen die zijn eigen kinderen niet kent. Die meer tijd op kantoor doorbrengt dan nodig is.' Hugh slaakte een diepe zucht. 'Wat ik met Amanda heb... Het is geen gezinsleven. Tenminste, als het het wel is, dan maak ik geen deel uit van het gezin. Ik ben het chequeboek.' Hij wreef ruw over zijn gezicht en keek op. 'Het is niet wat ik wilde, Chloe. Ik heb verdomme nooit een vreemde voor mijn kinderen willen zijn.' Hij deed een stap naar haar toe, zijn ogen intens op de hare gericht. 'En als ik dan zie hoe Philip met Sam is, als ik bedenk dat ík die kans heb gehad. Ik had de vader van die knul kunnen zijn –'

'Nee!' viel Chloe hem ineens woedend in de rede. 'Nu moet je uitscheiden! Phílip is Sams vader, begrepen? Philip is zijn vader. Je weet niet wat er gebeurd zou zijn als we bij elkaar waren gebleven. Je hebt absoluut niet het recht om aan te nemen...' Ze brak haar zin af terwijl ze probeerde haar gedachten te ordenen. 'Hugh, het spijt me dat je niet gelukkig bent met Amanda. Dat spijt me echt. Maar... het is niet mijn probleem.'

Hugh keek haar strak aan.

'Met andere woorden "donder op en laat me met rust".'

'Niet direct,' zei Chloe na een korte stilte. 'Maar... het komt wel in de buurt.'

Er volgde een stilte. Hugh stak zijn handen in zijn zakken en liep een paar stappen bij haar vandaan, turend naar de zanderige, schaars begroeide grond alsof hij er bijzonder in geïnteresseerd was.

'Je hebt me gebruikt,' zei hij ten slotte.

'We hebben elkaar gebruikt,' zei Chloe.

'Dit is jouw wraak, hè?' vroeg Hugh, die met een ruk opkeek. 'Je wilde me straffen voor wat ik gedaan heb.'

'Nee,' zei Chloe. 'Ik straf je helemaal niet.'

'Je moet er zin in hebben gehad. Je moet me gehaat hebben.'

'Nee,' zei Chloe automatisch. Maar een gedachte drong zich aan haar op. Een beeld van zichzelf, twintig jaar oud, zittend aan de keukentafel bij haar tante, blindelings prut in Sams mond lepelend. Grauw en afgetobd, verteerd door ellende, met de onverdraaglijke wetenschap dat het iets had kunnen worden. Dat het iets zóu zijn geworden. Als hij niet zo'n verdomde lafbek was geweest... In die sombere tijd had ze hem veracht, ja natuurlijk. Ze had gesnakt naar een confrontatie, naar wraak, vergelding. Ze had scènes van hartstochtelijke, bijna agressieve beschuldigingen voor zich gezien die ze 's nachts eindeloos bleef herkauwen.

Die scènes bestonden nog steeds in haar hoofd, dat kon ze niet ontkennen. Maar in de loop der jaren waren ze afgezwakt en verbleekt, als oude vergeten tekeningen – zonder kleur, zonder prikkel, zonder de emotionele drijfveer waar ze uit voortgekomen waren.

'Misschien indertijd wel, ja,' zei ze en keek op. 'Misschien haatte ik je inderdaad. Maar nu...' Ze streek haar haar van haar klamme voorhoofd. 'Hugh, die tijd is voorbij. We zijn geen stelletje studenten meer. Ik heb een gezin, jij hebt een gezin. Je hebt twee zulke schattige dochtertjes...'

'Die me niet kennen,' zei Hugh verbitterd. 'Die niet van me houden. Als ik morgen wegging, zouden mijn kinderen niet eens in de gaten hebben dat ik weg was.'

Chloe keek hem aan, haar boosheid verdwenen, en had ineens medelijden met die rijke, ambitieuze, ongelukkige man die alles ontbeerde wat voor haar het allerbelangrijkste in het leven was.

'Je moet liefde verdienen, Hugh,' zei ze. 'Je moet liefde verdíenen. Met tijd, met moeite...'

'Ik wil jóuw liefde verdienen,' zei Hugh zonder zijn ogen van de hare af te wenden en onwillekeurig voelde Chloe dat ze een beetje bloosde.

'Nee.' Ze schudde woest haar hoofd. 'Dat moet je niet zeggen. Ik heb al gezegd, wat we gedaan hebben was gewoon een... een misstap.'

Hugh liep fronsend naar een boom die vlakbij stond. Hij plukte er een groene citroen af en keek er enkele ogenblikken naar. Toen zei hij op kalme en zekere toon: 'Ik geloof je niet. Je speelt op veilig.'

'Nietwaar!' wierp Chloe tegen. 'Ik speel niet op veilig! Ik hou van Philip, ik wil bij hem blijven –'

'We krijgen maar één leven, Chloe.' Hugh keek op en haar hart maakte een sprongetje bij de intensiteit van zijn blik. 'We krijgen maar een handjevol kansen om ons leven te veranderen.'

'Dit is geen kans.'

'O jawel. Dat is het wel.'

'Hugh...' Ze schudde haar hoofd. 'Je doet bespottelijk. Het is vijftien jaar geleden, we zijn allebei met andere mensen...'

'Nou en?'

Ze voelde de emoties weer in zich opkomen en worstelde om ze te onderdrukken. Wat gebeurde er toch met haar? Waarom luisterde ze zelfs maar naar hem?

'We kunnen op veilig spelen,' zei Hugh. 'Of we kunnen de grootste gok van ons leven wagen en het... volmaaktste, prachtigste geluk vinden.'

'Ik ben geen gokker,' zei Chloe, die haar vuisten balde en haar best moest doen om zich weer onder controle te krijgen. Maar haar borst brandde en haar keel zat dicht.

'Iedereen is een gokker,' zei Hugh onvermurwbaar. 'Hoe zeker weet je dat je over tien jaar nog steeds bij Philip bent? Negentig procent? Tachtig procent? Minder?'

'Honderd procent!' zei Chloe nijdig. 'Maar zoveel zou ik niet op jou en Amanda inzetten.' Ze keek hem enkele ogenblikken zwijgend aan, draaide zich om en liep vlug, een beetje struikelend, weg. Hughs stem volgde haar over de droge, rotsachtige grond.

'Niets is ooit honderd procent, Chloe.'

Vanaf haar gunstige positie op het balkonnetje dat bij haar achterkamertje hoorde keek Jenna naar Hugh die Chloe nakeek. Hij zag er behoorlijk opgefokt uit, vond ze. Dat was niet echt verrassend. Ze had het gesprek niet kunnen horen, maar het was vrij duidelijk hoe het was verlopen.

Jenna nam een trekje van haar joint en keek weer naar Hugh. Hij stond door de citroenboomgaard te staren met een starre uitdrukking op zijn gezicht. Godallemachtig, dacht Jenna, doe normaal, slapjanus.

Er werd binnen aangeklopt en zonder haar hoofd om te draaien, riep ze: 'Ja?'

'Jenna?' Amanda klonk afgemeten en beleefd, zoals ze iedere

ochtend begon. 'De meisjes hebben ontbeten. Ben je er klaar voor?'

'Absoluut,' zei Jenna, die kalmpjes haar joint uittrapte onder haar sandaal. Ze draaide zich om, keek door de glazen balkondeuren en zag Amanda demonstratief op de drempel van haar kamer staan, geen millimeter over de grens. Dat was typisch Amanda. Nooit bewust informeel. Ze hield zich aan de regels, die brave Amanda, dacht Jenna. Ze hield zich aan de regels en verwachtte dat van de anderen ook.

Terwijl ze naar het nietsvermoedende gezicht van Amanda keek, kreeg Jenna zomaar medelijden met haar. De vrouw was misschien hopeloos, maar ze was geen kreng. Ze was niet oneerlijk. Alleen opgefokt. En ze had geen idee wat die klojo van een man van haar aan het uitspoken was.

Jenna wierp een blik in Hughs richting en er verscheen een geringschattende uitdrukking op haar gezicht. Het zou net goed voor hem zijn als hij betrapt werd: om in het nauw gedreven te worden.

'Kom binnen!' riep ze en wenkte Amanda. 'Ik stond hier net van het uitzicht te genieten. Je moet eens komen kijken!'

Na een korte aarzeling stapte Amanda het kamertje binnen en vermeed zorgvuldig naar Jenna's spullen te kijken.

'Het is hier echt prachtig,' spoorde Jenna haar aan.

'Ja,' zei Amanda die bij de balkondeuren bleef staan en naar de bergtoppen in de verte keek. 'Ja, mooi, hè?'

'Als je naar de balustrade komt, kun je de citroenboomgaard ook zien,' zei Jenna onschuldig. Ze wierp weer een blik in de richting van de citroenboomgaard waar Hugh in het volle zicht stond.

Maar terwijl ze naar hem keek, begon hij al langzaam weg te wandelen. Net toen Amanda naast Jenna kwam staan, verdween Hugh volledig uit het zicht.

'Ja, hè, hè,' zei Jenna en sloeg haar ogen ten hemel. 'In het wild blijven ze nooit op hun plek.'

'Wat is er?' vroeg Amanda fronsend. Ze keek met een nietszeggend gezicht naar de citroenboomgaard.

'Niks bijzonders.' Jenna glimlachte naar Amanda en keek toen naar het grote bruine pak in Amanda's hand. 'Ga je naar het postkantoor?'

'Nee, dit pak is vanochtend vanuit Engeland bezorgd,' zei Amanda.

'Echt?' zei Jenna verrast. 'Is het werk voor Hugh?'

'Nee,' zei Amanda. 'Het is een compleet stalenboek voor het huis. Ik heb het laten opsturen voor er verder gewerkt wordt, zodat ik tenminste wéét waar we het over hebben. Ik heb al drie afwijkingen in de kleurschakeringen ontdekt, dat is toch ongelooflijk?'

'Vet klote,' zei Jenna vol medeleven.

'En ik ben nog niet eens aan de kamers boven toegekomen,' zei Amanda. 'Dus ik moet ze vanochtend in alle rust bij het zwembad gaan bestuderen.'

'Goed, hoor,' zei Jenna. 'Ik ga wel een eindje met de meisjes wandelen of zo.'

'Goed, maar doe niets al te energieks,' zei Amanda. 'Het is vandaag nog warmer. Bijna onverdraaglijk!' Ze wreef over haar voorhoofd, deed een stap naar de balustrade en gluurde over de rand. 'Je hebt echt goed zicht vanaf hier, hè? Dat komt vast omdat we zo hoog zitten.'

'Perfect om jullie allemaal te bespioneren,' zei Jenna en keek stralend naar Amanda. 'Geintje!'

Terwijl Hugh langzaam naar de villa terugliep, voelde hij zich vol energie, vervuld van een groeiend, uitgesproken optimisme. Chloe had hem dan misschien in woorden afgewezen, maar uit al het andere – de blos op haar wangen, de glans in haar ogen, de trilling in haar stem – bleek dat ze hem wilde. Natuurlijk wilde ze hem. Ze hadden elkaar altijd gewild.

Toen hij die ochtend wakker werd en Chloe's gezicht tegenover zich zag, was het als een teken. Hij had zich intens gelukkig, overweldigend blij gevoeld. Daar was zijn engel, zijn verlosser. De oplossing van alles. Hij had een geweldig visoen van hen samen gekregen, iedere ochtend samen. De rest van hun leven samen, met Sam en Nat en misschien een baby van hen tweeën... Echt familiegeluk, voor het eerst in zijn leven. Hugh was niet godsdienstig en hij geloofde ook niet in die onzin van die new age flauwekul zoals kristallen en astrologie waar Amanda's zus bij ieder bezoek mee op de proppen kwam. Maar dit was echt. Dit was zo'n sterk gevoel als hij nooit eerder had gehad. Chloe en hij waren voor elkaar bestemd.

Hij had gisteren zelf de rauwe emotie op haar gezicht gezien. Hij had haar voelen huiveren, had haar horen uitroepen... Hij wist hoe het zat. Vandaag ontkende ze haar gevoelens, trok ze zich terug in de veiligheid van haar huwelijk. Maar ze kon ze niet voor altijd blijven ontkennen. Ze zou zeker niet voor altijd kunnen weigeren toe te geven.

Hugh sleepte zich de trap naar de tuin op terwijl hij zijn ogen tegen de felle zon toekneep en zag Nat die op het gras een tekening zat in te kleuren. Nat keek op, schonk hem de onschuldige glimlach van een achtjarige en boog zich weer over zijn tekening. Hugh keek naar hem, naar zijn donkere ogen en zijdeachtige haar dat over zijn voorhoofd viel en was ineens nieuwsgierig, vol verlangen om met dit kind te praten.

Toen hij naar Nat toeliep, was hij zich er in zijn achterhoofd ook van bewust dat hij zichzelf op de een of andere duistere manier aan het testen was. Als hij met succes met Nat kon praten, als hij op de een of andere manier een band met hem kon scheppen – dan betekende dat iets. Dat moest dan toch iets betekenen?

'Hallo,' zei hij en hurkte op het gras naast Nat. 'Hoe is het?'

'Goed,' zei Nat. Hij legde een blauw potlood neer en pakte het gele. 'Ik ben die citroenboom aan het tekenen.'

Hugh keek op het blad en volgde toen uit beleefdheid Nats blik. Tot zijn verbijstering zag hij een bijna identieke, levensechte versie van de boom op Nats blad.

'Dat is ongelooflijk!' riep hij uit. 'Allemachtig.' Hij keek weer naar het papier en toen weer naar de boom. 'Nou, het is duidelijk dat je goed kunt tekenen, hè?'

'Ik geloof van wel,' zei Nat met een licht schouderophalen. Hij ging verder met arceren en Hugh keek zwijgend toe terwijl er een eigenaardige emotie bij hem opkwam: een herinnering die zich opdrong.

'Je moeder kan ook tekenen, hè?' zei hij abrupt.

'O ja. Mama is echt heel goed,' beaamde Nat. 'Ze heeft een tentoonstelling in de kerk gehad en drie mensen hebben iets gekocht. En het waren niet eens vrienden of zo.'

'Ze heeft mij een keer getekend,' zei Hugh. Toen hij in Nats donkere ogen keek, voelde hij een schokje van vreugde om het risico dat hij nam door zo'n geheime herinnering met dit kind te delen. 'Ze heeft een tekening van me gemaakt, met een potlood. Het duurde maar een paar seconden... maar ik was het. Mijn ogen, mijn schouders...' Hij zweeg, opgaand in zijn herinneringen. Zijn slaapkamer, afgeschermd tegen het middaglicht. De huivering toen Chloe's ogen over zijn lichaam gleden, het geluid van haar potlood op papier. 'Weet je, ik had er tot op dit moment helemaal niet meer aan gedacht,' zei hij, met een poging tot een luchtige lach. 'Ik weet niet eens meer waar de tekening is.'

'Mama tekent ons allemaal,' zei Nat, zijn toon beleefd en ongeinteresseerd. 'Ze heeft stápels tekeningen van me gemaakt toen ik een baby was. In plaats van foto's.'

Het was stil, op het gekras van Nats potlood na.

'Tekent ze je vader ook?' hoorde Hugh zichzelf vragen. Onmiddellijk walgde hij van zichzelf, verachtte hij zichzelf om die vraag – maar toch wachtte hij met ingehouden adem op het antwoord.

'Soms,' zei Nat onverschillig en pakte het zwarte potlood. 'Afgelopen Kerstmis heeft ze ons alle drie getekend.' Hij stopte even met tekenen en keek grijnzend op. 'We moesten zo lachen om papa – hij wachtte tot ze niet meer keek en plakte toen een valse snor op. En toen draaide mama zich om en ze wist dat er iets niet klopte, maar ze wist niet wat.' Nat begon te giechelen en Hugh forceerde een stijve glimlach. 'En toen zág mama de snor, maar ze zei niets, ze bleef gewoon tekenen. En toen ze de tekening af had, keken we ernaar en papa had een hele grote snor en hele grote oren...'

Nat proestte het uit en Hugh ademde hoorbaar uit. Wat een idioot was hij. Wat had hij in godsnaam verwacht? Wat had hij willen horen? Verhalen over echtelijke onenigheid? Aanwijzingen dat het allemaal niet zo goed zat? Nou, hij had gekregen wat hij verdiende, hè? Hij had verhaaltjes te horen gekregen over huiselijk geluk, grapjes en gelach en wat zijn we verdomme gezegend.

Ineens, toen hij naar Nat keek die nog steeds giechelde, voelde hij zich erger dan een idioot, hij voelde zich net een kinderverkrachter. Onder valse voorwendselen met dit onschuldige joch praten, heldere, luchtige vragen stellen met een troebele, glibberige ondertoon.

'En, is dit voor iets speciaals bestemd?' zei hij terwijl hij naar de tekening wees. Hij glimlachte naar Nat. 'Of is hij voor je kunstportefeuille?'

'Nou, hij is eigenlijk voor mijn vakantieplakboek,' antwoordde Nat. 'We moeten voor school een vakantiedagboek bijhouden. Papa heeft gezegd dat als ik iedere dag een beetje zou doen, ik niet eens zou merken dat ik het deed. Twintig minuten per dag.' Hij keek op zijn horloge. 'Ik ben nu trouwens bijna klaar.'

'Heel verstandig,' zei Hugh. 'Weinig en vaak.'

'Ik ben dingen aan het verzamelen om er in te plakken,' zei Nat. Hij haalde zijn tekening weg en de groene map kwam tevoorschijn die hij als onderlegger had gebruikt. 'Zoals mijn instapkaart en een ansichtkaart uit Puerto Banus en ik heb een tekening van de villa gemaakt...'

'Heel goed,' zei Hugh op een joviale, schoolmeesterachtige toon. 'Laat me maar eens zien.'

Hij pakte Nats groene map, keek naar de omslag en stopte toen hij het vertrouwde logo van PBL voorop zag staan. Hij bleef er enkele ogenblikken vertwijfeld naar kijken. Het logo van zijn eigen bedrijf? De map zag eruit als een van zijn eigen presentatiemappen. Had Amanda hem misschien aan Nat gegeven? vroeg hij zich af. Maar – waar zou Amanda die dan vandaan gehaald hebben?

'Nat...' vroeg Hugh terloops. 'Hoe kom je aan die map?'

'Van mijn vader,' zei Nat die opkeek.

'Je vader?' Hugh keek naar Nats open, nietsvermoedende gezicht. 'Wat bedoel je, je vader? Hoe komt hij eraan?'

'Mijn vader,' zei Nat verbaasd. 'Hij heeft het van zijn werk. Hij werkt bij de National Southern Bank.'

Het was net of er iets in Hughs hoofd viel. Een paar seconden lang kreeg hij geen beweging in zijn mond. De zon leek steeds harder op zijn hoofd te branden.

'Je... je vader werkt bij de National Southern Bank,' herhaalde hij.

'Ja.' Nat pakte een rood potlood. 'Er was een overgave, dus heeft papa een heleboel spullen met PBL erop. Pennen en zo.'

'Overname.'

'Ja.' Nat bloosde. 'Dat bedoelde ik. Overname. PBL zit op internet,' voegde hij eraan toe terwijl hij met het rood schaduwen aanbracht. 'Maar wij hebben hen niet, wij hebben Fast-Serve. En ze hebben ook computerwinkels. En ze verkopen telefoons –'

'Ja,' zei Hugh die zijn opwinding probeerde te verbergen. 'Ja, dat... dat weet ik. Nat...'

'Wat is er?' Nat keek met donkere, vriendelijke ogen naar hem op en Hugh keek sprakeloos terug.

'Laat maar,' zei hij ten slotte en probeerde te glimlachen. 'Tot straks, hè?'

Terwijl Hugh bij Nat vandaan liep, voelde hij zich onwerkelijk. Bijna licht in zijn hoofd. Hij meed het zwembad en ging de koele, donkere villa binnen, waar hij zijn tollende gedachten tot bedaren probeerde te krijgen. Philip werkte voor de National Southern Bank. Hij was verdomme op vakantie met een werknemer van de National

Southern Bank. Het was ongelooflijk. Het was afgrijslijk. Waarom had hij het niet gewéten? Waarom had niemand het verteld?

Er klonk een geluid op de trap boven hem en Hugh schoot snel Gerards werkkamer binnen, deed de deur achter zich dicht en slaakte een zucht van verlichting. Hij wilde nog even niemand zien; er waren enkele dingen die hij eerst moest uitzoeken. Hij voelde zich net een vos die maar een kleine voorsprong had; hij kon nu ieder moment opgespoord en ontdekt worden. Het sloeg nergens op, dacht hij, terwijl hij naar adem snakkend naar het bureau liep. Het sloeg gewoon helemaal nergens –

Hij bleef stokstijf staan. Zijn oog viel op een ingelijst portret van Gerard. Gerard in smoking die een wijnglas naar de camera heft, zijn gezicht blozend van genoegen.

Gerard, dacht Hugh die zich ineens misselijk voelde. Die klootzak van een Gerard.

Een nieuwe stortvloed overspoelde hem. Hij herinnerde zich Gerard in die wijnbar in de City, die hem vroeg naar de overname, naar de consequenties voor het personeel van de National Southern Bank, naar Hughs rol in dat alles. Gerards ogen die fonkelden van nieuwsgierigheid. Hij had er op dat moment niets achter gezocht. Iedereen was geïnteresseerd, iedereen was nieuwsgierig. Gerards vragen hadden volkomen onschuldig geleken.

O Jezus. O Jézus.

Hij ging achter het bureau zitten en voelde dat zijn hart als een razende tekeerging. Hij pakte de telefoon en toetste Della's nummer in.

'Della, met Hugh.'

'Hugh!' zei Della. 'Hoe is het? Leuke vakantie, hoop ik?'

'O ja, geweldig, dank je,' zei Hugh die over zijn gespannen gezicht wreef. Hij was bijna vergeten dat hij op vakantie was. 'Della, ik zou willen dat je iets voor me doet. Ik wil graag dat je uitzoekt voor welk filiaal ene Philip Murray werkt.'

'Phil-ip Mur-ray,' herhaalde Della zorgvuldig.

'Ja. Philip Murray.' Hugh liet langzaam zijn adem ontsnappen. 'En als je dat hebt, wil ik dat je opzoekt wat de aanbevelingen van het team van John Gregan voor dat filiaal zijn. Bel me maar op dit nummer terug.'

'Goed,' zei Della. 'Dat zal ik doen. Nog iets anders?'

'Nee,' zei Hugh. 'Nee, dat is alles. Bedankt, Della.'

Hij legde de hoorn neer en staarde een ogenblik wezenloos voor zich uit. Toen legde hij zijn hoofd op zijn handen en voelde alle energie uit zich wegvloeien.

12

Jenna en Sam lagen zwijgend in de schaduw van een boom in het droge, schaars begroeide veld en staarden naar de eindeloos blauwe hemel. Jenna zweeg omdat ze diepe trekken van een sigaret nam. Sam zweeg omdat hij niets maar dan ook niets zinnigs wist te vertellen.

Na de lunch was Amanda tot de conclusie gekomen dat het te warm was om bij het zwembad te zitten en zou met Octavia, Beatrice en Nat naar een of ander ezelopvangcentrum gaan waarover ze gelezen had. Toen de auto over de oprijlaan verdween, had Jenna zich tot Sam gewend en gezegd: 'Zin in een biertje?' Sam had zo nonchalant mogelijk zijn schouders opgehaald en gezegd: 'Oké, waarom niet?' Terwijl hij naast haar liep, met het ijskoude bier in zijn handen, bleven zich zinnen in zijn hoofd vormen – luchtig, terloops, zelfs grappige opmerkingen. Maar iedere keer dat hij zijn mond opendeed om iets te zeggen, was hij verlamd van onzekerheid. Stel dat zijn grapje niet overkwam? Stel dat ze zich omdraaide en hem die wezenloze, minachtende blik van haar toewierp – of nog erger, dat ze hem uitlachte? En dus had hij niets gezegd – en de stilte was maar blijven groeien.

Jenna leek zich er niet druk over te maken. Ze had een blikje bier leeggedronken – hij was halverwege het zijne – en een sigaret opgestoken en dat scheen genoeg te zijn. Eerlijk gezegd was het zo heet dat je niet hoefde te praten. De zon kwam best goed uit, dacht hij, een beetje als de tv. Als het gesprek stilviel, kon je altijd je ogen dichtdoen en je gezicht naar de zon heffen tot je iets nieuws bedacht had om te zeggen.

'En,' zei Jenna en Sams hoofd maakte een kwartslag. Ze zat rechtop en haar dreadlocks vielen als veters om haar schouders. 'Hebben we allemaal een fijne vakantie?' Ze blies een rookwolk uit en haar ogen keken hem fonkelend aan. 'Wat denk je, Sam? Duimen omhoog of duimen omlaag?'

'Nou,' zei Sam voorzichtig. 'Duimen omhoog, denk ik. Ik bedoel, het is mooi weer...'

'Het is mooi weer,' praatte Jenna hem met een lachje na. 'Jullie Britten.'

'Ik heb het hartstikke naar mijn zin,' zei Sam, een beetje geraakt door haar opmerking. 'En Nat ook. Ik denk pap en mam ook.'

'Denk je dat?'

'Jij niet?'

Jenna haalde haar schouders op en nam een trek van haar sigaret. Ze boog zich voorover om aan haar voet te krabben en Sam staarde naar haar borsten, bruin en rond als appels, gevat in twee strakke zwarte driehoekjes. Naast zich omklemden zijn vingers de ruwe, droge aarde; hij wilde iets zeggen, maar zijn keel zat helemaal dicht. Jenna die een neutraal gelakte teennagel zat te bestuderen, keek op en wierp hem een ondoorgrondelijk lachje toe.

'Nou, ik ben blij dat jij het naar je zin hebt,' zei ze. Sam voelde dat hij bloosde en wendde snel zijn gezicht af. Wat bedoelde ze daarmee?

'Heb jij het dan niet naar je zin?' zei hij, te agressief.

'Ik ben niet hier om het naar mijn zin te hebben.'

'Nee, maar het is toch niet verboden?'

'Dat weet ik niet,' zei Jenna. 'Ik heb het niet gevraagd.' Ze rolde komisch met haar ogen en Sam lachte, deels van opluchting.

'Jij mag Amanda niet, hè?' zei hij terwijl hij zijn blikje pakte en een slok bier nam.

'Als werkgeefster?' Jenna pakte nog een blikje bier en trok het open. 'Niet speciaal.'
'En als... mens?'
'Als mens...' Ze dacht een paar seconden na, met het blikje aan haar lippen. 'Eerlijk gezegd heb ik medelijden met haar.'
'Je hebt medelijden met Amanda?' Sam keek haar verbaasd aan. 'Waarom in vredesnaam...'
'Omdat ze als een niet erg gelukkige vrouw op me overkomt, denk ik.'
'Nou, misschien zou ze niet zo bazig moeten zijn!' Sam schudde zijn hoofd. 'Ik vind het ongelooflijk dat je medelijden met haar hebt. Ik bedoel, ze is zo afschuwelijk tegen je geweest.'
'Het feit dat ik het vreselijk vind om voor haar te werken wil niet zeggen dat ik geen medelijden met haar kan hebben.' Jenna drukte haar peuk op de grond uit. 'Weet je, Amanda heeft één ding – ze geeft tenminste echt om haar kinderen. Toen Beatrice ziek was, bleef ze de hele nacht bij haar. En ruimde de troep op. Hugh deed natuurlijk helemaal niets...'
'Mag je Hugh niet dan?' vroeg Sam verbaasd.
'Zonde van de ruimte,' zei Jenna. 'Typisch Engelse kerel. Geen emoties, geen humor, niks. Terwijl Amanda wel een rotwijf is, maar je merkt dat ze echt van de kinderen houdt.'
'Alle moeders houden van hun kinderen.'
'Dacht je dat? Ik heb een hoop moeders meegemaakt. En sommigen hebben een rare manier om het te tonen.' Jenna draaide op haar buik en steunde met haar kin op haar handen. 'Er zitten echte krengen tussen, hoor. Ze krijgen kinderen omdat het zo hoort. Dan geven ze ze aan iemand anders en vertrekken voor een maand naar Barbados. Dan heb je nog die vrouwen met een schuldgevoel. Ze kunnen je niet uitstaan omdat jij meer tijd met hun kinderen doorbrengt dan zij.'
Sam keek haar nieuwsgierig aan.
'Kun je met niemand van je werkgevers opschieten?'

'O, er zit er wel eens één tussen.' Jenna grinnikte. 'Wat je moet weten is dat de emotie die aan de basis van iedere kindermeisje-moederrelatie ligt haat is.'

'Haat?' Sam lachte, niet wetend of ze nu een grapje maakte of niet.

'Misschien geen haat,' gaf Jenna toe. 'Maar afkeer. Jaloezie. Ik benijd ze omdat ze grote huizen en veel geld hebben... en zij benijden me omdat ik geen zwangerschapsstriemen en een seksleven heb.'

'Amanda heeft geen zwangerschapsstriemen,' flapte Sam eruit voor hij zich kon inhouden.

'O echt?' Jenna trok haar wenkbrauwen op. 'Je hebt gekeken, hè?'

'Nee,' zei Sam blozend. 'Natuurlijk niet. Ik...' Hij nam een slok bier om zijn verlegenheid te verbergen. 'Dus – denk je... denk je dat Amanda jou benijdt?' zei hij, in een poging het gesprek normaal voort te zetten.

'Eerlijk gezegd weet ik niet of Amanda wel de fantasie heeft om iemand te benijden,' zei Jenna die haar ogen dichtdeed en steunend op haar ellebogen achteroverleunde. Sams blik gleed hulpeloos over haar lichaam en toen wendde hij zich weer af. Hij kreeg het steeds warmer. Hij nam nog een slok bier en ging met zijn hand over zijn klamme voorhoofd.

'Jij lijkt echt op je moeder,' zei Jenna die ineens haar ogen opendeed. 'Zelfde ogen, alles.'

'Tja,' zei Sam.

'En Nat is precies je vader. Gek, hè?'

Sam zweeg. Met een terughoudende uitdrukking op zijn gezicht boog hij zich naar zijn schoen en begon onnodig de veter opnieuw te knopen. Hij aarzelde altijd voor hij nieuwe mensen over zijn ouders vertelde. Soms had hij gewoon geen zin in de nieuwsgierigheid van andere mensen. Vooral meisjes gingen helemaal overdreven doen als hij het hun vertelde – dan slaakten ze een kreetje en omhelsden hem en zeiden dat hij er altijd met hen over kon praten als hij er zin in had. Alsof het iets bijzonders was, terwijl het dat écht niet was.

Aan de andere kant leek Jenna niet het type dat over wat dan ook overdreven deed.

'Philip is niet mijn echte vader,' zei Sam ten slotte en keek op. 'Niet mijn biologische vader, bedoel ik.'

'O echt?' Jenna schoot overeind. 'Ben je geadopteerd?'

'Nee, hoor,' zei Sam. 'Mam is mijn echte moeder. Ze kreeg me toen ze nog heel jong was. Ongeveer jouw leeftijd.'

Jenna keek hem met tot spleetjes vernauwde ogen aan alsof ze op een idee kwam.

'Wie is je vader dan?'

'Een of andere kerel in Zuid-Afrika. Een professor aan de universiteit van Kaapstad.'

'O,' zei Jenna een beetje teleurgesteld. 'Is hij aardig? Kun je met hem overweg?'

'Ik heb hem nooit ontmoet. Misschien ga ik hem op een dag wel opzoeken. Van pap en mam mag het.' Sam keerde zich van Jenna's intense blik af en friemelde aan een grasspriet. Hoewel hij alles wist van zijn echte vader en de hele situatie, kreeg hij toch altijd een onbehaaglijk gevoel als hij erover sprak.

'Ik zou geen moeite doen als ik jou was,' zei Jenna. 'Mijn vader heeft ons in de steek gelaten toen ik vijf was. Ik heb absoluut geen behoefte om hem op te zoeken.' Ze nam een slok bier terwijl ze Sam nieuwsgierig bleef aankijken. 'En Philip lijkt me een goeie vent.'

'Hij is geweldig,' zei Sam. 'Ik bedoel, hij kan soms heel irritant zijn, maar...' Hij haalde zijn schouders op. 'Je weet wel.'

'Je merkt gewoon dat hij een door en door fatsoenlijke vent is,' zei Jenna. 'Weet je, laatst was Octavia echt heel vervelend aan het doen en Philip begon haar een verhaaltje te vertellen. Zomaar. En het was nog een heel goed verhaal ook. Op een gegeven moment zaten we allemaal te luisteren.'

'Pap verzon altijd te gekke verhalen voor ons,' zei Sam. 'Hij vertelde ons iedere avond een aflevering. Hij doet het nog steeds voor Nat.'

'Doet hij het ook voor zijn werk? Schrijven, bedoel ik?'

Sam schudde zijn hoofd.

'Hij werkt bij een bank.'

'O, juist.' Jenna trok haar wenkbrauwen op en blies een rookwolk uit. 'Dus hij verdient tonnen.'

'Nee.' Sam zweeg enkele ogenblikken terwijl hij zat te dubben of hij meer zou zeggen of niet. 'Misschien raakt hij zelfs zijn baan wel kwijt,' zei hij ten slotte.

Jenna keek Sam met grote ogen aan.

'Meen je dat?'

'Ja. Er is een grote fusie geweest. Ze hebben het me niet echt verteld, maar het is duidelijk dat het speelt.' Sam keek haar recht in de ogen. 'Je moet het niet tegen Nat zeggen, hoor. Hij weet het niet.'

'Ik zeg helemaal niks. Jezus! Daar had ik geen idee van. Wat een ellende, zeg.' Ze schudde haar hoofd en de kraaltjes aan het eind van haar dreadlocks klikten tegen elkaar. 'Je arme vader.'

'Nou, misschien gebeurt het wel niet.'

'Ik hoop van niet.' Jenna fronste haar voorhoofd. 'Hij verdient het niet dat dat er ook nog eens bij komt.'

'Waar ook nog eens bij?'

Jenna keek hem een ogenblik zwijgend aan alsof ze iets van zijn gezicht probeerde te lezen.

'Dat zijn vakantie ook nog eens verpest wordt,' zei ze en nam een trekje van haar sigaret. Sam keek haar ongemakkelijk aan. Aan de oppervlakte was het net of ze een volkomen normaal gesprek voerden. Maar met Jenna was het altijd net of er iets anders in haar omging. Iets wat ze je niet vertelde.

'Mensen leiden altijd interessantere levens dan je zou denken,' zei Jenna opeens. 'Iedere familie heeft wel iets geks aan de hand. Een geheim of een vete, of een enorm probleem... Jezus, wat is het warm.' Ze kwam overeind, bracht haar hand naar haar rug en maakte zonder gêne haar bikinitopje los. 'Dat vind je toch niet erg, hè?'

Sam voelde zijn hele lichaam van schrik samentrekken toen de zwarte stof van Jenna's twee perfecte, gebruinde borsten gleed. Shit, dacht hij, terwijl hij nonchalant probeerde te blijven en wanhopig zijn best deed om niet naar haar tepels te kijken. Verpest het alleen niet. Ga dit níet lopen verpesten. Jenna keek op en hij wendde snel zijn blik af. Hij pakte nog een blikje bier en trok het met enigszins trillende vingers open.

'Niet te veel drinken,' zei Jenna.

Sam keek haar aan. Hij durfde zich niet te verroeren. Vanuit zijn ooghoeken zag hij twee vogels achter elkaar door de lucht scheren. Toen, zonder enige waarschuwing, boog Jenna zich voorover en kuste hem met haar koele mond.

Sam deed zijn ogen dicht en probeerde zichzelf onder controle te houden. Maar de begeerte denderde als een trein door hem heen. Niet in staat zich in te houden grabbelde hij woest naar een van haar borsten. Jenna protesteerde niet. Hij maakte zijn mond van de hare los en daalde zachtjes af naar haar tepel. Toen hij hem in zijn mond nam, wierp Jenna haar hoofd achterover en kreunde zachtjes. Er ging een nieuwe stoot opwinding door hem heen en hij graaide naar haar andere borst, in de hoop hetzelfde resultaat te behalen. Toen zei ze iets dat hij niet goed verstond.

'Wat?' zei hij en keek met benevelde blik op.

'Lager,' mompelde Jenna.

Met bonkend hart ging Sam op de droge grond verliggen en liet zijn mond langzaam over haar platte bruine buik glijden, geleidelijk naar de bovenrand van haar bikinibroekje. Het westfront, zoals het bekend stond onder de jongens op zijn school. Dat strakke, verleidelijke bandje lycra of kant of wat het ook mocht zijn – dat meisjes met ieder grammetje energie bewaakten. Hij kwam bij de bovenrand van Jenna's zwarte bikinidriehoekje en stopte, zijn hoofd knalrood. Hij was zich vaag bewust dat zijn dijen trilden van het dragen van zijn lichaamsgewicht, dat zijn knieën doorboord werden door scherpe steentjes, dat zijn nek drijfnat was van het zweet. Wat nu? dacht hij paniekerig. O God, wat nu?

Onder hem wriemelde Jenna even en slaagde er op de een of andere manier in om haar benen een eindje uit elkaar te doen zonder dat het eruitzag alsof het opzet was. Toen hij het zag, werd hij bijna gek. Daar lag ze. Klaar om genomen te worden.

Hij had een condoom in zijn zak – dat hij eerder uit een pakje van drie had gegrist dat hij in zijn koffer had verstopt. Toen Jenna hem uitgenodigd had om een paar biertjes te gaan drinken, was hij naar boven gehold, had het pakje opengescheurd en het foliepakje in zijn zak gestopt, ook al durfde hij niet te geloven dat hij het ook werkelijk zou gebruiken. Zijn vrienden en hij liepen altijd met condooms op zak alsof het iets vanzelfsprekends was. Voor zover hij wist was geen van hen ooit in actie gekomen, maar nu... Sam keek weer naar Jenna en werd opnieuw overspoeld door opwinding. Moest hij het tevoorschijn halen? Moest hij het haar eerst vragen? Wat moest hij verdomme...

'Mmm-nnaa,' mompelde Jenna en hij keek met een ruk op. Wat zei ze?

'Wat zei je?' wist hij schor uit te brengen. Zonder naar hem te kijken deed Jenna haar handen naar beneden en wriemelde nog een keer. En ineens gleed haar bikinibroekje voor zijn ogen naar beneden. Hij kon het niet geloven... O... O... shit...

'Lager,' mompelde Jenna en een glimlachje verspreidde zich over haar gezicht. 'Een beetje lager.'

Philip zat in zijn eentje aan de enorme marmeren ontbijtbar in de keuken en nam voorzichtig slokjes bronwater. Hij had het gevoel dat het hem uren gekost had om wakker te worden en ook nu nog voelde hij zich duf in zijn hoofd en een beetje van de wereld. Zijn handen leken kilometers ver van de rest van zijn lichaam verwijderd en iedere keer dat hij het glas op het marmeren blad terugzette, kromp hij ineen van het zachte gerinkel.

Hij had geen idee hoeveel hij de avond tevoren gedronken had, maar als de lege flessen en de toestand van zijn hoofd toen hij wakker werd een goede graadmeter waren, moest het wel veel zijn geweest. Hij was halverwege de ochtend in zijn eentje wakker geworden bij het zwembad, met zere ogen en een droge keel. Terwijl hij wazig om zich heen keek en flarden herinneringen aan de avond tevoren in elkaar paste, baalde hij ervan dat hij er alleen achtergelaten was, dat Hugh hem niet ook wakker gemaakt had. Het rook naar vals spelen, om eerder weg te sluipen om te douchen en schone kleren aan te trekken. Ze waren ten slotte met elkaar verbonden in hun ondeugende gedrag. Philip zou wel zin gehad hebben in een na-feestelijke klaagzang: het bespreken van hun excessen van de avond ervoor en de verschillende katers met elkaar vergelijken.

Hij pakte de fles bronwater en schonk zijn glas nog eens vol terwijl hij naar de belletjes keek die vol enthousiasme naar het oppervlak stegen. Hugh was een ander mens als hij dronken was, vond hij. De nogal saaie, afstandelijke knaap die hij aan het begin van de vakantie ontmoet had, was veranderd in iemand met gevoel voor plezier en droge humor, iemand die Philip best beter zou willen leren kennen. Hugh, de vooraanstaande ruimtevaartdeskundige, dacht hij, en zijn mond vormde zich tot een glimlach. Kinderachtig gedoe. Hij wilde bijna dat Chloe erbij was geweest, dat ze zou hebben gezien dat hij haar instructies tot op de letter uitgevoerd had. Had ze niet tegen hem gezegd dat hij zich moest ontspannen en zijn hoofd moest leegmaken? Had ze niet tegen hem gezegd dat hij moest genieten? Nou, dat had hij allemaal gedaan, dubbel en dwars.

Hij nam nog een slokje en deed zijn ogen dicht toen hij voelde hoe zijn hoofd protesteerde tegen de inname van vocht. Zijn lichaam wilde niet wat het beste voor hem was. Wat nog beter dan water zou zijn geweest was Alka Seltzer. Maar hij had er geen kunnen vinden toen hij Gerards dure keukenkastjes doorspitte – en hij had geen zin om er iemand naar te vragen. Bovendien genoot hij er op een vreemde manier van om hier met een bonkend hoofd en trillende handen te zitten en zich precies zo ziek te voelen als hij verdiende.

De villa leek die middag een vreemde, dromerige plek. De stilte was natuurlijk voor een deel toe te schrijven aan de afwezigheid van de drie jongere kinderen – en van Amanda, gaf hij tegenover zichzelf toe. Op de een of andere manier droeg haar aanwezigheid bij aan een beladenheid van alles wat er gebeurde.

Chloe was met hoofdpijn naar de slaapkamer gegaan. Ze had er bleek, bijna ziek, uitgezien en had zich af hem afgekeerd toen hij een arm om haar schouders probeerde te slaan. Gerard zat haar zeker nog steeds dwars. Philip nam peinzend een slokje. Hij wist niet goed wat hij van Sams theorie moest denken en hij vond het ook eigenlijk niet zo belangrijk. Ze waren hier nu met zijn allen en ze hadden hun vakantie en dat was toch zeker het enige dat ertoe deed? De villa was zo groot, er had waarschijnlijk nog wel een derde gezin bij gekund zonder dat ze er veel last van zouden hebben gehad.

Philip nam nog een slokje water en graaide in het schaaltje pistachenoten dat iemand op de bar had laten staan. Toen hij ze begon open te kraken, voelde hij een vlaag van tevredenheid over zich komen. Een geluksgevoel zelfs, ondanks het gebonk in zijn hoofd. Eindelijk begon hij zich te ontspannen. Als Chris gelijk had, dan zou er tot volgende week niets gebeuren. Het was alsof hij een paar dagen respijt had gekregen.

Of de alcohol nu zijn zenuwen verdoofd had of dat het gedwongen nietsdoen zijn hele systeem aan het afremmen was, hij voelde zich kalm en ontspannen. Voor het eerst in deze vakantie had hij ook het gevóel dat hij met vakantie was. Zijn maag kromp niet om de vijf minuten ineen, zijn gedachten bleven niet terugdwalen naar Engeland en de bank en naar wat er zou gaan gebeuren.

Hij was een stapel folders tegengekomen toen hij in de keuken naar pijnstillers zocht. Er waren allerlei uitstapjes en excursies die hij met de jongens kon gaan maken. Hij pakte een folder voor een waterpark en stelde zich voor hoe hij in een enorme rubberen ring van een reuzenglijbaan duikelde terwijl de jongens toekeken, ontsteld over hun gênante pa. Bij de gedachte alleen al moest hij gniffelen. Dat moesten ze gaan doen. Eropuit, dingen doen, genieten.

De telefoon weergalmde doordringend door de marmeren keuken en hij schrok. Hij had geen zin om op te nemen. Niet nu hij zich zo tevreden voelde. Aan de andere kant werd al snel duidelijk dat niemand anders het zou doen. Nadat hij nog een paar keer overgegaan was, nam hij op en zei behoedzaam: 'Hallo?'

'Hallo,' zei een vrouwenstem. 'Zou ik Hugh Stratton misschien kunnen spreken?'

'Ja, natuurlijk,' zei Philip. 'Ik ga hem even zoeken...'

'Of zou ik misschien een boodschap kunnen achterlaten?

'Eh... ja, goed,' zei Philip. 'Ik pak even een pen.' Hij liet zijn blik doelloos door de keuken dwalen en zag een pot vol handbeschilderde potloden op een bewerkte houten richel staan. 'Goed,' zei hij toen hij de telefoon weer opgepakt had. 'Zegt u het maar.'

'Als u zou kunnen zeggen dat Della heeft gebeld...'

'Ja,' zei Philip terwijl hij de naam opschreef.

'... om te zeggen dat Philip Murray in het filiaal in East Roywich zit.'

Philips potlood hield stil. Hij bleef onthutst naar de woorden kijken die hij zojuist opgeschreven had. 'Della – Philip Murr–'.

Was hij nog steeds dronken?

'Het spijt me,' zei hij na een tijdje. 'Ik geloof niet dat ik dat goed verstaan heb.'

'Philip Murray, M-u-r-r-a-y, werkt voor het filiaal in East Roywich van de National Southern. Als filiaalchef.'

'Ja,' zei Philip. 'Juist.' Hij wreef over zijn gezicht terwijl hij zijn best deed er íets van te begrijpen. 'Kunt u... Met wie spreek ik precies?'

'Met Della James. Ik ben de secretaresse van meneer Stratton,' zei de vrouw. 'Het spijt me dat ik u tijdens uw vakantie moet storen. Als u de boodschap zou willen doorgeven – en zeggen dat ik de betreffende pagina's van het rapport naar hem zal doorfaxen. Hartelijk dank.'

'Wacht even!' zei Philip. 'Waar... waar belt u vandaan?'

'Vanuit het kantoor van meneer Stratton. Sorry dat ik u gestoord heb. Dag!'

'Nee, wacht even!' riep Philip uit. 'Waar precies...'

Maar de lijn was al dood. Hij keek naar de hoorn in zijn hand en legde hem langzaam terug.

Haalde iemand een geintje met hem uit? Was dit Sams idee van een grap? Hij liet zijn blik door de keuken dwalen, half verwachtend dat iemand giechelend tevoorschijn zou springen. Maar de keukenapparatuur stond er roerloos bij, het marmer glom zwijgend. Alles was stil.

Toen werd zijn aandacht getrokken door een heel vaag geluid. Het kwam van ergens anders in het huis en het klonk als...

Er ging een stoot adrenaline door Philip heen, hij schoot overeind en haastte zich naar de keukendeur. Toen hij de hal binnenstapte, bleef hij staan en luisterde weer naar het geluid. Het weerklonk opnieuw door de marmeren hal, vreemd prozaïsch tussen al die weelderigheid. Een fax die papier uitbraakte.

Met bonkend hart volgde Philip het geluid naar de werkkamer. De fax stond op het bureau en ernaast lagen verscheidene crèmekleurig vellen papier opgerold. Hij pakte de eerste, ontrolde hem en keek vol ongeloof naar de kop.

Van het kantoor van Hugh Stratton, hoofd bedrijfsstrategie.

En daarboven drie duidelijk zichtbare letters die met elkaar verstrengeld waren. P. B. L.

Chloe lag alleen in de verduisterde kamer en staarde in de koele, lichte schemering. Ze voelde zich in de war, koud en over haar toeren. Haar hoofdpijn was verdwenen. Het was toch niet zo erg geweest – eigenlijk meer een excuus om zich terug te kunnen trekken. Bij Hugh vandaan, met zijn hardnekkige, doordringende blik, en Philip met zijn liefdevolle, onschuldige bezorgdheid. Ze wilde afzondering en tijd om na te denken.

Maar hoe meer tijd ze in haar eentje doorbracht en probeerde na te denken, hoe onzekerder ze zich voelde. Hughs stem klonk voortdurend in haar hoofd en trok als een heliumballon aan haar gedachten. Ze bleef maar de opwaartse druk van die magische, clandestiene vreugde voelen. Een deel van haar wilde dolgraag die opwinding, die magie terug. Zijn ogen op haar gezicht, zijn handen op haar lichaam te voelen. Hugh Stratton, haar eerste ware liefde. De liefde die ze kwijtgeraakt was.

En, onder de opwinding, de romantiek, iets anders, iets waar veel lastiger mee om te gaan was. De pijn van het zien wat ze al die jaren gemist had. Het besef dat ze deze man nog steeds mocht en respecteerde. Dat ze zijn tekortkomingen kon zien, maar die begreep, waarschijnlijk beter dan zijn eigen vrouw. Hugh was niet zo erg veranderd sinds hij als twintigjarige jongen met zijn hoofd op haar blote borsten lag en lange nachten met haar praatte. Ze had toen zoveel van hem geweten als een mens maar van een ander te weten kan komen. En hoewel de jaren laagjes onbekendheid en beschaving over hem heen gelegd hadden, kende ze nog steeds zijn wezen. Ze sprak en begreep nog steeds zijn taal; die was niet vergeten. En hoe meer ze bij hem was, hoe vloeiender ze werd.

Hugh had gelijk, die vijftien jaar was niets. Ze werkten samen zoals ze altijd hadden gedaan. Hem terugkrijgen was als een wonder, een sprookje.

En toch… En toch.

Het echte leven was geen sprookje. Realiteit was de wetenschap dat een geheime hartstocht één ding was, maar wanneer die werd beleefd te midden van de puinhopen van gebroken gezinnen, was het een heel ander verhaal. Realiteit was de wetenschap dat voor sommige stukjes perfectie de prijs eenvoudigweg te hoog was. Haar verlangen naar Hugh kwam net zo goed uit nostalgie voort. Hij had als een weg uit haar huidige spanningen en zorgen geleken, terug naar het gouden, simpele verleden. Ze had haar ogen dichtgedaan en de opwinding van zijn lichaam tegen het hare gevoeld en was weer twintig geworden, vrij van verantwoordelijkheden en vol hoop, klaar om aan het leven te beginnen. In die paar magische uren had alles mogelijk geleken. Ze was er volledig in opgegaan. Maar nu...

Chloe hield haar hand gestrekt voor zich en keek emotieloos naar de structuur ervan. Dit was geen hand van een twintigjarige. Ze begon niet nog maar net aan het leven. Ze had haar weg al gekozen. Het was een weg waar ze tevreden mee was. Meer dan dat – gelukkig. Ze hield van Philip. Ze hield van haar zoons. Al deze levens ontwrichten voor een zelfzuchtige passie was iets dat ze niet kon doen.

Hugh en ik hebben onze kans gehad, dacht ze. We hebben onze tijd gehad; we hebben onze claus gehad. Maar we hebben de claus laten passeren en nu is het te laat. Andere mensen zijn op het toneel verschenen en we moeten nu samen met hen dansen.

Ze ging rechtop zitten en begroef haar hoofd in haar handen. Ze voelde zich kwetsbaar en was bijna in tranen. Haar vastbeslotenheid was sterk, maar niet onoverwinnelijk en ineens snakte ze naar gezelligheid en vertrouwdheid en geruststelling. Bovenal geruststelling. Ze had ineens grote behoefte om haar gezin om zich heen te verzamelen, als ballast, als zandzakken. Ze moest zichzelf herinneren aan waaraan ze zich vastklampte – en waarom.

Ze stapte abrupt uit bed. Ze keek een ogenblik naar haar bleke spiegelbeeld, liep de kamer uit en ging naar buiten. Er heerste een ongewone stilte en ze herinnerde zich dat Amanda een dagje uit was met de kinderen. De keuken was verlaten, het zwembad was verlaten. Ze aarzelde en tuurde in het heldere blauwe water, maar draaide zich toen om en liep naar het veld. Ze hief haar gezicht naar de zon en liet de zonnestralen diep in haar kille gezicht doordringen. Ze wilde blozende wangen en opgewarmd bloed. Ze wilde haar inwendige, onzekere kilte laten smelten tot een warm vakantiegeluk.

Toen ze bij het veld kwam, hoorde ze geritsel. Ergens in het gras zag ze Sam rechtop gaan zitten, zijn haar in de war en zijn gezicht rood aangelopen. Hij werd gevolgd door Jenna, die twee felle blossen op haar wangen en een afwezige blik in haar ogen had. Chloe keek in stilte toe terwijl ze haar schrik probeerde te verbergen. Maar natuurlijk, Sam was zestien. Het was slechts een kwestie van tijd... als het niet al een voldongen feit was. Bij de gedachte voelde ze zich slap worden.

'Hoi... hoi, mam,' zei Sam die naar de grond staarde.

'Hé, hoi, Chloe,' zei Jenna met een verzaligde uitdrukking op haar gezicht.

Chloe keek van de een naar de ander en vroeg zich af wat ze precies uitgespookt hadden – of, eigenlijk, hoe ver ze gekomen waren. Sams haar zat in de war en hij had stukjes droog gras over zijn hele T-shirt. Toen ze hem aankeek, wendde hij zijn blik af, met een mokkende, gegeneerde uitdrukking op zijn gezicht. Jenna was gekleed in een minuscule bikini, waarvan het topje, zag Chloe, aan de achterkant los zat. Was dat nou wel geschikte kleding voor een kindermeisje? dacht Chloe, zich ervan bewust dat ze schrikbarend als Amanda begon te klinken. Maar misschien had Amanda wel gelijk.

Ze zag dat Jenna's hand losjes op Sams been lag en voelde zo'n vijandigheid dat ze ervan schrok. *Haal je hand van mijn zoon*, wilde ze grommen. In plaats daarvan probeerde ze kordaat te klinken en zei: 'Sam, ik wil gaan wassen. Wil je alsjeblieft jouw was en die van Nat uitzoeken?'

'Straks,' zei Sam.

'Nee, niet straks,' zei Chloe. 'Nu.'

'Maar, mam...'

'Mag hij het niet straks doen?' zei Jenna en glimlachte naar Chloe. 'We waren net aan het zonnen...'

'Het kan me niet schelen wat jullie aan het doen waren,' zei Chloe met een valse glimlach naar Jenna. 'Ik wil dat Sam meteen meegaat en zijn was uitzoekt. En dan zijn kamer opruimt. Het is een puinhoop.'

Ze bleef zwijgend staan en weigerde ook maar een millimeter toe te geven terwijl Sam langzaam en met tegenzin overeind kwam en zich afklopte. Ze was zich er zeer van bewust dat hij ongelukkige blikken in Jenna's richting wierp, dat de twee heel duidelijk in een soort codetaal met elkaar probeerden te communiceren, dat ze waarschijnlijk een of andere benadering van het tienerparadijs had verstoord. Maar het kon haar niet schelen. Sam moest maar wachten.

Ik ga niet op dezelfde dag mijn minnaar én mijn zoon aan andere vrouwen afstaan, dacht ze, terwijl haar glimlach zich geforceerd op haar gezicht verbreedde. Ik doe het gewoon niet. Sam krijgt zijn kans nog wel. Sam zal zijn momenten in de toekomst krijgen. Maar dit is míjn moment. Ik heb het nodig mijn gezin om me heen te hebben en dat zal gebeuren

'Kom op,' zei ze tegen Sam en negeerde zijn moordzuchtige blik. Ze liepen terug over het veld, Sam met een chagrijnig gezicht en hangende schouders terwijl hij tegen aardkluiten en stekelbosjes schopte. Toen ze bij de villa kwamen en de trap op wilden, glimlachte Chloe naar Sam om het een beetje goed te maken.

'Als we de was uitgezocht hebben,' zei ze, 'kunnen we misschien een spelletje gaan doen. Een van die bordspellen die in de kamer liggen.'

'Nee, dank je,' zei Sam nors.

'Of... we zouden een pizza kunnen bakken. Samen een video kijken...'

'Ik heb geen honger,' snauwde Sam. Toen hij boven aan de trap stond, draaide hij zich naar haar om. 'En ik wil geen stomme spelletjes doen. Je hebt mijn middag al verpest, ik wil hem niet nog erger verpesten. Oké?'

Hij draaide zich met een ruk om, liep de gang door, stapte de kamer binnen die hij met Nat deelde en sloeg hem dicht met een klap die door de hele villa weergalmde.

Chloe keek hem na; ze voelde zich beverig en kon wel huilen. Ze liep langzaam naar een prachtig bewerkte stoel en ging zitten terwijl ze zich onder controle probeerde te krijgen. Maar er groeide een pijn binnen in haar die dreigde in een snik of een kreet los te barsten.

Wat geef ik voor jou op? wilde ze naar hem schreeuwen. Wat geef ik op? Ze begroef haar hoofd in haar handen en staarde naar de marmeren vloer, haar adem hortend en stotend, haar gezicht strak en uitdrukkingloos, en wachtte tot de pijn overging.

Hugh had een schaduwrijk terrasje aan de andere kant van de villa gevonden, ver bij de anderen vandaan. Hij had zeker een uur zitten wachten tot Della zou terugbellen, maar had het uiteindelijk opgegeven. Er was zeker iets tussengekomen – of had zich overgegeven aan zo'n twee uur durende aanval van koopwoede die ze lunch noemde. Hij had zijn zwembroek aangetrokken en was naar het zwembad gelopen, met het idee dat een beetje zwemmen zijn hoofd wel leeg zou maken, maar hij was snel teruggegaan toen hij Chloe in de verte zag lopen. Nu zat hij aan een smeedijzeren tafeltje wijn te drinken uit een fles die hij in de koelkast had gevonden en probeerde zijn gedachten tot rust te brengen.

Hij was in een behoorlijk afgrijselijke positie gemanoeuvreerd. Afgrijselijk, een ander woord bestond er niet voor. Philip Murray was een werknemer van de National Southern Bank. Hij was op vakantie met een werknemer van de National Southern Bank, die geen idee had wie hij, Hugh, was. Het deed sterk denken aan een of andere misselijke grap; het soort 'Wat zou jij doen als...'-vraag dat jongere personeelsleden binnen het bedrijf regelmatig naar elkaar mailden. Hier was, in levenden lijve, een van de naamloze filiaalchefs over wie Hugh urenlang in vergaderkamers van PBL had gesproken. Een van de middenkaderwerknemers die hij in een organogram had laten vertegenwoordigen door het symbool van een mannetje met een bolhoed. Philip was verdomme een van die symbolen. Het was bizar. Hij had bijna het gevoel dat een van zijn schaakstukken tot leven was gekomen en met hem praatte.

Waarom had hij het niet gewéten? Waarom had niemand het hem verteld? Maar vanaf het moment dat ze aangekomen waren, hadden ze allemaal met opzet ieder gesprek over werk gemeden. Chloe's stem klonk weer door zijn hoofd, als zout op een geschaafde huid.

We praten niet over het werk... We staan de laatste tijd onder grote druk... Philip loopt ernstig gevaar ontslagen te worden...

Hugh kromp ineen en nam een slokje wijn. *Ontslag.* Het was een woord waarvan zijn collega's en hij het gebruik meden – zelfs in persoonlijke correspondentie. Zo'n negatieve ondertoon van depressie en mislukking. Hij was meer geneigd het woord 'herstructurering' te gebruiken – en het, waar mogelijk, te hebben over eenheden in plaats van mensen. Hij had geen idee welke woorden gebruikt werden wanneer werknemers het slechte nieuws te horen kregen. De directe omgang met mensen had niets met hem te maken.

Natuurlijk had hij op de een of andere manier genoeg medewerkers van de National Southern ontmoet. Hij had vergaderingen bijgewoond met belangrijke medewerkers van de bank; hij was aanwezig geweest op de enorme, gespannen bijeenkomst die onmiddellijk na de aankondiging gehouden was; hij had zelfs in een motiveringswerkgroep gezeten waarin werknemers ijverig werden ondervraagd over wat ze dachten dat deze fusie voor hen persoonlijk zou betekenen en hun antwoorden werden in een speciaal voor dat doel ontworpen computerprogramma ingevoerd.

Maar dat was theorie. Echte mensen, ja – maar anoniem en onbekend en daarom nog steeds theorie. Terwijl dit het echte leven was. Dit was Philips leven en het was Chloe's leven. En het was zijn leven.

Hugh nam nog een slok wijn en staarde toen naar het glas in zijn hand alsof hij de vorm ervan in zijn geheugen wilde prenten. Het feit was, dacht hij nuchter, dat als Philip zijn baan kwijtraakte, Chloe nooit bij hem weg zou gaan. Daar was hij heel zeker van. Die wetenschap was als een glazen berg in zijn gedachten. Een hard, glimmend, onoverkomelijk obstakel. Als Philip ontslagen werd, was alles voorbij. Dan had hij geen kans.

Hij verstevigde zijn greep. Misschien had hij überhaupt geen kans. Chloe had hem dat vanochtend toch te verstaan gegeven? Ze had tegenover hem gestaan en gezegd dat het voorbij was, dat het een stomme misstap was geweest. Misschien moest hij haar geloven.

Maar dat kon hij niet, hij kon het gewoon niet. Hij had het licht in haar ogen gezien, het trillen van haar lippen. Allemaal tekenen die verrieden dat haar gevoelens net zo hartstochtelijk waren als de zijne. Natuurlijk had ze hem vanochtend afgewezen. Natuurlijk was ze met een schuldgevoel wakker geworden. Maar haar reactie was een overhaaste reflex geweest – een teken van schuld. Het had niet betekend dat ze, diep van binnen, niet nog steeds dezelfde gevoelens had. Ze kon nog steeds overstag gaan. Het was nog steeds mogelijk.

Maar het was niet mogelijk als Philip zijn baan verloor. Als dat gebeurde, zou er niets meer mogelijk zijn. Hugh dronk zijn glas leeg en schonk het nog eens vol. Hij nam een slokje, keek op en verstarde. Philip kwam naar hem toegelopen.

Hugh nam zich vastberaden voor niet in paniek te raken. Hij zou volkomen normaal doen en niets laten merken. Niet voor hij op de hoogte was van alle feiten.

Hij dwong zichzelf om Philip een spottende glimlach toe te werpen en gebaarde naar de fles.

'Even de kater wegdrinken,' zei hij. 'Zin om mee te doen?'

'Eigenlijk,' zei Philip die klonk alsof het spreken hem grote moeite kostte. 'Eigenlijk, Hugh, heb ik een fax voor je.'

'O,' zei Hugh verwonderd. 'Dank je...'

Hij stak zijn hand uit toen Philip de crèmekleurige pagina's tevoorschijn haalde en verstarde toen hij het opvallende logo van PBL boven aan de pagina zag staan. O, verdomme, dacht hij en zijn keel kneep dicht. Die verdomde stomme kóe van een Della... Hij hief zijn hoofd, keek recht in Philips ogen en voelde zijn hart overslaan.

'En, Hugh,' zei Philip op dezelfde eigenaardige toon, en wierp Hugh een starre glimlach toe. 'Wanneer was je precies van plan me het nieuws mee te delen?'

13

'Ik wist het niet,' zei Hugh. Hij keek naar Philips gespannen, boze gezicht en slikte. 'Je moet me geloven, ik wist het niet.' Zijn blik dwaalde naar de fax in zijn hand en ging over het getikte bericht van Della.

> Beste Hugh, hoop dat je mijn bericht ontvangen hebt. Ik sluit betreffende pagina's van Mackenzie-rapport bij. Groetjes, Della.

En daaronder een neutrale verklaring die erop neerkwam dat de inhoud van deze fax vertrouwelijk was en uitsluitend was bestemd voor de persoon aan wie de fax geadresseerd was.

Hij had nog niet naar de daaropvolgende pagina's gekeken. Maar het was duidelijk wat voor nieuws ze voor Philip bevatten. Jezus, dacht Hugh opnieuw, en voelde zich licht onpasselijk worden, wat had Della toch bezíeld? Dat een willekeurige medewerker van de National Southern Bank dit rapport onder ogen kreeg was een ramp op het gebied van bedrijfscommunicatie. Dat deze man, die daar in zijn korte broek en op blote voeten stond, dit rapport onder ogen kreeg, was nog erger. Deze man die hij kende, maar niet kende; op wiens leven hij al op een volkomen andere manier inbreuk gemaakt had...

'Philip, ik had geen idee dat je voor de National Southern werkte,' zei hij, met iets krachtiger stem vanwege het feit dat hij in dit opzicht eerlijk was. 'In het begin niet.'

'En hoe zit het dan hiermee?' Philip zwaaide ruw met de fax. Hij zag er volkomen anders uit, dacht Hugh, dan de hartelijke man met wie hij gisteravond langzaam zat had zitten worden. Deze man was gespannen, kwaad en achterdochtig; hij keek Hugh aan zonder een spoortje vriendelijkheid op zijn gezicht. Het was alsof ze elkaar voor het eerst ontmoetten.

Wat in zekere zin ook zo was, dacht Hugh. Al dat gelul over niet over het werk praten, over een T-shirt aantrekken en ontspannen en het echte leven vergeten – dat was toch gezwets? Je kon je niet aan het echte leven onttrekken, zelfs op vakantie niet. Het lag de hele tijd voor je op de loer. Het besprong je via de fax, via de telefoon, via de tv. En als je er niet op voorbereid was, des ter erger.

'Ik ben er pas vandaag achtergekomen,' zei hij. 'Ik had geen idee wie je was. Toen kwam ik Nat tegen. Hij had een map met het logo van PBL erop. Ik vroeg hem hoe hij er aan kwam en toen vertelde hij me...' Hij schudde zijn hoofd. 'Ik kon het niet geloven. Het is te gek voor woorden. We werken allebei voor hetzelfde bedrijf...'

'De National Southern en PBL zijn niet hetzelfde bedrijf,' zei Philip stijfjes. 'Jullie hebben ons overgenomen. Het is niet hetzelfde.' Hugh keek hem aan, onthutst over zijn vijandigheid.

'Het was een uiterst vriendschappelijke overname...'

'Op bestuursniveau misschien.'

Hugh schudde zijn hoofd.

'Niet alleen op bestuursniveau. Ons team dat met de uitvoering van de overgang belast was heeft door de hele organisatie heen op alle niveaus de tevredenheid onder het personeel gepeild en is erachter gekomen dat –'

'Wil je weten hoe mijn personeel jullie stelletje noemt?' zei Philip die hem negeerde. 'De klootzakken.'

Hugh was een paar ogenblikken lang verstomd.

'Philip, ik sta aan jouw kant,' zei hij ten slotte. 'Het enige wat ik wil –'

'Het enige wat jij wil is alles over mij te weten komen.' Philip priemde met een vinger naar de fax. 'Was je van plan me er ook maar íets van te vertellen?'

'Ja natuurlijk!' riep Hugh uit. 'Jezus! Ik wilde juist voor jóu weten wat de aanbevelingen waren. Ik wilde je... tenminste... waarschuwen...'

'Nou, ga je gang maar.' Philip maakte een scherp gebaar naar de pagina's. 'Toe maar, meneer de bedrijfsstrateeg. Lees het maar en kijk maar of het een happy end heeft of niet.'

Hij keek Hugh uitdagend aan. Na een korte stilte ging Hugh naar de tweede pagina van de fax. Hij las de eerste paar woorden en keek toen op. 'East Roywich,' zei hij. 'Ben jij dat?'

Philip keek hem vol ongeloof aan.

'Ja,' zei hij. 'Ja, dat zijn wij. Voor jou is het gewoon maar een naam, hè?'

Hugh zei niets, maar voelde hoe zijn lippen verdedigend opeenklemden. Hoe moest hij weten dat Philip in East Roywich werkte? Hij wist verdomme niet eens waar East Roywich lag. Hij las snel de pagina door, ging naar de volgende en las die ook door. Terwijl hij de ene ondubbelzinnige zin na de andere las, werd de rimpel in zijn voorhoofd dieper. East Roywich was niet eens een twijfelgeval. Het filiaal verdween. En snel ook, zo te zien.

'Ik heb het jargon toch niet verkeerd geïnterpreteerd, hè?' zei Philip die hem gadesloeg. 'Jullie gaan het filiaal sluiten.' Hugh ging naar de laatste pagina van de fax en keek naar de laatste alinea zonder een enkel woord tot zich door te laten dringen. Wat ging hij tegen die vent zeggen? Hij was verdomme de personeelsfunctionaris niet.

'Waar deze fusie om gaat,' zei hij zonder op te kijken, 'is het creëren van kansen. Kansen voor PBL – en kansen voor de National Southern. En om die kansen te maximaliseren –'

'Gaan jullie het filiaal sluiten.' Philips stem doorsneed ruw zijn woorden. 'Jullie gaan ons inkrimpen. Zo noemen jullie dat toch?'

'Tot de juiste omvang brengen,' corrigeerde Hugh hem automatisch. Hij keek op en zag Philip naar hem kijken met een uitdrukking die aan minachting grensde. 'O God,' zei hij en wreef over zijn gezicht. 'Luister, Philip. Het spijt me. Het spijt me echt. Dit was niet mijn besluit. Het is niet eens mijn terrein...'

'Maar het gebeurt toch,' zei Philip, zijn gezicht bleek en gespannen. 'Of is het alleen maar een voorstel?' Hugh zuchtte.

'Tenzij het bestuur om de een of andere reden besluit om deze aanbevelingen te negeren, wat...'

'Onmogelijk is?'

'Onwaarschijnlijk,' zei Hugh. 'Uiterst onwaarschijnlijk.'

'Juist.' Philip liet zich langzaam op een stoel zakken. Hij spreidde zijn vingers en keek er enkele ogenblikken zwijgend naar. Toen keek hij op naar Hugh, met een flikkering van hoop op zijn gezicht. 'En zelfs het hoofd van de afdeling bedrijfsstrategie kan hen niet overhalen?'

Zijn stem klonk luchtig, bijna schertsend. Maar toch was er ook een spoortje van optimisme, een smeekbede bijna. Hugh voelde de moed in zijn schoenen zakken. Hij keek weer naar de fax en las de analyse wat zorgvuldiger, zoekend naar hoopgevende elementen, naar verdienstelijke punten.

Maar er waren er geen. East Roywich zelf was een voorstad op zijn retour. Het filiaal had het halverwege de jaren negentig heel goed gedaan, had zelfs wat prijzen binnen de bank gewonnen. Maar sinds de bouw van een nieuw winkelcentrum op vijf kilometer afstand had East Roywich er als winkelgebied onder geleden – en de prestaties van de National Southern waren teruggelopen. Het cliëntenbestand was geslonken, de opbrengsten waren teruggelopen, verschillende marketinginitiatieven waren mislukt. Van welke kant je het ook bekeek, het filiaal was zo dood als een pier.

'Het spijt me,' zei hij en keek op. 'Ik kan er niets aan doen. Puur gebaseerd op prestatie –'

'Prestatie?' zei Philip op scherpe toon.

'Ik bedoel niet jóuw prestaties,' zei Hugh vlug. 'Natuurlijk niet. Ik bedoel het filiaal in zijn geheel...' Toen hij Philips gespannen blik opving, voelde hij zijn nek rood aanlopen en zijn vingers omklemden de fax. Jezus, wat was dit moeilijk. Iemand in eigen persoon de nuchtere commerciële waarheid meedelen. En dan nog iemand die hij kénde... 'Volgens deze analyse,' zwoegde hij voort, 'loopt het filiaal niet meer zoals men mag hopen – '

'En dat verbaast je?' wierp Philip verhit tegen. 'Christus, jullie mensen, met jullie cijfers en jullie plannen en jullie...' Hij brak zijn zin af en ging met zijn vingers door zijn woeste haar. 'Kun je je voorstellen hoe de afgelopen maanden zijn geweest? Jullie hebben totaal niet met ons gecommuniceerd. Het personeel voelde zich ongemakkelijk, de klanten hebben iedere dag gevraagd of we dichtgingen... We hadden een plaatselijk marketingproject gepland dat geschrapt moest worden tot we wisten wat er zou gebeuren. We verkeren verdomme al drie maanden in het ongewisse. En nu zeg je dat we dicht moeten vanwege onze prestaties!'

'De periode na een fusie is voor iedereen altijd een moeilijke tijd,' zei Hugh die een punt aangreep waar hij wel antwoord op kon geven. 'Dat is duidelijk.' Hij wees naar de fax. 'Maar waar deze cijfers naar verwijzen is een suboptimaal rendement –'

'Dus het is moeilijk voor jóu geweest?' viel Philip hem in de rede. Zijn gezicht was wit en strak; zijn lippen trilden van woede. 'Heb jij 's nachts wakker gelegen omdat je lag te tobben en te piekeren over hoe alles zou gaan en dat je, al was het maar één stukje, tastbare informatie wilde hebben? Heb jij klanten gehad die je er iedere dag naar vroegen terwijl de stemming onder het personeel tot het nulpunt daalde? Heb jij je huwelijk bijna zien stranden omdat je maar niet kon ophouden met piekeren over wat de klootzakken bij PBL zouden beslissen? Nou, Hugh?'

Zijn stem sneed door de lucht, scherp en sarcastisch, en Hugh keek hem aan, niet op zijn gemak, en de vlotte frasen waren van zijn lippen verdwenen. Hij had niets te zeggen tegen deze man. Hij wist niets van zijn leven, van zijn dagelijkse werkelijkheid. Wat wist hij verdomme, dacht hij plotseling, van wat dan ook af?

Het geluid van naderende voetstappen verbrak de stilte. Een ogenblik later verscheen Jenna om de hoek van het huis. Ze aarzelde en keek nieuwsgierig naar de twee mannen.

'Ik ben op zoek naar Sam,' zei ze. 'Weten jullie misschien waar hij is?'

'Nee,' zei Hugh. Philip schudde zwijgend zijn hoofd.

'Oké,' zei Jenna en liep na nog een nieuwsgierige blik weg.

Toen haar voetstappen weggestorven waren, keken de twee mannen elkaar zwijgend aan. De sfeer was weg; het was alsof ze opnieuw begonnen.

Hij moest die vent eigenlijk haten, bedacht Hugh. Rationeel gezien zou hij hem moeten haten. Dit was de man van wie Chloe hield. Dit was zijn rivaal. Maar terwijl hij naar Philips gespannen, bezorgde gezicht, zijn verwarde haar – en vooral het overduidelijke feit dat het zo'n aardige vent was – keek, wist hij dat hij het niet kon. Hij kon Philip niet haten. En toen hij zijn wijn pakte en een voorzichtig slokje nam, besefte hij ook dat hij niet zomaar kon toekijken terwijl hij zijn baan kwijtraakte.

Het was niet puur eigenbelang. Het was niet puur om zijn kansen bij Chloe te vergroten dat hij deze man aan het werk wilde houden. Wat Philip tegen hem had gezegd, had een gevoelige snaar geraakt. Dit was een hardwerkende, nette vent met jaren ervaring. Een vent die overduidelijk hartstochtelijk om zijn werk gaf, om zijn cliënten, om de toekomst van het bedrijf. Dit was het soort werknemer dat PBL moest koesteren en promoten, niet eruit gooien. Dit was een kans.

'Ik ga bellen,' zei hij abrupt. Hij dronk zijn glas leeg en keek naar Philip op. 'Ik ken het hoofd personeelszaken vrij goed. Ik zal eens zien wat ik kan doen.'

De werkkamer was donker en somber na het harde licht van de zon buiten. Hugh liep meteen naar het bureau, pakte de telefoon en toetste een nummer in.

'Zal ik je maar even je gang laten gaan?' zei Philip die ongemakkelijk bij de deur bleef staan. Hugh schudde zijn hoofd.

'Misschien wil hij jou nog spreken. Blijf maar hier, voor het geval dat.' De uitdrukking op zijn gezicht veranderde. 'Hallo. Christine, met Hugh Stratton! Ja, dat klopt. Hoe is het? Goed zo. Zeg, ik zou Tony even willen spreken. Ja? O, goed.'

Toen het stil was aan de andere kant van de lijn, keek hij naar Philip die op het puntje van een stoel in de hoek van de kamer zat.

'Ik ken Tony al een tijdje,' zei Hugh geruststellend. 'Het is een prima vent. Heel capabel. Als er iemand is die kan helpen, dan is hij het wel.'

Er volgde opnieuw een stilte. Philip zat met zijn vingers verstrengeld tot de knokkels wit zagen. Toen stond hij op.

'Luister, Hugh, laat maar,' zei hij abrupt. 'Dit is... eh, het deugt gewoon niet. Ik wil niet dat je je invloed aanwendt voor mij. Als het filiaal echt dichtgaat en ik kan mijn baan niet houden op basis van mijn eigen verdiensten – dan is dat maar zo. Dat heb ik liever dan deze... vriendjespolitiek.'

'Er is geen sprake van vriendjespolitiek,' zei Hugh. 'Geloof me, Philip, als dat het enige was, dan zou ik dit niet doen. Geloof me.'

Philip was even stil, keek toen op en probeerde te glimlachen.

'En,' zei hij op luchtige toon. 'Wat voor gevoel geeft het om het leven van een andere man in de hand te hebben?'

Hugh keek Philip aan en kreeg ineens een brok in zijn keel, zijn hoofd vol beelden van Chloe die naakt, met haar roomwitte huid, loom, op een wit gekreukt laken lag. De vrouw van deze man, het leven van deze man... Jezus. Ineens voelde Hughs hand om de hoorn zweterig aan. Hij wilde meer dan ooit iets goed maken voor deze man. Dit móest hem lukken.

'Hallo?' Hij schrok van Tony's vlotte stem en keerde dankbaar naar de telefoon terug.

'Hallo, Tony? Met Hugh.'

'Hugh! Wat kan ik voor je doen?'

'Ik wilde het even met je hebben over... over een persoonlijke zaak,' zei Hugh en schraapte zijn keel. 'Ik heb het Mackenzie-rapport zitten doorlezen –'

'Zoals wij allemaal,' zei Tony. 'Nu weet ik dat je het met Alistair over de implementatie hebt gehad. We zijn het er allemaal over eens dat er snelheid geboden is en ik kan je verzekeren dat we het zo snel mogelijk rond gaan breien. Als alles volgens plan verloopt, zou de herstructurering rond moeten zijn tegen... even kijken.' Tony zweeg even en Hugh zag zijn kans schoon.

'Eigenlijk, Tony,' zei hij, 'was dat niet waar ik het over wilde hebben. Ik wilde het met je hebben over een specifiek filiaal van de National Southern.'

'O ja?' Tony klonk een beetje verbaasd. 'Over welk filiaal dan?'

'East Roywich,' zei Hugh. 'Ik heb begrepen dat het op de nominatie staat om te verdwijnen?'

'Ik pak even het hele rapport erbij,' zei Tony. 'Christine...' Hij verdween van de telefoon en Hugh hief zijn wenkbrauwen op naar Philip.

'Eens kijken...' klonk Tony's stem. 'O ja. East Roywich. Wat is ermee?'

'Nou,' zei Hugh en aarzelde, verbaasd te merken dat hij een heel klein beetje zenuwachtig was. Hij pakte een potlood en begon kleine, precieze kubusjes op Gerards maagdelijke groene vloeiblad te tekenen. 'Toevallig ken ik de chef van dat filiaal. Hij is erg getalenteerd en betrokken, het soort man dat we moeten vasthouden. Ik vroeg me af of je van plan was hem ergens anders te werk te stellen.'

'Juist,' zei Tony na een paar seconden. 'Nou, eens even kijken...' Zijn stem veranderde. 'Aha... ja, je hebt gelijk. Er zit inderdaad een slimme vent in East Roywich en we hebben net besloten hem de leiding te geven over het gefuseerde filiaal in South Drayton. Chris Harris. Hij is hier vorige week voor een sollicitatiegesprek geweest. Ik heb hem zelf ontmoet. Heel indrukwekkend, erop gebrand om met ons verder te gaan, zeer bedreven met computers...'

'Dat... dat is niet degene over wie ik het had,' zei Hugh die het potlood in het vloeiblad boorde. 'Hoe zit het met Philip Murray? Het filiaalhoofd.'

'O.' Tony klonk niet blij dat hij in de rede gevallen werd. Hugh hoorde het geluid van een blad dat omgeslagen werd en op de achtergrond nog een telefoon rinkelen. 'O ja. Philip Murray. Nou, ik heb hem natuurlijk niet zelf ontmoet, maar uit de aantekeningen blijkt dat hij een beetje te oud, te traditioneel is voor de PBL-cultuur. En zijn salarisniveau ligt natuurlijk hoger... Economisch gezien is het gewoon niet logisch om hem te houden.'

'Misschien is het niet logisch op papier,' zei Hugh. 'Maar je hecht toch ook wel waarde aan zijn ervaring? Aan zijn kennis. We zullen mensen nodig hebben die weet hebben van het reilen en zeilen van de National Southern –'

'We hebben genoeg mensen die weet hebben van het reilen en zeilen van de National Southern,' zei Tony kordaat. 'Veel te veel, als je het mij vraagt. Hugh, ik waardeer je bezorgdheid, maar in dit geval, echt...'

'Toe, Tony,' zei Hugh die een scheut van paniek voelde. Hij mocht nu niet falen. Dat mocht gewoon niet. 'Er moet toch ergens iets voor hem zijn. Je kunt hem niet zomaar laten vallen.'

'We laten niemand vallen,' zei Tony. 'Hij krijgt een heel gunstige afvloeiingsregeling. Bijzonder gunstig. Of anders kan hij doen wat een hoop personeel van de National Southern doet en zich opgeven voor het Telecom-trainingsprogramma van PBL.'

'Wat is dat precies?'

'De verkoop en marketing van telecommunicatieapparatuur,' zei Tony. 'Een opleiding van drie weken, heel aardige arbeidsvoorwaarden...'

Hugh voelde drift in zich opborrelen.

'Toe nou toch, Tony!' viel hij hem in de rede. 'Dat is verdomme een belediging en dat weet jij ook. We hebben het niet over een of andere kassier. Deze vent heeft een universitaire opleiding, hij heeft financiële bevoegdheden... zijn filiaal heeft halverwege de jaren negentig verdorie prijzen gewonnen. Hij werkt al zestien jaar voor de National Southern. Hebben we niks beters voor hem dan hem van die rottelefoons te laten verkopen? Jezus!'

Hij brak zijn zin enigszins hijgend af en aan de andere kant van de lijn hing een verbijsterde stilte

'Hugh,' vroeg Tony na een tijdje, 'waar bel je vandaan?'

Hugh liet zijn blik door de schemerige werkkamer dwalen, even in de war gebracht.

'Ik ben… ik ben op vakantie,' zei hij ten slotte. 'Spanje.'

'Juist,' zei Tony en er volgde nog een stilte. 'Nou, weet je wat? Ik merk dat het je behoorlijk hoog zit. Dus laten we als je terug bent bij elkaar gaan zitten en een paar van die problemen bespreken.'

'Nee. Ik wil het nu geregeld hebben. Ik wil een antwoord.'

'Ik zal Christine jouw assistente laten bellen en een afspraak maken,' zei Tony. 'Het is Della, hè?'

'Ja, maar…'

'Fijne vakantie, Hugh. Geniet ervan en we praten zodra je terug bent. Dat beloof ik.'

Er werd opgehangen en Hugh keek naar de telefoon, verstijfd van ontsteltenis, van vernedering. Het kostte hem een paar minuten om in beweging te komen. Toen hief hij heel langzaam zijn hoofd om Philip aan te kijken.

'Philip…' Hij zweeg, niet in staat om de woorden te vormen. Niet in staat om te bevatten dat hij op dergelijke wijze afgeserveerd was.

'Maak je geen zorgen,' zei Philip. 'Toe, Hugh. Je hoeft er geen rotgevoel over te hebben. Je hebt je best gedaan. Dat is meer dan de meeste mensen zouden hebben gedaan. Ik ben je oprecht dankbaar.'

'Ik zal met hem praten,' zei Hugh. 'Zodra ik terug ben. Ik ga met hem praten, de situatie uitleggen –'

'Hugh… nee.' Philip hief zijn hand en Hugh, die zich een beetje voor gek voelde staan, keek hem aan. 'Ik denk dat we allebei wel weten dat het geen zin zou hebben. Mijn baan is weg. Punt. En weet je?'

Het was stil toen Philip zijn armen strekte en opstond. 'Ik voel me goed,' zei hij ten slotte en keek op Hugh neer. 'Eerlijk gezegd voel ik me gelukkiger dan ik me in maanden heb gevoeld. De schok was in eerste instantie verpletterend – maar nu voel ik me vooral opgelucht. Nu weet ik het tenminste. Ik wéét het.' Hij liep naar het raam en keek naar buiten. 'Daar kon ik zo slecht tegen. Het niet weten. Maar nu het voorbij is en ik er toch niets aan kan doen, voel ik me optimistischer.' Hij pakte een houten olifant van een bijzettafeltje, bestudeerde het enkele ogenblikken en zette het weer neer. 'We slepen ons er wel doorheen, Chloe en ik,' zei hij en draaide zich om. 'We vinden wel een manier.'

Toen hij haar naam hoorde noemen, keek Hugh met een ruk op. Hij keek naar Philip en voelde een plotselinge kilte, een plotselinge verstarring toen de ruimere consequenties van zijn falen tot hem doordrongen. Philip was zijn baan kwijt. Chloe zou hem onherroepelijk steunen, bij hem blijven. Het was allemaal voorbij.

'Jullie hadden het over iemand anders bij de National Southern, hè?' zei Philip nu. 'Iemand van mijn filiaal?'

'Chris... Chris Harris,' zei Hugh, die zichzelf dwong om zijn aandacht op het hier en nu te vestigen. 'Ze hebben hem de bedrijfsleiding van een van de gefuseerde filialen aangeboden.'

'Chris?' zei Philip en lachte een beetje. 'Daar stemt hij nooit mee in!'

'Blijkbaar heeft hij het al gedaan,' antwoordde Hugh. 'Ze hebben vorige week een sollicitatiegesprek met hem gevoerd.'

Philip keek hem verbouwereerd aan.

'Vorige wéék? Maar ik was vorige week nog bij hem en hij heeft geen woord gezegd.' Hij schudde vol ongeloof zijn hoofd. 'Het is een spelletje, hè? Een rottig spelletje. Eerlijk gezegd denk ik dat ik blij moet zijn dat ik er niets meer mee te maken heb.'

'Dat denk ik ook,' hoorde Hugh zichzelf antwoorden. Hij keek Philip na die naar de deur van de werkkamer liep. 'Ga je het Chloe vertellen?'

'O ja. Ik ga haar meteen zoeken.'

'Zal ze... zal ze het goed opvatten?' vroeg Hugh, die zich niet kon inhouden.

Philip draaide zich om en glimlachte, zijn gezicht klaarde op van genegenheid. Hij houdt van haar, dacht Hugh met een steek van jaloezie. Hij houdt echt van haar.

'O jawel, hoor,' zei hij. 'Chloe is niet... ze is niet als andere vrouwen.'

'Nee,' zei Hugh terwijl Philip de deur achter zich dichttrok. 'Dat is ze zeker niet.'

Chloe zat op het gras aan de zijkant van de villa en staarde versuft naar de grond. Ze had sinds Sams uitbarsting met niemand gesproken. Ze voelde zich te onzeker om iemand te benaderen. Niet nu, in haar toestand. Ze voelde zich een beetje zoals iemand zich moest voelen die op het punt stond om gek te worden – bang om zich door een of andere extreme reactie te zullen verraden. Bang om in een zwak moment plotseling in tranen te zullen uitbarsten. Ze voelde zich bovenal zwak. Te zwak om erboven te staan, te zwak om beslissingen te nemen.

Toen ze opkeek, zag ze Philip naar zich toekomen en ze begon inwendig te trillen. Philip ging naast haar zitten en het bleef een tijdje stil.

'Nou, ik ben erachter,' zei Philip en er ging een steek van angst door Chloe heen die haar verraste door zijn kracht. Ze keek op en voelde zich misselijk. Waar was hij achter? Hoe was hij –

'Ze sluiten het filiaal. Ik ben mijn baan kwijt.'

Chloe keek Philip wezenloos aan. Toen de betekenis van de woorden langzaam tot haar doordrong, voelde ze iets warms, iets sterks en onbeheersbaars, in zich opstijgen. De tranen begonnen over haar wangen te stromen en ze snikte.

'Chloe!' riep Philip onthutst uit. 'Chloe...'

Chloe deed haar mond open om antwoord te geven, maar er kwam geen woord uit. Het enige wat ze kon doen was blijven zitten terwijl de emoties door haar heen raasden en hun uitweg vonden in tranen en schokkende schouders.

Ze wist dat Philip het niet gewend was dat ze zich zo liet gaan. Op dit soort momenten blonk zij juist uit. Hoe vaak was ze niet in actie gekomen – leiding nemen, het moreel oppeppen, het hele gezin door hun diverse crises slepen? Toen Philips vader was overleden. Toen ze dat angstige nieravontuur met Nat beleefden. Zij was de sterke geweest, de steun en toeverlaat. Maar nu kon ze niemand steunen. Haar kracht was weg, volkomen verpletterd.

'Chloe...' Philip pakte haar hand. 'Maak je geen zorgen. Het komt wel goed.'

'Dat weet ik,' zei Chloe met trillende stem en veegde over haar ogen. 'Het spijt me. Ja, natuurlijk. Het komt wel goed. Het komt allemaal vanzelf goed.' Ze haalde diep adem en glimlachte naar Philip, een opgewekte, sterke glimlach. Maar nieuwe tranen liepen alweer over haar wangen. Haar glimlach verbrokkelde. 'Het spijt me,' snikte ze. 'Ik weet niet wat er met me aan de hand is. Ik voel me zo... bang.'

Philip sloeg zijn armen om haar heen en trok haar schokkende lichaam naar zich toe. 'Je hoeft niet bang zijn, Chloe. Je hoeft niet bang te zijn.' Hij aaide over haar rug alsof hij een baby suste. 'Het is geen ramp. Ik vind wel iets anders. We redden ons wel.'

Chloe hief haar betraande gezicht en keek hem aan alsof ze een verborgen aanwijzing zocht.

'Denk je?' zei ze ten slotte. 'Denk je dat echt?'

'Ja, natuurlijk,' zei Philip zelfverzekerd. 'We zijn een team. We zullen het altijd redden, jij en ik.'

Chloe keek naar zijn vriendelijke, oprechte gezicht dat haar vol vertrouwen aankeek en ineens ging er nog een enorme snik door haar heen. Philip nam haar weer in zijn armen en een tijdlang zwegen ze terwijl Chloe's tranen zijn overhemd doorweekten.

'Dit is belachelijk!' zei ze na een tijdje, ging rechtop zitten en wreef over haar rood aangelopen gezicht. 'Ik huil nooit. Nooit!'

'Dat is misschien ook de reden,' zei Philip terwijl hij haar aankeek. 'Misschien moeten we zo nu en dan allemaal eens huilen.' Hij streek zachtjes een haarlok uit haar gezicht. 'Het is voor jou ook niet makkelijk geweest. Op alle fronten niet. Maar nu...' Hij haalde diep adem. 'Ik kan je niet zeggen, Chloe, hoe opgelucht ik ben. Ik voel me... gelukkig!'

'Gelukkig?'

'Dit is geen ramp, het is een kans. Een kans om opnieuw te beginnen.' Philip pakte haar handen en keek haar ernstig aan. 'Een kans om na te denken over wat we willen... en ervoor gaan. Misschien ga ik toch wel een computeropleiding volgen. Of misschien ga ik die roman schrijven... of iets totaal anders doen. Misschien gaan we wel naar het buitenland.'

'Naar het buitenland?' Chloe keek hem met een half glimlachje aan. 'Meen je dat?'

'Waarom niet? We kunnen doen wat we willen. Gaan waar we willen.' Philips gezicht straalde van enthousiasme. 'Weet je, op een vreemde manier vind ik het wel spannend. Hoeveel mensen krijgen de kans om hun leven volledig om te gooien? Hoeveel mensen krijgen een tweede kans?'

Chloe keek sprakeloos naar zijn stralende gezicht. Je moest eens weten, dacht ze. Je moest eens weten welke tweede kans mij geboden is. Bij die gedachte ging er een steek van verlangen naar Hugh door haar heen en ze deed haar ogen dicht terwijl ze zich er mentaal tegen verzette. Maar het gevoel was nu al vager, minder rauw, minder dringend. Als een virus dat in kracht afnam.

'Niet veel,' zei ze ten slotte. 'Niet veel mensen krijgen een tweede kans.'

En nu rolden de tranen weer zachtjes, als een zomerbuitje, over haar wangen. Ze keek Philip hulpeloos aan, half lachend om zichzelf.

'Ik ben een hopeloos geval,' zei ze. 'Let maar niet op mij.' Philip stak zijn hand uit en streelde haar gezicht.

'We zouden kunnen trouwen,' zei hij zachtjes en Chloe verstarde. Haar gezicht begon te tintelen en ineens had ze moeite met ademen.

'Trouwen?' zei ze terwijl ze nonchalant probeerde te klinken. 'Waarom… waarom zeg je dat?'

'Ik weet dat je dat altijd hebt gewild. Ik vond het niet zo belangrijk. Maar aangezien alles in ons leven aan het veranderen is…' Philip beroerde zachtjes haar mond. 'Ik heb het je de laatste tijd heel moeilijk gemaakt. Misschien wil ik het goedmaken.'

'Je hoeft het niet goed te maken,' zei Chloe met trillende stem. 'Je hoeft helemaal niets goed te maken. Laten we gewoon… de dingen laten zoals ze zijn. Gewoon zoals ze zijn.'

Ze begroef haar hoofd in haar handen en Philip keek haar bezorgd aan.

'Chloe… Gaat het? Er is toch niets anders gaande, hè?'

'Nee,' zei Chloe onmiddellijk. 'Nee, hoor.' Ze keek op en zei: 'Sam heeft me daarstraks een grote mond gegeven, dat is alles. Ik ben er een beetje van uit mijn doen.' Philip fronste zijn voorhoofd.

'Ik zal eens even met hem praten.'

'Nee, laat maar. Het is niet belangrijk.'

Ze liet zich in zijn armen zakken en voelde zich net een kind; ze wilde gekoesterd en beschermd en verzorgd worden. Philip aaide over haar rug, kalmerend, ritmisch, tot haar ademhaling rustiger werd en ze zich begon te ontspannen.

'Eén ding is,' zei hij zachtjes, 'dat we ons geen zorgen over het geld hoeven te maken. Voorlopig niet, tenminste. De voorwaarden van het ontslag zijn heel gunstig.'

'Echt?'

'Hugh zei dat het minimaal twee jaar salaris zou zijn.'

'Hugh?' Chloe verstijfde bij de naam. 'Je bedoelt… dat je het Hugh vóór mij verteld hebt?'

'O, hij wist het al. Hij heeft heel netjes zijn best gedaan om me te helpen, maar er was geen schijn van kans.'

Chloe kwam overeind en keek hem vertwijfeld aan. Haar gezicht was nog vlekkerig en rood, met een verdwaalde traan die op haar jukbeen rustte.

'Wat... wat bedoel je, dat hij het wist?' zei ze terwijl ze haar best deed om kalm te blijven. 'Philip, waar heb je het over?'

Hugh zat alleen in de werkkamer en staarde wezenloos voor zich uit. Hij had het gevoel alsof de grond onder hem weggeslagen was. Alle uren die hij op het werk doorbracht, alle inspanning en tijd en toewijding – waarvoor? Als het er echt op aankwam, was hij net zo machteloos als iedereen. Net zo machteloos als zijn symbooltjes met de bolhoedjes. Gewoon een radertje in de machine, van wie de mening over alles buiten zijn eigen smalle terrein van nul en generlei waarde was. Hij had gedacht dat hij een zekere mate van macht en respect binnen het bedrijf genoot. Zonder het ooit uitgeprobeerd te hebben had hij aangenomen dat hij het had. Maar dat was niet zo. Hij had niets.

Hij had het gevoel dat hij er ingeluisd was: de spiegel was omgekeerd en hij had de dingen gezien zoals ze in werkelijkheid waren. Zijn carrière, zijn leven. Zijn beslissingen. Je kon je hele leven lang in een waan verkeren. Een luchtspiegeling najagen.

Er was zoveel in zijn leven dat hij verkeerd had gedaan. Hij steunde met zijn hoofd in zijn handpalmen en staarde naar zijn knieën, naar het spottende vakantieblauw van zijn zwembroek. Als hij bij Chloe gebleven was, hoe zou zijn leven met haar – en Sam en hun eigen kinderen – dan zijn geweest? Wat voor mens zou hij dan geworden zijn? Hij had ineens een visioen van zichzelf, voetballend in het park met een jonge, lachende Sam. Zou het vaderschap anders zijn geweest? Zou alles anders zijn geweest?

De telefoon ging en een belachelijk ogenblik lang vroeg hij zich af of het Tony was. Die terugbelde omdat hij van gedachten was veranderd, die Philip een goedbetaalde baan aanbood. Zelfs zijn verontschuldigingen aanbood.

'Hallo,' zei hij, zijn stem vervuld van hoop.

'Hallo, spreek ik met Hugh?' klonk een diepe bariton. 'Met Gerard.'

Hugh kreeg een schok. Hij snakte even naar adem en kon geen woord uitbrengen.

'Ik moet je iets vertellen, jongen. Ik ben hier, in Spanje! Ik kom jullie opzoeken!'

'Je zit in Spánje?' zei Hugh. Hij herinnerde zich ineens Sams woorden. *Hij komt ons opzoeken.* 'Gerard, waar ben je in godsnaam –'

'Ik kreeg ineens een ideetje,' zei Gerard, 'om langs te komen en te zien hoe jullie het met elkaar redden. Ik logeer vannacht bij vrienden in Granada, maar ik kom morgenmiddag naar jullie toe. Jullie vinden vast nog wel een plekje voor me, hè? Ik verheug me er zo op jullie allemaal te zien!' Het leedvermaak in zijn stem was onmiskenbaar en Hugh zag hem zomaar voor zich met zijn panama op, een glas wijn in zijn hand, een glimlachje om zijn lippen. 'Hoe gaat het trouwens?' voegde Gerard er onschuldig aan toe. 'Het verloopt allemaal gladjes, hoop ik?'

'Je bent een klootzak, Gerard,' zei Hugh terwijl hij de hoorn omklemde.

'Pardon?'

'Dit is niet zomaar een ideetje, hè? Je was de hele tijd al van plan om langs te komen. Je bent gewoon een miezerig, sadistisch –'

'Kom, kom, Hugh,' riep Gerard uit. 'Gaat dat niet een beetje ver? Ik weet dat ik het jullie wat lastig heb gemaakt, maar toe zeg, iedereen kan toch een foutje maken...'

'Het was geen foutje. Je wíst van PBL en de National Southern. Je kende de situatie. Jezus Christus, Gerard...'

'O, Hugh, wat akelig.' Er klonk een lachje in Gerards stem door. 'Is het erg ongemakkelijk voor je geweest? Dat zou ik nooit gewild hebben...'

'Jij vindt het natuurlijk grappig. Jij hebt natuurlijk genoten van je machtsspelletje, het verwoesten van andermans leven...'

'Kom op, zeg, Hugh!' riep Gerard uit. 'Doe niet zo melodramatisch! Een klein grapje heeft nooit iemand kwaad gedaan.'

'Noem je dat een grapje? Om op deze manier... God te spelen?'

'Jij moet nodig iets zeggen over God spelen! Dat is jóuw werk!' riep Gerard. 'Allemachtig, Hugh, heb je dan helemaal geen gevoel voor humor meer? En trouwens, wie zegt dat mijn motieven niet volkomen eerzaam waren? Misschien leek het me een goed idee om Philip en jou eens bij elkaar te brengen. Twee kanten van de medaille, zeg maar.'

'En Chloe en ik dan? Vond je dat ook een goeie grap?'

Het was stil, op het gekraak van de lijn na.

'Hoezo, Chloe en jij?' vroeg Gerard.

Hij klonk oprecht verbaasd. Hugh keek met bonkend hart naar de hoorn en de gedachten tolden door zijn hoofd. Wat was Gerard aan het doen? Was dit een nieuw spelletje?

'Hugh? Ben je er nog?'

Natuurlijk wist Gerard het. Dat móest wel. Toch?

Er verschenen diepe rimpels in Hughs gezicht terwijl hij nadacht. Gerard was de rest van die zomer weggeweest. Tegen de tijd dat hij terugkwam, was de liefdesaffaire afgelopen. Hugh had het er nooit met hem over gehad. Misschien Chloe ook niet. Misschien...

Misschien had Gerard geen enkel idee. In dat geval...

Hughs hand was klam. In dat geval had hij bijna het belangrijkste, tederste geheim van zijn leven verraden. Tegenover Gerard Lowe, nota bene. Met een enigszins misselijk gevoel stelde hij zich voor hoe Gerard zich aan een dergelijk stuk informatie zou verlustigen; de insinuaties en steken onder water die zouden volgen. Het kon, het mocht niet gebeuren.

'Ja,' zei hij terwijl hij wanhopig zijn best deed om normaal te klinken. 'Ja, ik ben er nog. Ik wil alleen maar zeggen dat het voor ons allemaal een vervelende situatie is geweest. Voor Amanda ook...'

'Zeg, ouwe jongen, ik moet ophangen,' zei Gerard. 'Mijn gastvrouw roept me. Maar ik zie jullie morgen allemaal. Goed?'

'Goed,' zei Hugh en legde met trillende hand de hoorn neer. Door de verschrikkelijke blunder die hij bijna had begaan voelde hij zich hol van binnen. Hij was naar een afgrond toegelopen en had net op tijd het gevaar gezien.

En ineens, als bij een overlevende die zich aan de met gras begroeide klip vastklampt, leek zijn leven een ander perspectief te krijgen. Ineens werden de dingen die hij als vanzelfsprekend had beschouwd hem dierbaar. Zijn huwelijk, zijn vrouw, zijn kinderen.

Hij had het risico gelopen dat hij hen allemaal zou kwijtraken. Geen hypothetisch risico of een 'stel je voor dat'-scenario, en ook geen hypothetische strategie die op een veilig computerscherm in elkaar gezet wordt. Hij had een levensecht, overmoedig risico genomen. Hij had seks met een andere vrouw bedreven. Hij had een andere vrouw ten huwelijk gevraagd, slechts meters van waar zijn vrouw lag te slapen. Als ze toevallig wakker geworden was, was gaan ronddolen, hen ontdekt had...

Hugh deed zijn ogen dicht en voelde zich zwak. Hij zou haar en de kinderen kwijt zijn. Ook Chloe zou hij kwijt zijn. Hij zou alles kwijt zijn. *Wat voor gevaarlijk spel heb ik gespeeld?* dacht hij. *Wat voor verdomd stom, gevaarlijk spel heb ik gespeeld?*

Enigszins verdwaasd liep hij naar het drankenkabinet bij het raam. Hij schonk een glas whisky in, dronk het in een keer leeg en nam er toen nog een. Zijn blik verscherpte. Zijn gezicht werd strak toen hij Philip en Chloe samen op het stukje gras zag zitten. Hun hoofden waren dicht bij elkaar, ze hadden hun armen om elkaar geslagen en ze waren in een ernstig gesprek verwikkeld. Chloe leek te huilen.

Hij drukte zijn hoofd tegen de ruit en staarde naar hen, als een kind dat door de etalageruit van een speelgoedwinkel kijkt, en er ging een steek door hem heen toen hij zag hoe Chloe Philips hand pakte en haar vingers met de zijne verstrengelde. Ze keken elkaar in de ogen zoals Amanda en hij nooit hadden gedaan.

Hij moest wel gek zijn geweest, dacht hij terwijl hij zijn vuisten balde. Hij moest wel stapelgek zijn geweest. Chloe zou nooit van hem zijn geworden. Hij had gedacht dat het kon, had in zijn waanzin gedacht dat Sam de zoon kon worden die hij nooit had gehad. Emotie welde in hem op bij de gedachte aan de kleine Sam en hij schudde ruw zijn hoofd om het beeld kwijt te raken van die vrolijke baby op het kleedje. Omdat het nu te laat was, veel en veel te laat. Kijk naar haar. Kijk naar Philip die haar over haar rug aait, die haar nu in zijn armen wiegt, die haar haar met zo'n vertrouwd gebaar achteroverstrijkt. Hoeveel uren en dagen samen lagen in die hechtheid besloten? Hoeveel tranen en hoop en problemen? Hij zou nooit met die kracht, die eenheid kunnen wedijveren. Chloe had gelijk – zoals ze altijd gelijk had. Vijftien jaar was vijftien jaar. In vergelijking daarmee was hij nog maar een beginneling. Een prul.

En waar stond hij? Hugh blies een rondje condens op de ruit, bracht er een vinger naartoe en veegde het langzaam uit. Bij zijn vrouw en gezin en huwelijk. Bij de mensen die hem het meest na zouden moeten staan, maar die dat niet deden. Bij het kader dat altijd efficiënt om hem heen leek te opereren, zonder hem ooit te beroeren, zonder zijn leven, zijn comfort of zijn emoties te raken.

Een stemverheffing trok zijn aandacht en hij keek met een strak gezicht toe terwijl Philip iets zei waar Chloe om moest lachen, terwijl ze met glanzende ogen naar hem opkeek, zich niet bewust van het feit dat ze bespied werd. Ik heb dingen overgeslagen, dacht hij. Ik ben vergeten mijn vrouw goed te leren kennen en mijn kinderen goed te leren kennen. Acht jaar gezinsleven – en waar heb ik negentig procent ervan doorgebracht? Op kantoor. Aan de telefoon. Een carrière najagend die ineens hol lijkt. Ik ben verdomme strateeg. Hoe kan ik mijn eigen leven zo volkomen verkloot hebben?

Hugh deed een stapje bij het raam vandaan en keek naar zijn eigen vage spiegelbeeld. Hij had zich nooit van zijn leven zo alleen gevoeld. Hij bleef enkele minuten roerloos staan kijken naar zichzelf, zich bewust van Philip en Chloe als een film op de achtergrond, en liet zijn gedachten bezinken en vorm krijgen.

Hij zou dingen veranderen. Hij zou zichzelf veranderen, de mens worden die hij wilde zijn. Zijn leven terugwinnen, zijn kinderen terugwinnen. Het was nog niet te laat.

In een opwelling van vastbeslotenheid liep hij naar het bureau en toetste een nummer in.

'Hallo,' zei hij zodra hij doorverbonden was. 'Tony – nog een keer met Hugh Stratton. Nee, dit gaat niet over Philip Murray.' Hij keek weer naar zijn spiegelbeeld en haalde diep adem. 'Dit gaat over mij.'

14

Om zes uur slenterde Jenna de keuken binnen en bleef verbaasd staan. Nat, Octavia en Beatrice zaten op de vloer naar een Spaanse tekenfilm te kijken op de aan de muur bevestigde tv en chocoladeijsjes te eten. En Amanda zat aan de marmeren ontbijtbar te drinken. Jenna keek vol ongeloof naar de fles. Zat Amanda de kakmadam zich echt te bezatten met wodka?

'Hebben jullie een leuke middag gehad?' vroeg ze beleefd.

Er kwam geen antwoord.

'Amanda?' zei Jenna een beetje ongerust.

'Het was een ramp,' zei Amanda zonder op te kijken. 'Echt een ramp. We hebben kilometers en kilometers in de verzengende hitte gereden en toen bleek dat de ezelopvang gesloten was in verband met herstelwerkzaamheden.' Ze nam een flinke slok uit haar glas. 'Dus toen hebben we wat gegeten in een smérig cafetaria en zijn teruggereden – en op de terugweg moesten de kinderen alle drie overgeven.'

'Jakkes,' zei Jenna terwijl ze naar de kinderen keek. 'Allemaal?'

'Nat waarschuwde me tenminste nog op tijd zodat ik kon stoppen,' zei Amanda. 'Octavia en Beatrice hadden die vooruitziende blik niet. Ik moest een garage zoeken en de situatie uitleggen en om een slang vragen om de auto schoon te spuiten. Toen reden we terug, met ongeveer vijf kilometer per uur, en moesten we iedere tien minuten stoppen.' Ze keek op. 'Ik heb leukere dagen meegemaakt, heel eerlijk gezegd.'

Jenna ging voorzichtig aan de ontbijtbar tegenover Amanda zitten. Ze keek naar haar voorovergebogen hoofd en zag voor het eerst de rimpeltjes van bezorgdheid in haar gebruinde voorhoofd geëtst. Ze had een spanningsfrons tussen haar onberispelijk geëpileerde wenkbrauwen en ze hield haar glas omklemd, alsof ze wilde voorkomen dat haar hand zou trillen.

'Amanda...' zei Jenna op vriendelijke toon, 'heb je een leuke vakantie? Heb je het naar je zin?'

'Ik geloof het wel,' zei Amanda, alsof de gedachte nog niet eerder bij haar opgekomen was. 'De accommodatie is niet helemaal perfect, ik zou wel wat meer privacy willen hebben gehad. Maar...' Haar stem stierf weg en ze nam een flinke slok wodka. 'Nee, het is prima. Alles bij elkaar genomen. Het is prima. Als het maar niet zo verdomde heet was...'

'Je zou een dagje voor jezelf moeten nemen,' opperde Jenna. 'Eropuit gaan, lol hebben...'

'Misschien wel,' zei Amanda terwijl ze in haar glas staarde. Toen keek ze met enigszins bloeddoorlopen ogen op. 'Waarom gaan we in vredesnaam op vakantie? Waarom gaat een mens op vakantie?'

'Ik weet het niet,' zei Jenna. 'Om te ontspannen? Om... tijd met elkaar door te brengen?'

Er verscheen een vreemd glimlachje op Amanda's gezicht.

'Hugh en ik lijken in beide categorieën gefaald te hebben,' zei ze. 'Ik heb hem amper gezien sinds we hier zijn. En we zijn geen van beiden echt goed in ontspannen.'

'Nou, er zijn nog een hoop andere dingen die ook tellen,' zei Jenna bemoedigend. 'Zoals... je bent heel mooi gebruind.' Ze gebaarde bewonderend.

'Dank je,' mompelde Amanda en nam nog een slok wodka. 'Dat is heel vriendelijk van je.'

Ze verzonk in stilzwijgen en terwijl Jenna naar haar keek voelde ze een steek van medelijden.

'Weet je wat,' zei ze. 'Ik breng de kinderen wel naar bed. Dan kun jij ontspannen en...' Ze aarzelde even. 'Van de avond genieten.'

'Dank je,' zei Amanda. Ze keek met zichtbare inspanning op. 'Dank je, Jenna. Ik weet dat de afspraak was dat we de taken 's avonds zouden verdelen...'

'Maak je daar maar niet druk over!' zei Jenna. 'Ik zou me net zo voelen als ik de hele middag drie overgevende kinderen in mijn auto had gehad. Kom, meiden. De tekenfilm is afgelopen.'

Ze zette de tv uit en nam de zwak tegensputterende kinderen mee. Toen ze de keuken uitliep, keek ze even achterom en zag dat Amanda nog een glas wodka inschonk.

Het geluid van de kinderen in de hal wekte Hugh uit zijn dagdroom. Hij had lange tijd roerloos in de schemering van de werkkamer gezeten en whisky gedronken. Hij luisterde naar het gekwetter en zo nu en dan gezeur van de kinderen, gelardeerd met kordate bevelen van Jenna, die wegstierven. Toen stond hij resoluut op, zette zijn glas neer en liep naar de deur.

Jenna en de kinderen waren in de slaapkamer van de meisjes toen hij bovenkwam. In de aangrenzende badkamer stroomde het water in het bad. Octavia zat voor de spiegel haar haar te borstelen met een borstel die de vorm van een teddybeer had en Beatrice stond tegenover Jenna die haar met gedecideerde gebaren uitkleedde. Hugh keek met bonkend hart naar zijn dochters, alsof hij ze voor het eerst zag. Naar Octavia die dromerig zat te neuriën terwijl ze naar haar spiegelbeeld keek; naar Beatrice die haar neusje optrok toen Jenna haar T-shirt over haar hoofd trok.

Beatrice leek op hem, besefte hij plotseling. Ze had zijn gezicht, zijn maniertjes. Mensen hadden het al vaak tegen hem gezegd – en hij had beleefd geglimlacht en geknikt – maar hij had het nooit eerder echt gezien. Hij had zijn kinderen nooit echt gezíen. De afgelopen zes jaar had hij onbedoeld steeds de verkeerde kant uit gekeken, naar de verkeerde horizon getuurd, en nu pas had iemand hem in het rond gedraaid om hem te laten zien wat hij gemist had.

'O, hallo, Hugh,' zei Jenna verrast terwijl ze het T-shirt van Beatrice opvouwde. 'Is er iets?'

'Ik neem het nu wel over,' zei Hugh. 'Ik dacht dat de meisjes misschien wel zouden willen zwemmen.'

'Zwémmen?' zei Jenna. 'Maar het is bijna half zeven.'

'Dat weet ik,' zei Hugh. 'Een perfect tijdstip om te gaan zwemmen.'

'Oké...' Jenna aarzelde. 'Heb je hier met Amanda over gesproken?'

'Nee,' zei Hugh. 'Ik dacht niet dat ik Amanda's toestemming nodig had om met mijn eigen kinderen te gaan zwemmen, jij wel?'

'Nee!' zei Jenna snel. 'Natuurlijk niet! Het is alleen dat de routine...'

'Stik met die routine,' zei Hugh. 'Vanaf nu komt er een nieuwe routine. Er zijn een hoop dingen veranderd.'

'Werkelijk?'

'O ja,' zei Hugh. 'Een hoop dingen.' Hij voelde een nieuwe opleving van vreugde en er kroop een glimlach over zijn gezicht. 'Ga maar, Jenna. Je hebt de rest van de avond vrij als je wilt.'

'Nou,' zei Jenna. 'Als je het zeker weet...' Ze grinnikte. 'Misschien ga ik zelf wel zwemmen.'

Toen ze de kamer verliet, keek Hugh naar zijn dochters, naar hun piekerige haar en hun volmaakte huid; hun fijn gevormde schouderblaadjes. Ze keken hem onzeker aan alsof hij een of andere gek was. Misschien was hij dat ook wel. Tony Foxton vond het in ieder geval wel.

'Kom, meisjes,' zei hij. 'Wie wil er gaan zwemmen? Wie wil papa in het zwembad duwen?'

Beatrice giechelde, maar Octavia bleef hem onzeker aankijken.

'En ons bad dan?' zei ze.

'Dan kan later wel!' zei Hugh. 'Kom mee. Het wordt vast leuk.'

Hij keek even de kamer rond of hij badpakjes zag liggen, maar hij had geen idee waar die lagen. Geen idee hoe ze eruitzagen.

'Jullie hebben geen badpak nodig,' zei hij. 'Jullie kunnen er gewoon in springen zonder iets aan!' Hij tilde Beatrice op en liet haar in het rond zwaaien, en ze gilde van het lachen.

'Kom, Octavia,' zei hij. 'Laten we gaan.'

'Maar, papa –'

'Geen gemaar! Kom mee!' Hij stapte de kamer uit en Beatrice lachte uitgelaten.

'Wacht op mij!' riep Octavia die hen achterna rende. 'Wacht op mij!'

'Nou, kom dan!' zei Hugh. Hij wachtte tot ze naast hem stond, nam haar toen onder zijn andere arm en rende, met de meisjes gillend van het lachen, de trap af en de tuin in.

Het was nog steeds verstikkend warm van de zon en het zwembad was nu warmer dan op enig ander moment van de dag. Toen Hugh in het zwembad plonsde, voelde hij zich blij en opgelucht. Hij kwam boven, zijn hoofd nat, en grijnsde naar de twee kleine meisjes die op de rand stonden. Ze hadden allebei zwembandjes om en verder niets; in silhouet zagen ze eruit als engeltjes.

'Kom maar!' riep hij. 'Wie springt er als eerste in?' Het was even stil – toen kneep Octavia haar neus dicht en sprong in het water. Een ogenblik later volgde Beatrice met een plons. Ze zwommen allebei energiek, als hondjes, vond Hugh, die hen gadesloeg. Hadden volwassenen maar de helft van dat enthousiasme – of zelfs maar een kwart...

'Oké,' zei hij na een tijdje. 'We gaan een wedstrijdje houden. We beginnen aan deze kant...'

Toen hij naar het ondiepe deel van het zwembad zwom, zag hij Jenna aankomen, gekleed in een badpak dat wel een zakenkostuum leek. Ze hief haar hand bij wijze van groet, dook toen zonder iets te zeggen in het water en begon aan een stevige crawl.

'Oké,' zei Hugh die zijn aandacht weer op de meisjes richtte. 'Klaar voor de start. Op uw plaatsen... klaar... af!'

Ze begonnen met zijn drieën luidruchtig naar de andere kant van het zwembad te zwemmen. Door het gegil en de algehele herrie duurde het even voor Hugh zich realiseerde dat hij vanaf de rand van het zwembad geroepen werd. Hij draaide zich om, veegde het water uit zijn ogen en zag Amanda bij de rand staan. Ze had een glas in haar hand en wankelde een beetje, en ze staarde naar hem met een kille, woedende uitdrukking op haar gezicht.

'Hugh... wat ben je precies aan het doen?' zei ze toen hij dichter naar de kant kwam. 'Wat ben je precíes aan het doen?'

'Aan het zwemmen,' zei Hugh. 'Zin om mee te doen?'

'Jenna was de meisjes in bed aan het stoppen.'

'En ik heb tegen haar gezegd dat ze de rest van de avond vrij heeft.'

'Wát?' Amanda zweeg even en bracht haar hand naar haar voorhoofd alsof ze probeerde haar gedachten handmatig op een rijtje te krijgen. 'Hugh, probeer je het me met opzet lastig te maken? Probeer je met opzet een vredige avond te verstoren?'

'Ik verstoor helemaal niets,' zei Hugh. 'Ik ben met mijn kinderen aan het zwemmen. Mag dat niet?'

'En wie moet ze weer rustig zien te krijgen? Wie brengt ze naar bed?'

'Ik.'

'Jij?' Amanda begon te lachen, een harde, spottende lach waarvan Hugh ineenkromp. 'Da's een goeie, Hugh. Jij.'

'Ja, ik. Dat wil ik.' Hugh pakte Beatrice die voorbij peddelde en trok haar tegen zich aan. 'Ik zie deze kinderen nooit,' zei hij met een zachte, trillende stem. 'Een hele week niet. Ik kom thuis, ze liggen al in bed. In de weekends zijn ze altijd weg, dingen aan het doen die jij georganiseerd hebt, waar ik niet bij betrokken ben. Ik heb me meteen vanaf het begin buitengesloten gevoeld. Sinds ze baby waren.'

'Papa,' zei Beatrice die zich los wilde wriemelen. 'Ik wil de bal gaan halen.'

'Toe maar, schat,' zei Hugh die haar losliet. Hij keek haar na terwijl ze wegzwom en keek toen weer naar Amanda. 'Ik wil geen vreemde meer zijn voor mijn kinderen,' zei hij. Hij zwom naar de treden en klom naar boven, zijn gezicht onbuigzaam. 'Begrepen? Dat wil ik niet meer.'

'Wacht eens even,' zei Amanda. 'Je geeft míj er de schuld van dat je de kinderen niet ziet.'

Hugh kwam uit het zwembad en ging druipend tegenover haar staan.

'Ja, gedeeltelijk geef ik jou de schuld,' zei hij terwijl hij zijn best deed om kalm te blijven. 'Je doet net of je een monopolie op de kinderen hebt. Je doet net of ik helemaal niets van ze kan weten of iets aan hun welzijn bij te dragen heb, behalve... behalve geld. Je hebt me nooit de kans gegeven om ze te leren kennen.'

'Ik heb jou nooit de káns gegeven?' Amanda keek hem vol ongeloof aan. 'Wat dacht je hiervan? Jij had ze vanmiddag mee kunnen nemen naar die vervloekte ezelopvang! Ik heb gevraagd of je mee wilde, maar jij zei dat je hier moest blijven om op een belangrijk telefoontje te wachten. Hoe heb ik je dan precies buitengesloten?'

Hugh keek haar verslagen aan.

'Ik moest inderdaad vanmiddag op een telefoontje wachten,' zei hij ten slotte. 'Maar dat was uitzonderlijk. Ik heb het over het leven van alledag, thuis. Ik heb het over het feit dat iedere seconde van het leven van de kinderen vol gepland is met een of andere activiteit – waar ik geen deel van uitmaak –'

'Ik moet georganiseerd zijn!' snauwde Amanda. 'Als je dacht dat het makkelijk was om een huishouden te bestieren, twee kinderen op te voeden, een heel herinrichtingsproject te leiden –'

'Donder toch op met die herinrichting!' riep Hugh uit. 'Het huis hoeft helemaal niet heringericht te worden!' Zijn oog viel op een boek met stalen dat op een ligstoel lag en hij pakte het. 'Weg met – die klote – herinrichting,' zei hij terwijl hij er staal na staal uitscheurde en ze in het zwembad smeet.

De kinderen gilden van de pret en zwommen naar de repen stof toe die zachtjes naar de bodem zonken. Aan de andere kant van het zwembad hield Jenna op met zwemmen en luisterde al watertrappelend toe.

'Je hebt me nooit gevraagd wat ik van een nieuwe inrichting vond!' zei Hugh die Amanda weer aankeek. 'Je vraagt me nooit wat ik van iets vind. Je banjert maar een beetje rond en neemt alle beslissingen; mijn mening doet er kennelijk helemaal niet toe...'

'Ik vraag je nooit iets, omdat je er verdomme nooit bent!' riep Amanda uit. 'Als ik zou wachten om jouw mening te vragen iedere keer dat er iets gedaan moet worden, dan zou het hele huis nu in puin liggen! En wat dat rondbanjeren betreft...' Ze deed een paar stappen naar hem toe, haar gezicht onheilspellend gespannen. 'Je hebt geen idee, Hugh, wat ik doe. Je hebt geen idee hoe zwaar het soms is om gewoon het eind van de dag te halen. Wil je weten waarom de dagen van de kinderen zo strak ingedeeld zijn? Wil je dat weten? Het is omdat als ik niet een beetje structuur in mijn leven zou hebben... ik gek zou worden!'

Haar stem ging over in gekrijs dat over het water weergalmde. Hugh keek haar aan, zo geschokt alsof ze hem een klap in zijn gezicht had gegeven. Hij had haar nooit eerder zo horen praten. Hij raapte een handdoek op en begon zijn haar droog te wrijven terwijl hij haar bedachtzaam aankeek en voor het eerst haar bloeddoorlopen ogen, haar gespannen gezicht, haar opgetrokken schouders zag.

'Amanda...' zei hij ten slotte. 'Ben je ongelukkig?'

'Ik ben niet ongelúkkig, nee. Natuurlijk niet.' Amanda schudde haar hoofd, alsof ze de juiste woorden los wilde rammelen. 'Maar mijn leven is ook niet zo'n makkie als jij wel schijnt te denken.'

'Ik heb helemaal niet gezegd dat het een makkie is –'

'Wil je weten hoe het is om de hele dag thuis bij de kinderen te zitten? Ik kan je zeggen dat ik me wel eens verveel. En dat ik wel eens gefrustreerd raak. Ik mis het feit dat ik geen eigen leven heb. Ik mis mijn onafhankelijkheid.' Ze keek naar het glas in haar hand en nam een slok. 'Soms wens ik dat ik mijn baan terug had.'

Hugh keek haar aan.

'Dat heb je me nooit gezegd.'

'Ik wil niet zeuren als je thuiskomt van je werk. We hebben een afspraak gemaakt – en ik vind dat ik me er goed aan gehouden heb. Jij zou het geld verdienen en ik zou voor de kinderen zorgen. Dat was de afspraak. En als het wel eens moeilijk is – nou, pech gehad.' Amanda haalde haar schouders op. 'Het heeft geen zin om erover te zeuren.'

Het was stil. Beatrice kwam druipnat naar Hugh getrippeld.

'Nou, misschien wil ik de afspraak wel veranderen,' zei Hugh. 'Misschien wil ik wel een heleboel veranderen.' Hij begon Beatrice's haar met zijn handdoek droog te wrijven. 'Ik heb nagedacht. Over jou... over ons leven samen...'

Hij aarzelde terwijl hij zorgvuldig de woorden koos. Maar voor hij verder kon gaan, werd hij geroepen door een schallende stem in de verte. 'Hugh?'

Hij keek op en zag Chloe met grote stappen naar het zwembad toe komen. 'Hugh, ik wil je spreken.'

Toen ze dichterbij kwam, zag hij dat ze blossen op haar wangen had, haar ogen fonkelden van woede en dat haar haar een piekerige, blonde stralenkrans vormde. Ze had er nooit mooier en hartstochtelijker uitgezien en hij voelde een steek van opwinding, maar was meteen daarna op zijn hoede. Waar was ze zo van overstuur? Zou ze iets verraden? Hij was niet op dit punt aangekomen om nu alles te laten verzieken.

'Hallo,' zei hij zo natuurlijk mogelijk. 'Ik ben met de meisjes aan het zwemmen.'

Met mijn gezin, seinde hij met zijn ogen. *Met vrouw en kinderen.*

'Gewoon aan het zwemmen,' herhaalde Chloe spottend. Haar blik dwaalde minachtend over het zwembad. 'Ook heel leuk.'

'Is er een probleem?' vroeg Amanda. Chloe negeerde haar.

'Jij voelt je zeker wel lekker machtig, hè?' zei ze abrupt terwijl ze zich naar Hugh wendde. 'Jij voelt je zeker al de hele week het mannetje, hè, groot en machtig en belangrijk. Terwijl je je geheimen voor je houdt. Terwijl je loopt te liegen.'

De grond leek een beetje onder Hughs voeten vandaan te schuiven.

'Wat bedoel je?' vroeg hij om tijd te rekken, om te bedenken wat de aanleiding tot deze woede kon zijn. Ze was toch zeker niet van plan het Amanda te vertellen? Niet nu.

'Beatrice, ga nog maar even zwemmen,' zei hij met samengeknepen keel. Hij keek hoe zijn dochter naar de rand van het zwembad trippelde en in het water sprong. Hij wilde dat hij haar kon volgen. De warme avondlucht omsloot hem als een dikke, verstikkende deken.

'Chloe, waar heb je het over?' zei hij en keek haar weer aan; hij probeerde een 'kijk heel erg uit' met zijn ogen over te brengen.

'Je hebt ons de hele tijd voor de gek gehouden, hè?' zei Chloe.

'Wat?' Hij keek haar verwonderd aan.

'Je wist het. Je wíst dat Philip zijn baan zou kwijtraken. Je wist hoeveel zorgen we ons maakten, hoe kwetsbaar we waren... hoe kwetsbaar ík was...'

'O God, dát,' zei Hugh en slaakte een diepe zucht. 'Luister, ik wist niet –'

'Je hebt misbruik gemaakt van de situatie. Denk maar niet dat ik dat niet door heb.'

Haar stem klonk vernietigend; het verraad viel duidelijk van haar gezicht te lezen. Hugh slikte en voelde zich ineens leeg. Jezus. Wat dacht ze nou precies? Dat hij koelbloedig de waarheid voor haar verzwegen had om zijn verleidingskansen te vergroten? Dat toen ze in elkaars armen lagen, hij precies had geweten wat Philips lot was? 'Nee,' zei Hugh. 'Nee, Chloe. Geloof me. Ik wist het niet. Niet voor vandaag. Niet nadat...' Hij keek haar aan en deed wanhopig zijn best om de waarheid naar haar te seinen. 'Ik had er geen idee van. We zouden niet over werk praten, weet je nog? Ik had géén idee.'

Hij deed een stap naar haar toe zonder zich erom te bekommeren of Amanda de hartstocht in zijn ogen zag. Hij mocht Chloe niet het slechtste van hem laten denken. Terwijl hij haar aankeek, zag hij iets van twijfel in haar ogen. Maar de vijandigheid bleef. Chloe wilde niet tot bedaren gebracht worden. Ze had woede die ze kwijt moest – en kwijtraken zou ze die.

'Chloe...'

'Wist zij het ook?' zei Chloe en wees met haar duim in Amanda's richting. 'Hebben jullie ons samen uitgelachen?'

'Wat zou ik moeten weten?' vroeg Amanda koel.

'O. Dus Hugh heeft ook geheimpjes voor jou.'

'Natuurlijk niet,' zei Amanda en wierp Chloe een blik vol afkeer toe. 'Hugh, waar heeft ze het in godsnaam over?'

'Ik heb het over Philips baan,' zei Chloe. Amanda keek haar uitdrukkingsloos aan.

'Philips baan? Wat doet hij dan?'

'Hij is filiaalhoofd bij de National Southern. Was. Totdat jouw bobo van een man en zijn handlangers op zijn weg kwamen.' Chloe's ogen fonkelden beschuldigend naar Hugh; hij haalde diep adem en deed zijn best om natuurlijk te blijven reageren. Twee vakantiekennissen, hield hij zichzelf voor. Meer niet.

'Chloe, ik heb alles gedaan wat ik kon.'

'Ja, natuurlijk.'

'Ik heb geprobeerd zijn baan veilig te stellen! Heeft hij je dat niet verteld?'

'Hij vertelde dat je gebeld had,' zei Chloe sarcastisch. 'Dat moet wel een héle inspanning zijn geweest.'

'Dat was het ook,' zei Hugh, zwaar ademend. 'Dat was het, meer dan je denkt. Ik heb echt geprobeerd te helpen.'

'O ja, dat is waar ook! Jij bent zo'n altruïst. Zo'n meelevende man.'

'Je weet niet hoe ik ben,' zei Hugh neutraal.

'Ik weet waartoe je in staat bent.' Haar ogen boorden zich in de zijne. 'Wees maar niet bang, Hugh. Ik weet precies hoe gevoelloos je kunt zijn. Als je iets wilt, dan regel je het wel. Eerst je eigen leven veiligstellen. Vooral niet aan een ander denken.'

'Wat wil je nu beweren?' Hugh sloeg zijn armen uit. 'Denk je dat ik Philip heb laten ontsláán?'

'Zeg jij het maar!' Chloe's stem werd vervaarlijk schril. 'Heb je dat gedaan?'

'Natuurlijk niet!' deed Amanda een duit in het zakje. 'Chloe, ik kan me voorstellen dat je over je toeren –'

'O ja?' Chloe draaide zich met een ruk om om haar aan te kijken en haar ogen fonkelden onheilspellend. 'O ja, Amanda?'

Hou je mond, Amanda, dacht Hugh geschrokken. *Laat haar met rust.* Maar Amanda liep naar haar toe met een sussende uitdrukking op haar gezicht.

'Natuurlijk kan ik dat. Je baan kwijtraken is iets afschuwelijks. Maar het heeft geen zin om uit te varen of een zondebok proberen te vinden. Wat je moet bedenken, Chloe, is dat er bij iedere overname slachtoffers vallen. Daar kan niemand iets aan doen – zo gaan die dingen nu eenmaal.'

'O, jij bent de deskundige?' zei Chloe.

'Nee...' zei Amanda, 'maar ik schijn meer in de echte wereld te staan dan jij.'

'De echte wereld?' Chloe's stem ging spottend omhoog. 'Laat me niet lachen, Amanda. Je hebt geen flauw benul van de echte wereld. Moet je jezelf zien met je geverfde haar en je neptieten –'

'Mijn borsten zijn toevallig echt,' zei Amanda op ijzige toon.

'Maar dat is dan ook het enige! Je hebt echt geen idee hoe de echte wereld in elkaar steekt. Een kindermeisje zorgt voor je kinderen... Jij steekt waarschijnlijk de hele dag geen vinger uit.'

'Dat is trouwens niet waar,' deed Jenna vanaf de andere kant een duit in het zakje. 'Ze doet wel wat.'

'O, lief, zeg,' zei Chloe en draaide zich met een ruk om. 'Het trouwe personeel. Hoeveel heb je daarvoor betaald?'

'Rot op, Chloe,' zei Jenna terwijl ze een handdoek pakte. 'Sorry dat ik het zeg, hoor, maar je lult uit je nek.'

'Chloe, beheers je,' zei Hugh. 'Ik weet dat je niet meent wat je zegt...'

'O nee?' zei Chloe met schrille stem. 'O nee?'

Haar gezicht zag rood en woest; haar ogen waren dolken van haat. Ineens zag Hugh een nieuwe mate van woede in haar. Er kwam een lading vijandigheid tegenover Amanda naar boven waarvan Chloe waarschijnlijk niet eens besefte dat ze die in zich had. Alle jaren van pijn kwamen naar boven en werden uitgestort over het hoofd van haar nietsvermoedende rivale, als zweet dat de koorts wegneemt. Hugh keek naar de pure, onversneden hartstocht op Chloe's gezicht en voelde iets diep van binnen door zich heen rommelen. Zo erg had hij haar pijn gedaan.

'En je huwelijk met Hugh dan?' snauwde Chloe haar toe. 'Hoe echt is dat?'

'Chloe, nu is het genoeg!' Oprechte woede steeg in Hugh op. 'Ik weet dat je over je toeren bent. Maar dit gaat veel te ver...'

'Laat maar, Hugh,' zei Amanda kalm. 'Ik kan het zelf wel af.' Ze deed een stap naar voren, met haar kin omhoog, haar gezicht waardig. 'Het is wel makkelijk voor jou om me belachelijk te maken, hè, Chloe? Kleine grapjes maken, steken onder water. Voor het geval je het vergeten bent, ik heb vanmiddag je zoon Nat meegenomen op een uitstapje. Ik heb hem gereden, ik heb hem eten gegeven, ik heb hem beziggehouden – ik heb zelfs zijn hoofd vastgehouden terwijl hij over mijn schoenen overgaf.' Ze deed nog een stap naar voren en haar ogen fonkelden gevaarlijk. 'Ik – de vrouw die kennelijk nooit een vinger uitsteekt – heb voor jou voor jóuw kind gezorgd. Dat is wat ik heb gedaan, Chloe. Wat heb jíj gedaan?'

'Ze is met je man naar bed geweest,' zei Jenna kalm vanaf de andere kant van het zwembad.

Hughs hart stond stil. Hij voelde het bloed naar zijn hoofd stijgen en meteen weer wegstromen. Zijn lichaam was verstijfd, hij kon zijn mond niet opendoen; hij voelde zich duizelig van angst.

Niemand zei iets. Het was stil, op het gekabbel van het water na.

'Geintje,' zei Chloe ten slotte terwijl ze Jenna met woedende, donkere ogen aankeek. 'Geintje.'

Jenna liet haar blik over het zwembad dwalen. Ze keek naar de kinderen, die ineengedoken op een handdoek op de rand van het zwembad zaten. Hugh die verlamd leek, Chloe, nog steeds rood en trillend. Amanda, haar mooi gevormde wenkbrauwen in een verontruste frons. En in de verte Philip, die met een fles wijn en een blad met glazen aankwam, een ontspannen glimlach op zijn gezicht.

'Geintje,' zei ze ten slotte. Ze keek Hugh strak aan en hij voelde zich beschaamd.

'Géintje?' zei Amanda en schudde vol ongeloof haar hoofd. 'Jenna, het spijt me, maar je moet hiermee ophouden! Ik wil al de hele week iets zeggen over die geintjes van je...'

Hugh zag vanuit zijn ooghoek dat Chloe naar hem keek. Maar hij wendde zich niet naar haar. Nog niet. Hij voelde zich net een overlevende van een ongeluk die heel omzichtig te werk moest gaan, die moest voorkomen dat de hele reddingsoperatie met één verkeerde zet in gevaar gebracht zou worden.

'Ik weet dat je het goed bedoelt,' zei Amanda. 'En ik kan best tegen een grapje, maar soms zijn die van jou niet leuk. Eerlijk gezegd kunnen ze behoorlijk kwetsend zijn.'

'Het spijt me,' zei Jenna op vlakke toon. Haar ogen flitsten in de richting van Chloe. 'Het zal niet weer gebeuren. Daar kun je van op aan.'

Er volgde een stilte die alleen onderbroken werd door het gefluister van Octavia en Beatrice. Ze kwamen tegelijk overeind en sprongen weer in het zwembad. Tegelijkertijd kwam Philip aan op het terras, zijn gezicht vriendelijk en nietsvermoedend.

'Hoi, Philip,' zei Jenna met een meelevende klank in haar stem.

'Hoi!' zei Philip. Hij keek van de een naar de ander. 'Wat is er gaande?'

Goede vraag, dacht Hugh in de daaropvolgende pauze. Heel goede vraag.

'Niks,' zei Chloe uiteindelijk. 'We stonden gewoon te praten... en de meisjes zijn aan het zwemmen...'

'Nou, ik vond dat we misschien maar eens iets moesten drinken,' zei Philip. 'Toosten op mijn nieuw verworven werkloosheid. Wil iedereen wijn?'

Terwijl Philip de wijn begon in te schenken, zette Hugh voorzichtig zijn ene voet naar voren en toen zijn andere, alsof hij na maanden van bewegingloosheid aan het loskomen was. Hij was zich ervan bewust dat Chloe hetzelfde deed, van het bevroren tableau rond het zwembad terug naar het normale leven.

'Het lijkt maar niet af te koelen, hè?' zei Philip terwijl hij naar het donker wordende blauw van de hemel keek. Hij begon glazen wijn uit te delen. 'Alsjeblieft.'

'Ik vind het heel erg van je baan, Philip,' zei Amanda terwijl ze een glas aannam.

'Dank je,' zei Philip. 'Dat vond ik ook. Maar nu...' Hij glimlachte. 'Nu voel ik me behoorlijk bevrijd.'

'Echt?' vroeg Amanda ongelovig. 'Nou, dat is goed.'

'Philip heeft allerlei plannen,' zei Chloe. 'Hij gaat hier absoluut het beste van maken.'

Hugh staarde een ogenblik in zijn glas en voelde zijn hart tekeergaan van verwachting, van angst. Toen raapte hij al zijn moed bij elkaar en keek op.

'Misschien kan hij me een paar tips geven,' zei hij luchtig.

'Tips waarover?' vroeg Amanda.

'Tips over hoe je van werkloosheid het beste kunt maken wat je ooit overkomen is.'

'Werkloosheid?' Amanda lachte een beetje. 'Hugh, wat...' Ze brak onzeker haar zin af. Hugh keek naar de gezichten om hem heen en haalde licht zijn schouders op.

'Je wilt toch niet zeggen...' begon Philip.

'Ze hebben jou ook aan de kant gezet!' zei Chloe, die het zich ineens realiseerde, met iets van triomf in haar stem. 'Ze hebben je de zak gegeven, hè? Nu zijn hun eigen mensen aan de beurt.'

'Ze hebben me niet geloosd.' Hugh keek de groep langs. 'Ik heb ontslag genomen.'

Er volgde een ontzette stilte.

'Wat?' Amanda slikte. 'Wat heb je –'

'Ik heb mijn baan opgegeven.' Terwijl hij de woorden zei, voelde Hugh hoe een lichtheid zich door hem heen verspreidde. 'Ik heb vanmiddag gebeld. Ik heb gezegd dat ik ermee ophield.'

'Dit... dit is weer een geintje,' zei Amanda. Haar ogen schoten argwanend naar Jenna. 'Toch?'

'Het is geen geintje.' Hugh slaakte een diepe zucht. 'Amanda, ik heb het je verteld. Ik wil mijn leven veranderen. Ik ben te veel uren bij de kinderen vandaan geweest, bij jou vandaan geweest... door mijn werk op de eerste plaats te laten komen en al het andere op de tweede. Ik wil het werk eindelijk eens op de tweede plaats zetten.'

'Ik geloof het niet,' zei Amanda zwakjes. Ze liet zich moeizaam in een stoel zakken. 'Ik geloof het gewoon niet.'

'Je hebt dit toch niet gedaan vanwege vanmiddag?' vroeg Philip die verontrust keek. 'Hugh, wat ik ook van PBL vind, je hebt alles voor me gedaan wat je kon. Ik heb je gehoord – je hebt echt je nek voor me uitgestoken. Dus als het daarmee te maken heeft...'

'Het heeft er deels mee te maken.' Hugh keek Philip recht in de ogen. 'En voor een deel is het vanuit het besef dat mijn leven niet helemaal is zoals ik het zou willen.'

'Niemands leven is helemaal zoals hij het zou willen!' riep Amanda uit. 'Dacht je dat mijn leven helemaal was zoals ik het zou willen? Dat wil niet zeggen dat je het maar uit het raam moet gooien, dat je het maar bij het grof vuil moet...'

'Ik gooi helemaal niets weg,' zei Hugh. 'Ik grijp juist wat belangrijk is voor ik het helemaal kwijt ben.'

'Nou, als iemand die net ontslagen is, vind ik dat je gek bent,' zei Philip. 'Stapelgek.' Er verscheen een brede grijns op zijn gezicht. 'Maar als dat is wat je wilt... succes.'

'Een hoop kindermeisjes zou nu aanbieden om voor niets te werken,' zei Jenna opgewekt. 'Mag ik even duidelijk maken dat ik daar niet bij hoor?' Ze pakte een glas wijn en hief het. 'Maar goed van jou, hoor, Hugh. Daar moet lef voor nodig zijn geweest.'

'Wat vind jij ervan, Chloe?' zei Hugh, die zijn hoofd hief om haar aan te kijken. 'Je hebt niets gezegd.'

Chloe keek hem aan, met sporen van boosheid nog op haar gezicht. Toen verzachtte haar uitdrukking.

'Ik denk... dat je het juiste hebt gedaan. Voor jou. En ik hoop echt dat het je brengt wat je wilt.'

'Dank je,' zei Hugh. 'Dat hoop ik ook.'

'Deze vakantie wordt met het moment beter,' zei Amanda die naar de grond staarde. 'Afspraken voor de villa door elkaar gehaald. Kinderen ziek. Man dronken. En nu heeft hij ontslag genomen.' Ze nam een slok wijn. 'Wat zal het volgende zijn?'

'Niets,' zei Hugh. Hij liep naar de stoel, zette zijn wijnglas op de grond en sloeg beide armen om haar heen. 'Van nu af aan wordt het beter, Amanda. Dat beloof ik.'

'Nou,' zei Philip na een ongemakkelijke stilte. 'Op... jou, Hugh.'

'En op jou, Philip.'

Hugh stond op en de twee mannen hieven hun glas. Na een korte stilte volgden de anderen. Terwijl ze dronken, klonk er een schreeuw vanuit de verte en iedereen keek op. Sam kwam naar het zwembad gehold, zijn gezicht een en al opwinding.

'Hé,' riep hij. 'Heeft iemand een bad laten vollopen of zo?'

'Ik heb wel een kraan horen lopen,' zei Philip met een lichte frons. 'Toen ik de keuken in ging. Ik dacht dat het wel goed zat –'

'Nou, het is niet goed,' zei Sam, met onderdrukte vrolijkheid. 'Ik zou maar meekomen. En vlug ook.'

15

Het was een spectaculair gezicht. Het water kwam gestaag van de marmeren trappen gestroomd en maakte van iedere tree een watervalletje; het gladde oppervlak werd een schaatsbaan. Onder aan de trap lag een plas op de marmeren vloer: een steeds groter wordend meer dat zich langzaam uitstrekte naar de deur waar ze stonden.

Een paar minuten lang heerste er een onthutste stilte, op een merkwaardig geruis op de achtergrond na. Chloe keek Sam beschuldigend aan.

'Sam, dat is het water, hè? Het water loopt nog!'

'Dat weet ik,' zei Sam. Hij zag haar gezicht en voegde er verdedigend aan toe: 'Ik dacht dat jullie het wel in actie wilden zien. Het is ongelooflijk, hè? Zoals het van de trappen stroomt...'

'In actie zien?' herhaalde Philip. 'Sam, dit is geen gemeentefontein. Dit is het huis van iemand anders.'

'Waar komt het vandaan?' vroeg Amanda.

'Weet ik niet,' zei Sam. 'Ik ben niet boven geweest. Volgens mij zijn de trappen behoorlijk glad.'

'Dodelijk,' beaamde Philip. 'Degene die naar boven gaat moet goed uitkijken.'

'Maar ik begrijp het niet,' hield Amanda vol. 'Wie heeft in vredesnaam een bad vol laten lopen? Wie zou er in bad gáán?'

'Wij zouden in bad gaan,' kwam het hoge stemmetje van Octavia vanachter de groep volwassenen. 'Maar toen gingen we zwemmen.'

'O ja?' Amanda draaide zich met een lichte frons om. 'Jenna, jij hebt de kraan toch niet open laten staan?'

'Heeft niks met mij te maken. Hugh nam het baduurtje over. Hij zei dat ik kon gaan. Dus ik ging. De kraan was nog aan het lopen, maar ik nam aan...' Ze haalde haar schouders op.

Langzaam keerde iedereen zich naar Hugh.

'Misschien heb ik vergeten...' begon hij ongemakkelijk en wreef over zijn blozende gezicht. 'Ik had zo'n haast...'

'Juist,' zei Philip. 'Nou... wees maar gerust. Die dingen gebeuren gewoon.'

Er kwam een proestlach van Amanda.

'Die dingen gebeuren gewoon? Dit is de man die een actievere rol wil spelen bij de zorg voor zijn kinderen! Goed gedaan, Hugh! Een prima begin!'

'Het was een foutje!' zei Hugh. 'Iedereen had –'

'Dat komt ervan als je je kinderen in bad wilt stoppen.' Amanda gierde van het lachen, op het randje van hysterie. 'Wat gebeurt er als je besluit vissticks voor ze klaar te maken?'

'Dat is niet eerlijk,' sputterde Hugh zwakjes tegen.

'Moeten we de hulpdiensten op de hoogte stellen iedere keer dat je besluit voor de kinderen te zorgen?'

Chloe keek naar Philip en onwillekeurig verscheen er een grijns op haar gezicht. Jenna schoot in de lach.

'Sorry,' zei ze. 'Maar je moet toegeven dat het best grappig is.'

'Ja, misschien wel,' gaf Hugh schoorvoetend toe. 'Al moet ik zeggen...'

Zijn stem stierf weg en ze draaiden zich weer allemaal om om naar het water te kijken. Terwijl ze toekeken, begon het in straaltjes van de balustrade te stromen die om de zijkant van de overloop liep.

'Oké,' zei Philip. 'Ik denk dat iemand naar boven moet gaan om de kraan dicht te draaien.' Hij keek naar zijn canvas schoenen. 'Ik ga wel.'

'Nee, ik ga wel,' zei Hugh. 'Ik ben degene die dit veroorzaakt heeft.'

'Denk eraan, Hugh,' zei Amanda toen hij voorzichtig over de gladde vloer begon te lopen, 'je zet hem uit. Weet je welke kant dat op is, schat?'

Chloe moest giechelen en ze sloeg haar hand voor haar mond om zich in te houden.

'Ik ga mee,' zei Philip en volgde Hugh voorzichtig over de vloer. 'Niet omdat ik denk dat je niet weet welke kant uit is,' voegde hij eraan toe toen Hugh achterdochtig achterom keek.

Chloe wierp een blik op Jenna terwijl ze haar best deed om zich in te houden – maar het haalde niets uit. Het lachen kwam onbeheersbaar als een geiser in haar op. Ze liet zich met buikpijn van het lachen op de grond zakken en had het gevoel alsof er op dit stomme, kinderachtige moment maanden van spanning vrijkwamen. Toen realiseerde ze zich dat het jaren waren. Jaren van onderdrukte pijn die in gelach vervlogen.

'Denk je dat het allemaal goed komt?' zei Jenna tussen giechelbuien door terwijl ze keek hoe Hugh en Philip voorzichtig de trap opliepen.

'Vast wel, hoor,' zei Amanda. 'Ze hoeven alleen maar naar het bad te lopen en de kraan dicht te draaien.'

'Ik weet het niet,' zei Jenna hoofdschuddend. 'Kranen kunnen knap lastig zijn.'

'Weet je wat?' zei Amanda serieus. 'Als ze langer dan een uur wegblijven, roepen we het leger erbij.'

Chloe en Jenna lagen opnieuw in een deuk en Amanda grinnikte – en toen begon ook zij te lachen. Chloe trok een beetje verbaasd haar wenkbrauwen op naar Jenna, die haar een knipoogje gaf. Hoe moet dat er wel niet uitzien? dacht Chloe terwijl het gelach door de hal met de koepel weergalmde. Drie volwassen vrouwen die op de grond zitten te giechelen als schoolmeisjes. Ze zag Sams laatdunkende tienergezicht en schoot opnieuw in de lach.

Er klonk een geluid aan de andere kant van de hal en daar verscheen Nat, geeuwend en met een Playstation in zijn hand.

'Kijk uit!' riep Chloe toen hij een stap in de plas zette. Nat keek omlaag, trok zijn voet terug en liep, om de plas heen, naar hen toe.

'Wat is er gebeurd?' vroeg hij. 'Waarom is het hier nat?'

'Nat!' riep Chloe uit. 'Heb je al die tijd binnen gezeten? Hoe kon je daar in vredesnaam rustig zitten terwijl dit gaande was?'

'Wat?' zei Nat.

'Dit!' Chloe gebaarde naar het trappenhuis. 'Het water! Heb je niets gehoord?'

'Ik was Pokémon aan het spelen,' zei Nat en krabde aan zijn hoofd. 'Ik heb niks gehoord.'

'Dat ellendige Pokémon...' begon Chloe, maar stopte toen ze een sissend, knetterend geluid hoorden. Een ogenblik later ging er een licht uit en klonk er een kreet van boven.

'Hugh!' Amanda keek vol schrik op. 'Hugh, gaat het?'

Het bleef stil en de drie vrouwen wierpen elkaar bezorgde blikken toe. Toen verscheen Philips hoofd boven de balustrade.

'Er is niets aan de hand met Hugh,' zei hij. 'Met ons allebei niet. Maar met de stroom wel. Er is ergens kortsluiting ontstaan. Ik weet niet precies waar. Ik vind dat we de kinderen hier weg moeten halen.'

'Goed,' zei Chloe die opstond. 'Nat... meisjes... we gaan naar buiten.'

Ze liepen naar buiten en bleven naar de villa staan kijken. Het was donker, maar het was nog warm en windstil. Ze gingen op lage muurtjes en treden zitten en keken van tijd tot tijd naar het huis alsof ze verwachtten dat het iets zou gaan zeggen. De twee kleine meisjes balanceerden onzeker op een paar paaltjes en gingen toen op de grond naast Amanda zitten. Nat ging alweer helemaal op in zijn computerspelletje.

'Ik ga zwemmen,' zei Sam na een tijdje. Hij schopte onverschillig tegen de grond en zei zonder op te kijken: 'Ga je mee, Jenna?'

'Ik denk het niet,' zei ze. 'Ik denk dat ik beter hier kan blijven tot we weten wat er aan de hand is.'

'Vet,' zei hij na een tijdje. Hij wierp haar een gekwetste en boze blik toe die ook voor Chloe bestemd was.

Een ogenblik later verscheen Philip samen met Hugh aan de voordeur van de villa. Hun kleren zaten onder de waterspatten en Hugh veegde over zijn hoofd.

'Nou, het goede nieuws is dat de kraan uit is,' zei hij.

'Goed zo,' zei Amanda. 'Dus je hebt de kraan gevonden?'

'Het slechte nieuws is dat de airconditioning ook uit is,' zei Philip.

'De airconditioning?' zei Amanda ontsteld. 'Wat is er mis mee?'

'Daar schijnt kortsluiting in te zitten. En in een aantal lichten ook.'

'Hoe ziet het er boven uit?' vroeg Chloe.

'Nog steeds een beetje een puinhoop. En heel erg glad. Enkele kleden zijn doorweekt – en ook wat kleren die op de grond lagen.' Philip haalde zijn schouders op. 'Het had erger kunnen zijn.'

'Vinden jullie dat iemand het Gerard zou moeten vertellen?' zei Amanda.

'Ja,' zei Philip. 'We moeten hem bellen.'

'Niet nodig,' zei Hugh en haalde diep adem. 'Hij komt morgen hierheen.'

'Wat?' Iedereen keerde zich naar hem toe.

'Ja natuurlijk,' zei Chloe. Ze schudde bijna bewonderend haar hoofd. 'Na drie dagen vakantie. Perfecte timing.'

'Hoe weet je dat hij komt?' vroeg Philip.

'Ik heb hem eerder vandaag gesproken. Hij zei dat we hem morgenmiddag zouden kunnen verwachten.' Hugh haalde zijn schouders op. 'Zomaar een ideetje noemde hij het.'

'Zomaar een ideetje?' herhaalde Chloe vol ongeloof. 'O, dat is een goeie.'

'Maar waar is hij dan van plan te gaan slapen?' zei Amanda en er verscheen een rimpel in haar voorhoofd. 'Hij weet toch hoeveel slaapplaatsen er zijn?'

'Hij mag slapen waar hij wil,' zei Chloe met een plotselinge harde klank in haar stem. 'Ik ga zeker niet op hem zitten wachten.' Ze keek naar Philip. 'Ik heb genoeg van dit huis. Eerlijk gezegd heb ik genoeg van deze vakantie. Misschien kunnen we morgen naar huis vliegen. Misschien kunnen we onze vlucht omzetten.'

'Morgen?' zei Nat ontzet. 'Nee, mam!'

'Ik ben het ermee eens,' zei Hugh en keek naar Amanda. 'Misschien kunnen wij morgen ook naar huis vliegen.'

'We kunnen niet naar huis!' zei Amanda. 'De keuken is nog niet klaar.'

'Nou, dan gaan we ergens anders heen,' zei Hugh. 'Andalusië in rijden. Waar dan ook. Ik wil alleen niet hier blijven.' Hij keek enkele ogenblikken naar de prachtige gevel van de villa en wendde toen zijn blik af.

'Het is geen geweldige vakantie geweest, hè?' zei Philip met een ironisch glimlachje op zijn gezicht.

'Het is helemaal geen vakantie geweest,' zei Chloe. 'Het is een spelletje geweest. Een verdomd marionettenspel. We hadden het moeten beseffen zodra we hier aankwamen. We hadden moeten beseffen dat het geen vergissing was.' Ze zweeg een ogenblik met een strak gezicht. 'Nou, ik doe niet meer mee. Gerard mag hier morgen aankomen en het huis verlaten aantreffen wat mij betreft.'

Ze keek naar Philip. 'Ik meen het, Philip. Ik wil niet blijven.'

'Prima,' zei Philip knikkend. 'We laten onze vlucht omboeken. Maar we moeten hier nog wel overnachten. En dat betekent dat we nog wat werk voor de boeg hebben.' Hij haalde zijn handen door zijn haar. 'Serieus, ik weet niet of het wel helemaal veilig is, met al water dat nog overal ligt...'

'Ik blijf niet in een huis waar geen airconditioning is,' zei Amanda met een scherpe klank in haar stem. 'Zeker niet vannacht. Dat kan niet! Het is bloedheet! Hugh, we moeten in de auto stappen en doorrijden tot we een hotel vinden met genoeg bedden...'

'Ik kan niet rijden,' zei Hugh. 'Ik heb te veel gedronken. En jij ook.'

'We moeten wel!' Amanda begon te krijsen. 'Ik blijf niet in dit huis! We worden geroosterd! Er is geen lucht, het is bloedheet, de kinderen zullen geen oog dichtdoen...' Ze begroef haar hoofd in haar handen. 'Ik wist wel dat we naar Club Med hadden moeten gaan! Ik wist het gewoon. Volgend jaar boek ik de vakantie. Geen villa's meer. Geen zogenaamde vrienden meer. Geen –'

'Schat, rustig!' zei Hugh. 'Zo erg zal het ook weer niet zijn om nog één nachtje hier te slapen...'

'Jawel! Het zal afschuwelijk zijn!'

'Nou, er is geen alternatief,' zei Hugh geprikkeld. 'We moeten gewoon even doorbijten.'

'Eerlijk gezegd is er wel een alternatief,' zei Jenna tussen neus en lippen door. 'Ik ben het met Amanda eens. Ik ga in geen geval binnen slapen. Niet op een avond als deze.'

'En... waar ben je dan van plan te gaan slapen?' zei Amanda die opkeek.

'Buiten,' zei Jenna, alsof het voor de hand liggend was. 'Het is warm genoeg. Ik pak gewoon een dekbed van boven, wikkel me erin... en klaar. Opgelost.'

Er volgde een geïmponeerde stilte.

'Goed dan,' zei Hugh. Hij keek naar de anderen en begon te glimlachen. 'Opgelost. Voor ons allemaal.'

Tegen de tijd dat ze genoeg beddengoed voor iedereen naar buiten gesleept hadden, begonnen Nat en de twee kleine meisjes slaap te krijgen. Amanda en Chloe legden hen in bed en moesten glimlachen om elkaars bedtijdgewoontes en regels.

Hugh en Philip hielden zich bezig met de accommodatie voor de volwassenen, schudden kussens uit en verdeelden dekbedden alsof ze op padvinderijkamp waren. Sam zat in zijn eentje in de schemering te staren, zijn gezicht strak en mokkend.

Toen Jenna naar hem toekwam, keek hij op zonder te glimlachen.

'Wat is er?' vroeg ze luchtig.

'Ik kan niet geloven dat we morgen weggaan,' zei Sam zonder zijn hoofd om te draaien.

'Heb je het zo naar je zin dan?'

'Daar gaat het niet om.' Hij haalde nors zijn schouders op.

Jenna grinnikte. Ze stak haar vinger uit en ging ermee over zijn wang en toen over zijn borst.

'Maak je niet druk,' zei ze. 'We hebben de hele nacht nog.'

Sam keek met een ruk op, maar ze liep al weg naar de plek waar Amanda en Chloe waren gaan zitten.

'Ik heb eten en drinken,' verkondigde ze en haalde haar rugzak tevoorschijn. 'Brood en kaas… en nog meer wijn uit Gerards kelder. We kunnen teruggaan naar het terras en het daar opeten… of we kunnen picknicken.'

'Picknicken,' zei Chloe na een korte stilte en keek naar Amanda, die knikte.

'Picknicken.'

Jenna legde het eten op de grond en de anderen gingen er hongerig omheen zitten. De daaropvolgende ogenblikken werd er weinig gepraat. Ze rammelen allemaal van de honger, dacht Chloe die naar de zwijgende, kauwende gezichten keek. Of misschien is eten gewoon makkelijker dan praten.

Toen het eten op was, dronken ze wijn, praatten een beetje en lieten het donker om hen heen worden. Boven het silhouet van het dak van de villa cirkelden en scheerden vogels tegen de hemel. Het was nog steeds windstil en warm en stil.

'Is er nog wijn?' vroeg Amanda na een tijdje en keek op. Ze praatte een beetje met dikke tong en liet haar hoofd een beetje hangen. 'Die van mij schijnt op te zijn.'

'O ja, hoor,' zei Jenna en gaf een fles door. 'En aangezien het de laatste avond is en zo…'

Ze tastte in haar zak en haalde twee kant-en-klare joints tevoorschijn. Sam schrok en zijn hoofd ging met een ruk omhoog; de anderen gaapten Jenna vol verbijstering aan.

'Jenna!' zei Amanda op scherpe toon. 'Is dat –'

'Uhuh,' zei Jenna monter. 'Ik denk dat we er allemaal wel aan toe zijn.'

Ze bood er een aan Amanda aan, die even zweeg.

'Slapen de meisjes?'

'Als een roos,' zei Jenna met een blik in hun richting.

'Goed dan.' Amanda nam zonder aarzeling de joint aan. 'Dit is wat er gebeurt als de werkloosheid toeslaat,' zei ze terwijl ze er somber naar keek. 'Je zoekt je toevlucht in alcohol en drugs.' Ze keek naar Hugh. 'Het zal me niet verbazen als we voor het einde van het jaar aan de heroïne zijn. Goedkope hamburgers eten en aan een hartstilstand doodgaan.'

'Nou, ik denk niet dat het zó erg zal worden...' zei Hugh.

'Nee?' Ze nam een trek, deed haar ogen dicht en blies langzaam uit. Ze nam er nog een en keek toen naar Chloe.

'Jij ook?'

'Nou...' zei Chloe die haar verwarring probeerde te verbergen.

'Toe maar, mam,' zei Sam. 'Ik zal er niet van aan de drugs gaan. En ik zal het niet tegen Nat zeggen.'

'Nou,' zei Chloe nogmaals. Ze aarzelde, nam toen de joint aan en inhaleerde. Ze trok een gezicht en hoestte een beetje. 'Lang niet gedaan,' zei ze en gaf hem door aan Hugh die hem aarzelend aannam.

'Ik heb nog nooit drugs genomen,' zei hij en keek er achterdochtig naar. 'Ik ben ertegen. Stel dat er iets akeligs in zit?'

'Straks zit je aan de heroïne,' zei Amanda die van haar wijnglas opkeek. 'Dus het doet er niet echt toe.'

Chloe keek hoe Hugh een voorzichtig trekje nam en voelde genegenheid voor hem opwellen.

'Hugh,' zei ze abrupt. 'Ik heb spijt van alles wat ik gezegd heb. Bij het zwembad.' Ze bloosde een beetje. 'Ik was oneerlijk. Ik weet dat je je best hebt gedaan om Philips baan te redden. En Amanda...' Ze keek opzij. 'Ik bied jou ook mijn verontschuldigingen aan. Ik was...' Ze aarzelde. 'Een beetje over mijn toeren.'

'Het geeft niet,' zei Amanda en zwaaide vaag met haar hand. 'Het geeft helemaal niet.' Ze wierp Chloe een flauwe glimlach toe die ineens overging in een enorme geeuw.

'Goed,' zei Jenna terwijl ze naar hen vieren keek. 'Zit iedereen goed? Alles in orde?'

'Prima, dank je,' zei Philip terwijl hij met de joint naar haar zwaaide. 'Uitstekend idee om hierheen te gaan.'

'Ja,' zei Jenna en wierp hem een olijke blik toe. Ze pakte Sams hand. 'Kom mee, jij. Sam en ik wensen jullie nog een prettige nacht,' verkondigde ze tegen de anderen. 'Wij gaan dáár slapen.' Ze wees. 'Aan de andere kant van het veld.'

'Juist,' zei Philip na een korte stilte. 'Nou ja... da's goed.'

'O, en we gaan vrijen,' voegde Jenna eraan toe, 'dus haal het niet in jullie hoofd om langs te komen voor een praatje.'

Naast haar verstijfde Sam vol ongeloof. Hij keek naar Chloe die haar mond opendeed om iets te zeggen – en hem weer dichtdeed.

'Geintje,' zei Jenna en keek met een blije grijns naar de verbaasde gezichten. 'Of niet. Welterusten, allemaal.'

Een paar minuten nadat Jenna en Sam in het donker waren verdwenen, ging Amanda bij de meisjes kijken, een paar meter verderop. Ze boog zich over Octavia, geeuwde nog een keer en ging met een plof op de grond zitten; een ogenblik later viel ze achterover, diep in slaap. Hugh stond op, liep met een dekbed naar haar bewusteloze lichaam, legde het voorzichtig over haar heen en kuste haar zachtjes welterusten.

Toen hij bij de anderen terugkwam, schonk Philip nog een glas wijn voor zichzelf in en nam een paar slokjes. Toen begon ook hij te geeuwen.

'Ik ben kapot,' mompelde hij terwijl hij ging liggen.

'Ontspannen,' antwoordde Chloe. Ze boog zich voorover en kuste hem zachtjes. 'Je voelt je ontspannen.'

Hij deed zijn ogen dicht en ze ging op haar hurken zitten. Toen ze opkeek, zag ze dat Hugh naar haar keek. Hij nam een slokje wijn en toen nog een, en keek naar Philips gezicht. Hij wachtte, zag Chloe, tot Philip in slaap viel.

Ze realiseerde zich ineens dat zij precies hetzelfde deed. Zwijgend schonk ze Hughs glas en het hare vol. Ze nam een slok en keek naar de sterren.

'Ik ben niet moe,' zei Hugh op zachte toon.

'Nee,' antwoordde ze na een korte stilte. 'Ik ook niet echt.' Ze keken allebei naar Philip. Zijn ademhaling klonk nu gelijkmatiger. Zijn ogen waren stevig dicht.

'Hugh...' zei Chloe zachtjes.

'Chloe?' mompelde Philip terwijl hij zich bewoog en zijn voorhoofd een beetje fronste.

Chloe hield haar adem in en keek hoe Philips gezicht weer ontspande. Ze kreeg een levendige flashback van al die nachten dat ze had gewacht tot de baby in slaap viel. In het donker van de kinderkamer blijven staan, nauwelijks durven ademen, en dan stilletjes, onopgemerkt wegsluipen. Het had altijd een heel klein beetje als verraad geleken. Net als dit nu.

De minuten tikten voorbij. In het kreupelhout klonk even het gescharrel van een diertje; vanaf de weg kwam het geluid van iemand die zachtjes lachte. Chloe's ogen waren op die van Hugh gericht, kijkend en wachtend. Eindelijk kwam ze tot het oordeel dat ze lang genoeg gewacht hadden.

'Zo,' zei ze en keek naar Philip. Hij mompelde niet, bewoog niet.

'Zo,' zei Hugh. Hij ging een beetje verzitten en het geritsel van droge takjes klonk. 'Je gaat dus morgen echt weg.'

'Ja,' zei Chloe. 'Ik denk dat er aan alles op een natuurlijke manier een eind komt. Denk je niet?'

'Ja,' zei Hugh. 'Dat zou best kunnen.'

Het was even stil. Duizend zinnen vormden zich in Chloe's hoofd en stierven weer weg.

'Het heeft geen zin om te blijven,' zei ze ten slotte. 'En ik heb geen zin om Gerard te zien. Jij wel?'

'Niet bepaald.' Hugh pakte zijn wijnglas, keek ernaar en zette het weer neer. 'Chloe, ik moet je iets over Gerard vertellen. Hij wist het niet van... van ons.'

Er verscheen een diepe rimpel in Chloe's voorhoofd.

'Wat bedoel je? Natuurlijk wist hij het van ons! Daar draaide het helemaal om. Daarom...' Haar stem stierf weg toen Hugh zijn hoofd schudde.

'We hebben gewoon aangenomen dat hij het wist. Heb jij het hem wel eens verteld? Want ik heb het hem nooit verteld.' Chloe keek hem aan terwijl de gedachten door haar hoofd tolden.

'Dat heb ik vast gedaan. Vast wel...' Ze liet haar hoofd in haar handen zakken. 'Tenminste... ik dacht van wel...'

'Gerard heeft deze vakantie geregeld om Philip en mij in een lastig parket te brengen,' zei Hugh. 'En ik geloof echt dat dat alles was. De andere... factor... was gewoon...'

'Ik heb steeds aangenomen dat hij het wist,' zei Chloe zonder op te kijken. 'Voor mij was het vanzelfsprekend...' Hugh boog zich met een ernstig gezicht voorover.

'Chloe, het punt is dat we niet gemanipuleerd zijn. We zijn niet in een val getrapt. We hebben gedaan wat we hebben gedaan omdat... we wel moesten.' Hij beroerde voorzichtig een lok haar die over haar gezicht viel. 'We moesten de antwoorden op onze vragen vinden.'

Chloe keek op en knikte langzaam. Ze bleven enkele ogenblikken zwijgend zitten, de gelijkmatige ademhaling van de slapers een achtergrond voor hun gedachten.

'En, voel je je nu beter over Gerard?' zei Hugh na een tijdje. 'Vergeef je het hem?'

'Nee,' zei Chloe en haar gezicht verhardde zich een beetje. 'Ik zal hem nooit vergeven. Het kan me niet schelen wat hij wist of wat hij van plan was. Hij wilde met onze levens spelen. Dat is voldoende.'

Ze nam een slok wijn, zette haar glas neer, leunde achterover op haar ellebogen en keek naar de inktzwarte hemel. Ze was zich bewust van Hugh die haar gadesloeg, van zijn blik die over haar dwaalde. Zij tweeën, alleen in de stilte van de nacht.

'Ik zal het me altijd blijven afvragen, weet je,' zei Hugh na een poosje. 'Hoe het had kunnen zijn geweest. Als we bij elkaar waren gebleven, al die jaren geleden. We hadden naar deze villa kunnen komen, als man en vrouw. Met Sam. Ik had Sam als mijn zoon kunnen hebben.'

'Dat had gekund,' zei Chloe die knikte.

'We hadden samen zes kinderen kunnen krijgen.' Chloe glimlachte flauwtjes.

'Zes! Dat denk ik niet, hoor.'

'Het ergste is...' Hugh wreef over zijn gezicht. 'Het ergste is dat we waarschijnlijk ontevreden zouden zijn geworden. Na een paar jaar. We zouden hier waarschijnlijk in de zon hebben gelegen, een beetje verveeld, en ons hebben afgevraagd of we er wel goed aan gedaan hadden om met elkaar te trouwen. Zonder ons te realiseren hoe verdomd veel geluk we hadden...'

Hij was iets harder gaan praten en bij de kinderen bewoog Amanda in haar slaap. Hugh hield zijn mond en bleef heel stil zitten. Chloe keek roerloos naar de enorme, met sterren bestrooide hemel. Ze wachtten stilletjes tot Amanda zich omgedraaid had en zich weer teruggetrokken had in haar dromen.

'Het is laat,' zei Chloe ten slotte. 'We moeten eens gaan slapen.' Hugh staarde recht voor zich uit, alsof hij haar niet had gehoord.

'In de loop van ons leven nemen we zoveel beslissingen,' zei hij onverwacht. 'Sommige blijken onbelangrijk te zijn... en sommige blijken de sleutel tot alles te zijn. Wisten we op het moment zelf maar hoe belangrijk ze waren. Wisten we maar wat we weggooiden...'

'Hugh, we hebben nog steeds geluk,' zei Chloe zachtjes. Ze ging rechtop zitten en keek hem ernstig aan. 'We hebben allebei geluk. Dat moet je niet vergeten.'

'Dat weet ik.' Hugh wierp een blik op Amanda's vredig slapende gezicht, boog zich over haar en veegde een blaadje weg dat op haar wang was beland. 'Het komt wel goed met Amanda en mij. Ik hou echt wel van haar. En ons leven samen... het gaat wel. Het komt wel goed.'

'Dat hoop ik,' zei Chloe die zijn blik volgde. 'Dat hoop ik oprecht.' Terwijl ze toekeken, draaide Amanda zich om en liet een zacht gesnurk horen. Chloe nam een slokje wijn om een glimlach te verbergen.

'Joost mag weten hoeveel ze er achter haar kiezen heeft,' zei Hugh ironisch. 'Ze is echt buiten westen.'

'Ik denk dat Philip zich eindelijk ontspant,' zei Chloe. Ze keek naar zijn vredige gezicht en er kwam een teder gevoel bij haar op. 'Hij slaapt vannacht vast beter dan hij in maanden heeft gedaan.'

'Wij allemaal wel, denk ik,' zei Hugh. 'Dat verdienen we tenminste wel...'

Er viel een stilte en Chloe moest ineens geeuwen. De stille duisternis begon slaapverwekkend te worden, vond ze, als een warme, zachte deken. Ze geeuwde nog een keer en glimlachte beschaamd naar Hugh.

'Ik krijg er ook last van. Ik ben nooit zo'n avondmens geweest.' Ze zette haar glas neer en wreef in haar ogen. 'We moeten morgen vroeg op. Als we echt van plan zijn om weg te gaan voor –'

'Chloe,' viel Hugh haar zachtjes in de rede. 'Chloe, we hebben nooit samen geslapen.'

Ze keek verschrikt op. Hugh keek haar aan, zijn gezicht ernstig in het maanlicht.

'We hebben nooit samen geslapen,' herhaalde hij met klem. 'Ik wil de hele nacht met jou slapen, Chloe. Voor deze ene keer. Ik wil je in mijn armen houden en... voelen hoe je bij me slaapt...' Er glom iets in zijn ogen. 'Ik wil zien hoe je eruitziet als je wakker wordt.'

Chloe keek naar zijn vurige gezicht en wist dat ze nee hoorde te zeggen. Dat ze nee moest zeggen. Toen knikte ze, heel langzaam.

Ze stond zwijgend op en ging een eindje bij de anderen vandaan.

Hugh spreidde een dekbed op de grond uit. Ze bleven enkele ogenblikken, een beetje trillend, zwijgend naar elkaar staan kijken. Hugh pakte Chloe beet zonder zijn blik van de hare af te keren en langzaam lieten ze zich op de grond zakken. Ze nestelden zich tegen elkaar aan, zoals ze altijd hadden gedaan. Toen ze zijn armen weer om haar heen voelde, werd Chloe's gezicht strak van ongeuite emoties.

'Welterusten,' fluisterde Hugh en gaf haar een kus op haar voorhoofd.

'Welterusten.' Chloe beroerde zachtjes zijn wang en voelde het zachte prikken van de stoppels tegen haar vingers. Het ruwe tegen het gladde.

Met zijn arm om haar heen staarde ze de duisternis in. Ze probeerde wakker te blijven, probeerde iedere emotie te registreren. Dit zou haar herinnering worden. Misschien zou het op een dag haar troost worden. Maar algauw begonnen haar oogleden te zakken. Ze kon zich niet langer tegen de vermoeidheid verzetten.

Hugh keek hoe ze in slaap viel. Het laatste wat hij zich herinnerde was een glimlach die om haar lippen verscheen terwijl ze droomde. Toen viel ook hij in slaap, Chloe stevig tegen zich aangedrukt.

16

De ochtend kwam bleek en helder over de horizon gekropen en vuurde zonnestraaltjes op de ogen van de slapers af. Chloe werd als eerste wakker; ze rekte zich ongemakkelijk op de oneffen grond uit en kwam langzaam bij bewustzijn. Haar hoofd lag nog steeds tegen Hughs schouder, haar hand op zijn borst, haar lichaam warm tegen het zijne. Ze verzette zich zo lang mogelijk tegen het echte wakker worden. Ze wilde dit laatste moment zo lang mogelijk rekken.

Maar na een tijdje kon ze niet langer meer de schijn ophouden, niet langer uitstellen. Ze schuurde haar slaperige gezicht langs zijn shirt om er bewustzijn in te wrijven, om zichzelf terug naar de echte wereld te dwingen. Toen ze haar tranende, bloeddoorlopen ogen opendeed, bewoog Hugh. Zijn ogen gingen op een kier en hij keek haar recht aan, zijn ogen vol slaperige liefde.

'Ja,' zei hij onduidelijk. 'Ik wist het.' Toen gingen zijn ogen dicht en was hij weer in slaap.

Chloe hield haar hand boven haar ogen tegen het felle licht, draaide zich om en rolde op de grond naast hem. Ze bleef stil naar het geluid van een krekel in de buurt luisteren terwijl ze moed probeerde te verzamelen. Toen deed ze haar ogen open en keek recht in het blauw.

Ze voelde zich aan de grond vastgenageld. De hemel was niet langer een samenzweerderige sluier van duisternis, maar een enorm blauw oog dat Hugh en haar gadesloeg. Hugh en zij, samen slapend in de buitenlucht. Chloe schrok vreselijk en keek om zich heen om zichzelf gerust te stellen. Maar onmiddellijk schrok ze opnieuw en ditmaal terecht. Beatrice Stratton zat overeind, klaarwakker, en keek haar een beetje nieuwsgierig aan.

Chloe bloosde een beetje, stond zo nonchalant mogelijk op en liep op haar gemak naar een leeg dekbed. Ze ging zitten, liet zich achterover op haar ellebogen zakken en probeerde eruit te zien alsof ze daar de hele tijd gelegen had.

Een ogenblik later kwam Amanda tot leven.

'God, mijn hoofd,' kreunde ze en worstelde zich omhoog. Ze deed haar ogen open en kromp ineen. 'God, wat is het licht.'

'Goeiemorgen,' zei Chloe nonchalant. 'Lekker geslapen?'

'Gaat wel, geloof ik.' Amanda wreef over haar slaperige gezicht. 'Hoeveel heb ik gisteravond gedrónken?'

'Mama?' vroeg Beatrice.

'Wat?' Amanda richtte haar aandacht met zichtbare moeite op Beatrice. 'Wat is er?'

'Waarom sliep zij naast papa?' Beatrice wees naar Chloe.

Amanda staarde wezenloos naar Beatrice.

'Omdat er een overstroming in huis was,' zei Chloe met snel kloppend hart. Ze dwong zichzelf om vrolijk naar Beatrice te lachen. 'Ik weet dat het heel gek lijkt, dat we hier zo met zijn allen bij elkaar slapen... Ik denk niet dat jij al eens buiten geslapen hebt, hè?'

Ze wierp een snelle blik op Amanda, klaar om haar uitleg bij te stellen of aan te vullen, hem zelfs helemaal te veranderen. Maar Amanda staarde nu naar de grond en scheen helemaal niet te luisteren. Beatrice keek fronsend, verwonderd.

'Maar –'

'Wat zou je voor het ontbijt willen, Beatrice?' zei Chloe vlug. Ze keek om zich heen om te zien waarmee ze haar verder zou kunnen afleiden. 'O kijk, daar komt Jenna aan!'

'En Sam,' zei Beatrice.

'Ja,' zei Chloe langzamer. 'En Sam.'

Ze keek hoe Sam over het veld naar haar toe geslenterd kwam en zijn best deed om er onbekommerd en nonchalant uit te zien. Maar er lag een gloed over zijn gezicht die hij niet kon onderdrukken. Jenna, zag Chloe, was ook behoorlijk met zichzelf in haar nopjes.

'Goeiemorgen,' zei ze op een toon die ze probeerde vriendelijk, maar ook niet helemaal goedkeurend te laten klinken.

'Morgen, Chloe,' zei Jenna en grijnsde breed naar haar. 'Lekker geslapen?'

'Ja, dank je,' zei Chloe. 'En jij?' Ze wilde onmiddellijk dat ze het niet gevraagd had. Het laatste wat ze wilde horen was een of andere smerig, dubbelzinnig antwoord. Maar gelukkig grijnsde Jenna alleen maar breder, knikte en verdween in de richting van het huis, Sam blij in haar kielzog.

'Dus jullie gaan ervandoor?' zei Amanda terwijl ze haar vingers tegen haar slapen drukte.

'Ja, ik denk het wel,' zei Chloe. 'En jullie?' Amanda haalde haar schouders op.

'Hugh schijnt onmiddellijk te willen vertrekken. Persoonlijk vind ik het wel prima hier, maar we zullen wel doen wat hij zegt...' Ze deed haar ogen open en staarde naar de doorschijnend blauwe hemel. 'Verbeeld ik het me nu of wordt het vandaag nog warmer?'

Er klonk geritsel en Hugh kwam overeind, zijn gezicht slaperig en vertwijfeld, zijn haar in de war.

'Goeiemorgen, schat,' zei hij tegen Amanda. Zijn blik dwaalde naar Chloe. 'Goeiemorgen,' zei hij nonchalant.

'Goeiemorgen,' antwoordde ze. Ze keek hem even aan en stond toen op. 'Ik ga maar eens aan de slag. Er is nog een hoop te doen.'

Het was halverwege de ochtend toen ze ieder waterdruppeltje opgeveegd hadden, alle bezittingen hadden gepakt en de koffers en tassen op de overloop hadden gezet. Amanda en Jenna verzamelden alle kinderen en namen ze mee naar beneden om iets te drinken terwijl Chloe onder de bedden keek of er iets achtergebleven was. Na een poosje, toen ze draaierig werd, gaf ze het op. Wat kwijt was, moest maar kwijt blijven. Ze veegde over haar voorhoofd, ging op een koffer zitten en keek op toen Philip naar haar toekwam. Hij had een schroevendraaier in zijn hand en keek blij.

'Zo,' zei hij. 'Volgens mij is die zekering weer goed.'

'Echt waar?' zei Chloe. 'Weet je het zeker?'

'Nou, de airconditioning doet het weer. Ik heb een briefje voor de werkster geschreven, voor het geval dat. En ik denk dat we een verklaring voor Gerard moeten achterlaten.'

'Ja,' zei Chloe. 'Ik denk wel dat dat moet.'

Philip ging naast haar zitten. Ze zwegen even, ieder met zijn eigen gedachten. Toen keek Chloe op.

'Je had gelijk wat Gerard betreft,' zei ze spontaan. 'Je hebt de hele tijd gelijk gehad en ik had het fout.'

'O, Chloe.' Philip sloeg zijn arm om haar heen en kuste haar. 'Ik had geen gelijk. Ik had geen idee dat dit zou gebeuren. Ik heb alleen… ik moet niet veel van die man hebben. Ik denk dat ik jaloers ben.'

'Jaloers?'

'Ik wil je met niemand delen.'

'Nee,' zei Chloe na een korte stilte. 'Nee… en ik wil niet gedeeld worden.'

Ze kuste hem terug, deed haar ogen dicht en drukte zich met een plotselinge hartstocht tegen hem aan. Ze maakte zich opnieuw vertrouwd met zijn aanraking, zijn huid, zijn geur. Alsof ze thuiskwam.

'Het lijkt een eeuwigheid geleden,' mompelde ze in zijn hals.

'Dat komt omdat het een eeuwigheid geleden ís.' Philip maakte zich los en keek haar aan, zijn ogen donker van verlangen. 'Hoe vroeg moeten we precies weg?'

De wagen zat tot de nok volgestouwd.

'Waar zijn Philip en Chloe?' vroeg Amanda voor de derde keer. Ze keek op haar horloge. 'Als we iets willen vinden waar we kunnen overnachten, zullen we nu toch moeten opschieten.'

De deur van de villa ging open en Philip kwam naar buiten, gevolgd door Chloe. Ze hadden allebei een beetje een kleur.

'Sorry,' zei Chloe. 'We... werden opgehouden.' Ze keek naar Hugh en wendde haar gezicht weer af.

'Juist,' zei Amanda. 'Waar zijn de meisjes nu weer naartoe? Ze liggen toch niet in het zwembad, hè?'

'Ik ga ze wel zoeken,' zei Hugh.

'Nee, laat maar,' zei Amanda. 'Ik doe het wel –'

'Wacht even,' zei Chloe en stak een papier omhoog dat ze bij zich had. 'Ik heb een briefje voor Gerard geschreven van ons allemaal.'

Ze vouwde het papier open en las voor: 'Beste Gerard. Bedankt voor de villa! Sorry dat we zo vroeg weg moesten. We hebben het heerlijk gehad! *Adios!*'

Ze keek op.

'En dan ondertekenen we allemaal.'

'Dat klinkt prima,' zei Amanda. Ze pakte het papier en krabbelde haar naam, waarna ze met grote stappen naar het zwembad liep. De andere drie keken elkaar aan.

'Het klinkt heel vriendelijk,' zei Philip. 'Willen we wel zo vriendelijk zijn?'

'Ik vind het helemaal niet vriendelijk. Ik denk dat hij het perfect zal begrijpen,' zei Hugh. Hij pakte het papier en zette zijn naam erop; Philip volgde zijn voorbeeld.

'Goed,' zei Chloe die met een zwierig gebaar haar naam opschreef. 'Dat is dat.'

'Terug naar het echte leven,' zei Philip. 'Ik denk dat ik er klaar voor ben.'

'Hoe laat vliegen jullie?' vroeg Hugh.

'Vijf uur. Tijd zat.'

'En ze hebben de vlucht inderdaad omgeboekt?'

'Ik heb wel wat moeten bijbetalen,' zei Philip. 'Dat is de prijs die je betaalt, denk ik. En jullie?'

'Wij gaan rondrijden,' zei Hugh. Hij streek lichtjes met zijn hand over de wagen. 'Ik weet niet precies wat ik wil.'

'Nou, als je terug bent in Engeland,' zei Philip, 'bel me dan even. Dan kunnen we samen naar het arbeidsbureau.' Er verscheen een scheef glimlachje op zijn gezicht. 'De werklozen verenigen zich.'

'Ja,' zei Hugh die teruglachte. 'Absoluut.'

Chloe keek op. Er klopte iets niet aan Hughs stem. En aan zijn glimlach.

'Misschien moeten we wel gaan strippen voor onze boterham!'

'Misschien,' zei Hugh en glimlachte nogmaals. 'Misschien wel.'

Wat was het? Iets aan hem klopte niet helemaal.

'Philip,' zei ze ineens. 'Ga dit briefje eens op een opvallende plek in de hal leggen. En laat wat extra geld voor de werkster achter.'

'Oké,' zei Philip en liep naar de villa. 'Hoeveel denk je?'

'Het maakt niet uit,' zei Chloe. 'Wat jij vindt. En kijk nog een keer onder de bedden!'

Ze wachtte tot de deur achter Philip gesloten was en keek Hugh toen recht in de ogen.

'Je hebt je ontslag helemaal niet ingediend, hè?' zei ze. 'Je hebt je baan gewoon nog.'

Hugh keek haar aan alsof hij een klap in zijn gezicht gekregen had. Hij deed zijn mond open en deed hem toen weer dicht.

'O Hugh,' zei Chloe. 'Wat heb je gedaan?'

Hugh antwoordde niet. Hij begon aan de buitenspiegel van de auto te friemelen, zijn gezicht van haar afgewend.

'Hugh...'

'Ik heb geprobeerde mijn ontslag in te dienen,' zei Hugh snel. 'Ik heb het geprobeerd. Ik heb opgebeld en tegen het hoofd personeelszaken gezegd hoe ik erover dacht. Uitgebreid. En...'

'En?'

'En hij zei dat ik een maand vakantie moest nemen.'

'Een maand,' zei Chloe. 'En daar stemde je mee in?'

Hugh zweeg. Er trok een dunne wolk langs de zon. In de verte klonk een vliegtuig dat overvloog.

'Chloe, ik wil niet werkloos zijn,' zei hij ten slotte. 'Ik ben niet sterk. Ik ben geen pionier, zoals Philip en jij. Ik heb... jouw lef niet, denk ik.'

'En hoe zit het met meer tijd met je gezin doorbrengen?'

'Dat ga ik doen!' zei Hugh. 'Ik heb een maand vrij. Alles gaat veranderen.'

'In een máánd?'

'Ik ga de manier waarop ik werk helemaal veranderen. Van nu af zal het anders zijn. Echt.'

'Weet Amanda het al?'

'Nog niet. Daar gaat het om. Hier zal ze van schrikken. Daarna kunnen we onze prioriteiten op een rijtje zetten, opnieuw beginnen, dingen anders doen...'

Terwijl hij sprak, keek Chloe hem aan en kreeg ineens een schok van herkenning. Hugh had dezelfde starre uitdrukking op zijn gezicht als ze op zijn twintigjarige gezicht had gezien op het moment dat tot hem doordrong wie Sam was. Een uitdrukking die ze op dat moment niet had begrepen, maar vanaf die tijd tijdens duizend slapeloze nachten had geanalyseerd. Beschaamd, zich bewust van zijn eigen zwakheid, verontschuldigend – maar vastbesloten om zijn schip niet te laten kapseizen. De drang tot zelfbehoud was zo sterk in Hugh Stratton dat niets anders ermee kon wedijveren.

Ze slaakte een diepe zucht en voelde hoe er iets in haar vrijkwam.

'Je had die kans nooit kunnen aangrijpen, hè?' zei ze eenvoudig. 'Je had die sprong nooit kunnen maken.'

'Dit keer zou ik de sprong wel gemaakt hebben,' zei hij. 'Als je ja had gezegd, zou ik gesprongen zijn.'

'Ja?' Chloe glimlachte vol ongeloof.

Er hing een stilte tussen hen; in de villa sloeg een deur dicht, stemmen kwamen dichterbij van om de hoek.

'Chloe, denk niet slecht over me,' zei Hugh snel. 'De laatste keer dat we uit elkaar gingen... verachtte je me. Veracht me dit keer niet.'

'Ik veracht je niet,' zei Chloe.

'Ik wil dat je beter over me denkt dan je toen deed.' Hij klonk smekend. 'Denk je dat ik nu een beter mens ben?'

'Kom op, Octavia!' klonk Amanda's stem. Ze kwam met grote stappen op hen af, met tegensputterende kinderen in haar kielzog.

'Ja, Chloe?' vroeg Hugh op dringende toon. 'Ja, Chloe?'

'Chloe!' riep Amanda. 'Chloe?'

Met een hulpeloze blik naar Hugh draaide Chloe haar hoofd om.

'Ja?' vroeg ze.

'Heb jij een pot zonnebrandcrème factor twaalf gezien? Lancôme?'

'Ik... ik geloof het niet,' zei Chloe.

'Ik weet dat hij vanochtend nog bij het zwembad stond.' Amanda schudde haar hoofd. 'Ach ja. Dat soort dingen gebeurt nu eenmaal. Goed, waar is Jenna? Jenna!'

'Klaar,' zei Philip, die uit de villa kwam.

'Goed,' zei Chloe. Ze wierp nog een blik op Hugh en liep toen bij hem vandaan, naar hun eigen auto toe.

Jenna en Sam verschenen op de oprijlaan, allebei lichtrood aangelopen.

'Dag, hoor,' zei Jenna nonchalant en hees haar rugzak op haar rug.

'Dag,' mompelde Sam en haalde onverschillig zijn schouders op. 'Tot kijk.' Ze raakten even elkaars hand aan en liepen toen naar hun respectieve auto's.

'Ja,' zei Amanda. 'Nou, we moeten écht een afspraak maken. Voor een borrel of zo. Zodra het huis klaar is, nodigen we jullie uit. Misschien voor het eten. Of een brunch!'

'Misschien,' zei Chloe.

'Misschien,' zei Hugh.

Toen ze hem aankeek, wist ze dat het nooit zou gebeuren. Ze zouden elkaar nooit meer zien, in elk geval niet met opzet. Misschien toevallig. Ze zag ineens een glimp van hoe ze elkaar over een jaar of tien toevallig zouden tegenkomen. In de schouwburg of tijdens het kerstinkopen doen. Ouder, van middelbare leeftijd; de twee meisjes Stratton mokkende tieners. Sam een eind in de twintig. Een verraste begroeting, beleefde vragen, gelach om deze vakantie – nu slechts een anekdote in het familiedossier. Een snelle, steelse blik tussen Hugh en haar. De belofte om elkaar nog eens te zien. En dan weer verzwolgen worden door de mensenmassa.

'Misschien,' zei ze en wendde haar blik af.

'Juist,' zei Hugh. Hij keek naar Octavia en Beatrice. 'Zijn jullie klaar? Hup, de auto in.'

'Als Jenna in het midden zit...' zei Amanda terwijl ze peinzend naar de auto keek. 'Dat betekent dat Beatrice eerst moet instappen...'

'Ik wil naast papa zitten,' viel Beatrice haar in de rede. 'Ik wil gekke bekken doen.'

'Ik doe wel gekke bekken met je,' zei Jenna.

'Met pápa,' zeurde Beatrice en er gleed een trek van plezier over Hughs gezicht als wind over de zee.

'We doen wel gekke bekken als we stoppen,' zei hij, zijn stem licht en blij. 'Dat beloof ik, Beatrice.' Hij stapte in de auto en deed het raampje open. 'Dag, Philip. Dag, Chloe.'

Naast hem maakte Amanda haar gordel vast. Ze boog zich voorover om iets uit een tas aan haar voeten te pakken en Chloe liep snel naar Hughs raampje toe.

'Hugh,' zei ze haastig. 'Hugh, wat je daarstraks vroeg...'

Ze aarzelde en hij keerde zich met een strak gezicht naar het raampje.

'Ja,' zei Chloe eenvoudig. 'Jawel.'

Er verscheen langzaam een gelukkige uitdrukking op Hughs gezicht.

'Dank je,' zei hij zijn stem opzettelijk neutraal.

'Graag gedaan,' zei Chloe. 'Een... een goede reis.'

Er gleed een flikkering van emotie over zijn gezicht. Hij knikte en startte toen de auto. Naast hem kwam Amanda overeind met een toilettasje en zei iets tegen hem dat Chloe niet kon verstaan. Ze draaide zich om en zwaaide vrolijk naar Chloe; Chloe wachtte heel even en zwaaide toen terug.

Ze bleef doodstil staan terwijl de auto over de oprijlaan reed, even stopte en toen door de poort verdween. Ze bleef enkele ogenblikken gebiologeerd kijken naar waar ze hadden gestaan. Waar hij had gestaan. Toen Philip zijn hand op haar schouder legde, draaide ze zich met een spontane glimlach om.

'Oké,' zei ze. 'Het heeft geen zin om te blijven hangen, hè?'

'Nee,' zei Philip en sloeg stevig zijn arm om haar heen. 'Totaal geen zin.'